СЕРГЕЙ МИНАЕВ

СЕРГЕЙ МИНАЕВ

ДУХLESS

ПОВЕСТЬ О НЕНАСТОЯЩЕМ ЧЕЛОВЕКЕ

ИЗДАТЕЛЬСТВО
ХРАНИТЕЛЬ
МОСКВА

УДК 821.161.1
ББК 84 (2Рос=Рус)6
М57

Минаев, С.

М57 ДУХLESS: Повесть о ненастоящем человеке / Сергей Минаев. —
М.: АСТ: АСТ МОСКВА: ХРАНИТЕЛЬ, 2007. — 346, [6] с.

(С.: Совр.проза(У)(бел.обл.)):
ISBN 978-5-17-033851-1 (ООО «Издательство АСТ»)
ISBN 978-5-9713-0834-8 (ООО Издательство «АСТ МОСКВА»)
ISBN 978-5-9762-2710-1 (ООО «ХРАНИТЕЛЬ»)
Оформление и компьютерный дизайн А.М. Казакевича

(С.: Совр.проза(У)(черн.обл.)):
ISBN 978-5-17-035930-1 (ООО «Издательство АСТ»)
ISBN 978-5-9713-1511-7 (ООО Издательство «АСТ МОСКВА»)
ISBN 978-5-9762-2709-5 (ООО «ХРАНИТЕЛЬ»)
Оформление и компьютерный дизайн В.А. Воронина

«ДУХLESS» — книга о потерянном поколении 1970—1976 годов рождения, чей старт был столь ярок и чья жизнь была столь бездарно растрачена.

УДК 821.161.1
ББК 84 (2Рос=Рус)6

ISBN 978-985-16-0677-7
(ООО «Харвест») (бел.обл.)
ISBN 978-985-16-0678-4
(ООО «Харвест») (черн.обл.)

Посвящается Юлии Лащининой

*Спасибо моим друзьям,
без участия которых эта книга
не увидела бы свет, — Игорю Бухарову,
Константину Рыкову, Виталию Нотову*

Какие ценности из тех, в которые свято верили наши деды, можно было теперь воспринимать всерьез? Патриотизм, религия, империя, семья, святыня брака, чинная солидарность, продолжение рода, воспитание, честь, дисциплина — теперь каждый в мгновение ока мог поставить все это под сомнение. Но к чему приходишь, отвергнув такие непреложности?..

Дж. Оруэлл

Жить стало лучше, товарищи! Жить стало веселее!

И.В. Сталин

IN MEMORY OF OUR SWEET DREAMS

ACHTUNG, BABY!

Look at all that shines
Baby's down on the world and she knows it
If your spirit's running
Why don't me make it rain like we used to
We run
We hide
We wait and we want
The good life
Aw sure
You're right
This ain't, the good life

Ah, Elegantly wasted
Ah, Elegantly wasted

Look at all the crimes
Baby's down on the world cause she owns it
Making up her life
Nothing more, nothing less makes it Voodoo
We run
We hide
We wait and we want
The good life
Aw sure
You're right
This ain't, the good life

Ah, Elegantly wasted
Ah, Elegantly wasted

We look at all that shines
Baby's down on the world and she knows it
If your spirit's fine
Why don't we make it rain like we used to
We run
We hide
We want
The good life
Aw sure
You're right
This ain't, the good life

Ah, Elegantly wasted
(you could be right, you could be certain,
you could be right)
Ah, Elegantly wasted
Ah, Elegantly wasted
(you could be right, you could be certain,
you could be right)
Ah, Elegantly wasted (feels like, feels like)
Elegantly wasted — you could be right
Elegantly wasted — you could be certain
Elegantly wasted — you could be right
Feels right, feels right

INXS. «Elegantly wasted»

11

Часть первая

GET RICH OR DIE TRYIN*

Ресторан

Ladies with an attitude
Fellows that were in the mood
Don't just stand there let's get to it
Strike a pose there's nothing to it
Vogue
Vogue

Madonna. «Vogue»

Все начинается здесь, в Москве. Я сижу со своим знакомым Тимуром, одним из тех знакомых, которых все по привычке называют друзьями, хотя, конечно, никакие они не друзья, а просто люди, которым ты звонишь, когда тебе нечем занять вечер и нужен собутыльник, чтобы просадить в кабаке очередную пару сотен.

Мы сидим в «Vogue Cafe», в котором (как известно из московской тусовки) плохая кухня, проблемы с паркингом, хамоватый персонал и вечные толпы у барной стойки. Несмотря на всю кучу сказанных об этом ресторане гадостей, он продолжает оставаться одним из самых по-

---

* Разбогатей или сдохни, пытаясь.

пулярных московских заведений. Видимо, тусовка ловит от нахождения в нем особый, сродни мазохистскому, кайф, если терпит все эти ужасы, сравнимые, безусловно, только с присутствием в нацистском концлагере. В те моменты, когда очередной московский тусовщик с именем Мигель или Дэн, отчаянно жестикулируя, рассказывает тебе очередную историю о том, как его «обхамили в "Vogue"», а после того, как он попытался поставить на место официанта, еще и специально «отравили дорадой», и при этом сравнивает сей ресторан с «этим... ну, ты понял... концлагерем... как его... Муратау, по-моему», — ты понимаешь, что, во-первых, этот придурок, который в школе не смог запомнить название Дахау, никакой не Мигель и не Дэн, а Миша или Денис и историю эту он так же придумал или своровал со страниц псевдомодного журнала, как и свое дурацкое имя-погоняло. А еще ты понимаешь (и в этот момент испытываешь благоговение до пяток, кое испытывали туземцы при виде кораблей испанских конкистадоров, приплывших выкачивать их золото), понимаешь, как на самом деле велик ресторатор Аркадий Новиков, построивший империю заведений для подобных людей.

Итак, мы сидим в «Vogue». Оба достаточно сильно пьяные. Я только что закончил рассказывать Тимуру идею постройки грязной пивной, с разбавленным пивом и пересушенной воблой, со всеми этими отвратительными совковыми запахами блевоты и разлитого по полу алкоголя. Этакой реанимации центра досуга пэтэушников и слесарей в районе Текстильщиков, в году так 1983-м. Идея была в том, что если проект откроет Аркаша, то все эти расфуфыренные мудаки будут бронировать там столики за неделю, чтобы платить баснословные счета за диссонанс между собственным «майбахом» и толстой официанткой в грязном переднике, подающей им плесневелые сосиски. И самое веселое в этом, что от плесневелых сосисок их будет переть в несколько раз круче, чем от собственного лимузина за несколько сотен тысяч евро. Они их будут жрать, нахваливать и рекомендовать друзьям. А ресторанные критики зайдутся в щенячьем визге в своих статьях о «новом ресторане Аркадия Новикова с интересным, авторским подходом к кухне». Сойдясь на том, что будет «биток» и «мега», мы выпили еще по сто виски, и я впал в традиционное для себя состояние пустоты, когда вечер завершен, тебе снова жутко скучно и единственным желанием остается, чтобы твой собеседник молчал.

Как всегда, в такие моменты у собеседника открывается желание сказать тебе что-то очень важное. Тимур наклоняется вплотную к моему уху — так, что я начинаю ощущать из его рта запах алкоголя, пасты с томатами и сигаретного дыма, смешанного с вонью кариеса. Я пытаюсь чуть отстраниться, но этот пьяный дурак опять придвигается и шепотом, который можно расслышать на улице, предлагает мне вписаться в проект разведения рыб атлантических пород в Подмосковье. Понимая, что «музыку не остановить», я делаю вид, что мне охуительно интересно, и говорю, что, конечно, хочу в одночасье стать рыбным олигархом, особенно с таким умным партнером, как Тимур, который все сам рассчитал. А требуемые от меня вложения в 300 000 долларов у меня, конечно же (ради такого проекта!), найдутся (как, впрочем, и у него). Я слушаю весь этот бесперспективняк и, чтобы вконец не окосеть, рассматриваю окружающих нас шлюх.

В «Vogue», как и в любом модном ресторане, много проституток, выдающих себя за честных столичных девушек, и еще больше честных столичных девушек, почему-то выдающих себя за проституток. Чем первые отличаются от вторых, мне совершенно не понятно, засим, для простоты понимания, я зову эту категорию особей женского пола the telki.

Обшаривая зал глазами, я натыкаюсь на интересную парочку. За столом развалился толстый поц лет пятидесяти, с лысой головой и свиными глазенками, одетый в очень дорогой костюм, который тем не менее отвратительно на нем сидит. Одной рукой он сжимает сосисочными пальцами бокал с «Chateau Margaux» (бутылка предусмотрительно поставлена на стол так, чтобы бо́льшая часть зала могла видеть, что чувак лениво потягивает тысячу гринов), другой он поглаживает чувиху лет двадцати пяти. Такую блондинистую сучку, в чем-то прадо-гуччи-подобном, с сумкой «Vuitton» и длинным маникюром. Он мацает ее под столом за коленки, щиплет за задницу, а она истерично смеется на весь зал и закидывает голову так, что вставленные в волосы темные очки чуть не падают на пол.

Еще один тупизм, которого я никогда не понимал, эти вечные — днем и ночью — темные очки в волосах у девок. Причем они ими никогда не пользуются по назначению, это превратилось в модный аксессуар, на манер того, как носят в волосах диадемы богатые французские телки. Вероятно, корни этой моды следует искать в советском времени, когда не было никаких темных очков и, урвав у фарцовщиков фирменные «глаза», их таскали с собой повсюду, даже в баню.

Этот старпер тем временем продолжает бубнить ей в ухо басом какой-то наверняка тупой и сальный анекдотик из застольного арсенала бывших комсомольских работников. Чувиха сидит с отсутствующим лицом и треплет его по шее. Старпер просит принести ему счет. Глядя на весь этот вавилонский блуд, я размышляю о том, что у старпера через десять минут после того, как принесут счет, начнется нешуточная проблема. Судя по тому, как суетливо он лапал эту телку, как бегал глазками по залу ресторана, пытаясь понять, какое впечатление он производит на нее и окружающих, старпер занимается съемом в ресторанах «для галочки». Есть такая неврубная категория стареющих мужиков с большими бабками, которые пытаются доказать себе, своим деловым партнерам и друзьям то, что они «еще кобели». И это в свои-то годы! И вот сейчас, после навязчивых демонстраций собственной похоти, мужик повезет ее в гостиницу, они войдут в номер, он закажет шампанское и... его охватит отчаянный ужас, потому что, кроме как склонить ее к минету, он уже вряд ли на что-то способен. И стоял у него последний раз лет десять назад, когда он, бухой в жопу, внезапно трахнул свою жену у друзей на даче. Прикол в том, что чувиха, сидящая с ним за столом, все это понимает, более того, у нее таких стареющих донжуанов по восемь штук на неделе. И что бы ему сразу обозначить все эти моменты, договориться «до суда» и иметь пару раз в неделю симпатичную молодую девчонку для выходов в свет?! Нет, он будет пыжиться от чувства собственной значимости, страдать из-за собственной упертости, потеть, беситься, палить бабки и опять иметь голый вассер.

Пока я обо всем этом думаю, мой приятель уже трясет головой, как китайский болванчик, роняет на себя сигаретный пепел и подходит в своем повествовании к тому моменту, как мы с ним уже заработали по нескольку миллионов. Он заплетающимся языком несет какой-то бред про вложения денег, виллы на каком-то побережье и недвижимость в Москве. Я похлопываю его по плечу, говорю в ответ что-то про жизнь олигархов и поворачиваюсь, чтобы попросить счет. Удивительно сексуальная пара, за которой я наблюдал, тем временем встает из за стола. Я встречаюсь глазами со старпером и вижу в них испуг раненой птицы. Меня охватывает истеричный хохот, я пытаюсь закрыть рот руками, а мужик, понимая, над чем я угораю, понимает также, что и я знаю, что понят. От этого, вкупе с 600 граммами виски во лбу, меня сгибает пополам, и я начинаю гоготать на весь зал. Мужик берет свою чувиху под руку, и они стремительно покидают заведение. Я, с мыслями о том, что эта ситуация будет еще одним гвоздем в гроб сегодняшней попытки к сексу у лысого, иду в туалет.

Голова у меня кружится, в глазах пляшет и размножается унитаз. Одним словом — херово. Я, не в силах стоять, сажусь на унитаз и закуриваю. К горлу комками подступает тошнота. Я встаю, иду к раковине, минут десять плещу в лицо ледяной водой. Дверь туалета открывается, и заходит Тимур. Со словами «я заплатил там, я щааа» он открывает дверь свободной кабинки и начинает с порога блевать. Ждать этого блюющего «олигарха по амбициям» мне как-то не улыбается. Я выхожу из туалета и направляюсь к выходу. На часах половина первого.

На улице, почувствовав озноб, я поднимаю воротник пиджака, закуриваю и тупо впяливаюсь в ночь, пытаясь понять, где мне ловить такси (хотя дураку ясно, что дорога там одна, по Неглинной, и вариантов куда-то идти нет).

Сзади меня окликают. Я нехотя оборачиваюсь и вижу какую-то чувиху. Сконцентрировав органы зрения, я идентифицирую ее как свою бывшую сокурсницу Оксану Григорьеву. На курсе она была одной из самых эффектных девчонок, и у нас несколько месяцев длилось что-то наподобие романа. У нее в голове всегда были какие-то нескончаемые (вбитые ей в голову ее матерью, бывшим партийным боссом) иллюзии о том, как она великолепно должна жить в будущем. Этакая сплошная dolce vita с перелетами на частных самолетах из Парижа в Милан, с принцами на белых лимузинах и прочими атрибутами низкобюджетных голливудских фильмов-сказок. Затем она вышла замуж, как говорили, не очень удачно, и сейчас, даже своими мутными от алкоголя мозгами, я понимал, судя по ее внешнему виду, что она оказалась в третьей серии киноэпопеи «Утраченные иллюзии» производства киностудии «Это твоя жизнь, беби». Не очень врубаясь, о чем мне с ней говорить, я пьяно проблеял что-то вроде «Привет, как дела, ты куда?» и тем самым привел в действие детонатор бомбы под названием «женщина пьяна и одинока».

Как-то незаметно для себя я оказался в машине, которая везла нас к ней. По дороге домой и далее, у нее на кухне, я выслушал подробный отчет о том, кто из наших сокурсников как устроился в этой жизни, кто стал миллионером и в одночасье все просрал, от кого ушла жена и кто бросил Ленку из третьей группы с тремя детьми. Говоря все это, Оксана подсаживается ко мне, гладит меня по волосам и поправляет бретельку платья. В целом весь этот кадреж кажется мне каким-то фальшивым и лажовым. Я сижу чуть менее бухой, чем когда я выходил из «Vogue Cafe», и догоняюсь «Советским шампанским», которое она достала из холодильника. Я совершенно четко понимаю, что весь этот флирт с ее стороны вызван неудачным вечером, отсутствием какого-нибудь папика, которого она обычно цепляет по ресторанам, и вот эта ситуация «на безрыбье и рак рыба» мне как-то не по кайфу. Я киваю, постоянно курю и думаю, под каким бы предлогом слинять от нее. Тем временем рассказ о наших сокурсниках подходит к концу. Все они, как выясняется, оказались по жизни лузерами, алкоголиками и наркоманами, и то, что они еще не умерли все разом, а продолжают влачить свое жалкое (по сравнению с ее, Оксанкиной, красивой и наполненной жизнью) состояние — лишь дело времени.

Оксана начинает пить эту гадость прямо из горла, временами у нее изо рта вырывается пена, она давится, кашляет и вульгарно ржет, как любая пьяная баба. Рассказ ее становится все менее связным. Она путается, роняет на себя и на меня зажженную сигарету, и я думаю, что произойдет быстрее: она прожжет мой пиджак или наконец сожжет свой мозг алкоголем?

Дальше начинают происходить еще более ужасные вещи. Она идет в ванную, проводит там минут пятнадцать и возвращается на кухню. По пути она сбрасывает халат, остается абсолютно голой и включает музыкальный центр, который наполняет помещение самой отвратительной и тошнотворной, на мой взгляд, мелодией. Той самой лирической композицией группы «Enigma», которая называется «Sadness» или «Madness», я в этом не очень силен. Она падает на диван рядом со мной, неловко стукаясь локтем (по-видимому, тем самым нервным окончанием, удар по которому вызывает пронзительную ноющую боль), ее лицо на несколько секунд искажает гримаса (что вызывает во мне приступ утробного смеха), и начинает расстегивать мне брюки. Я уже набрался до бровей, и мне в принципе по фигу, что у меня не стоит, тем более что иметь с ней секс мне совсем в падлу. Далее начинается неуверенная, пьяная имитация минета с какими-то булькающими звуками с ее стороны. Я в этот момент думаю о пошлости сложившейся ситуации. О пьяной, перманентно пытающейся издавать страстные звуки несчастной бабище, которая грезила быть королевой, а стала обыкновенной ресторанной профурсеткой, о собственном бессилии и о завтрашнем рабочем дне. Еще я думаю, что под эту мелодию сотни тысяч европейских бюргеров ежедневно трахаются со своими жирными женами, истеричными любовницами, и еще о чем-то в этом духе. Постепенно я проваливаюсь в сон, успевая отметить, что Оксана (видимо, в силу беспрерывной занятости в своей сногсшибательной жизни) перестала бороться с целлюлитом и он победил, как сорняки побеждают парниковые растения.

20

Мне снится Тимур, стоящий в высоких рыбацких сапогах на борту какого-то сейнера, полного рыб, бьющих хвостами, затем я успеваю подумать о том, что где-то читал о рыбах, снящихся к беременности, затем мне снится толстяк из «Vogue Cafe», строящий мне глупые рожи. Последнее, что я помню, — это мысль о достаточно забавной идентичности наших с ним ситуаций. Я показываю ему во сне «фак» и окончательно отрубаюсь...

Офис

> Транснациональные корпорации с самыми раскрученными брэндами могут сколько угодно говорить о многообразии, но зримый результат их деятельности — это армия подростков-клонов, стройными рядами — «единообразно», как говорят маркетологи, — марширующая в глобальный супермаркет.
>
> *Наоми Кляйн. «No logo»*

Следующим утром я прихожу на работу.

Стоит сказать, что контора моя является филиалом большой французской компании по продажам разных консервов. От кукурузы до зеленого горошка. Когда-то давно, лет десять назад, ее представительство в Москве открыл один непутевый чел. Жизнь он вел разгульную, весьма не по средствам, и, как и многие в начале девяностых, думал, что жизнь в атмосфере бесконечного праздника, когда сегодня ты пропил две тысячи долларов, а завтра наживешь непонятным образом еще пять, будет продолжаться вечно. Довольно быстро число лохов, которых можно было путать разнообразными аферами, сошло на нет вместе с количеством денег, которые эти самые лохи ему приносили. Суммы же проигранного в казино, промотанного по проституткам и ночным клубам, наоборот, возрастали с астрономической скоростью. В какой-то момент челу пришлось взять кредит в банке для латания бесчисленных дыр в своем бюджете. Кредит, ясное дело, брался с целью последующего кидалова банка. Стоит ли говорить, что банк (как, впрочем, и почти все в то время) оказался бандитским. И в один прекрасный и, возможно, даже солнечный день на пороге его офиса возникла группа крепких ребят, весьма дружелюбно настроенных, которые путем быстрого диалога, подкрепленного парой увесистых зуботычин, объяснили герою, что либо он несет деньги в банк, либо его несут в морг. Прикинув, что шансы исчезнуть ничтожно малы, этот чувак стал быстренько искать варианты нехитрой махинации, с помощью которой можно было бы найти искомую сумму. Тут выяснилось, что у его отца, когда-то работавшего в торгпредстве СССР во Франции, оказались некоторые завязки с тамошними промышленниками, которые, по счастью, искали партнера для открытия своего консервного бизнеса в России. Живо обрисовав им перспективы выхода на столь огромный (но столь же и опасный) рынок с надежным российским партнером (стоит ли сомневаться в нашей честности, ха-ха), он заполучает контракт. Открыт, как водится, офис, сидит секретарша, стоит пара шкафов с пустыми канцелярскими папками, а также имеется склад, готовый принять две фуры, стоимостью, равной сумме взятого кредита плюс некоторые проценты.

Когда товар пришел, его нужно было реализовывать, чтобы превратить груды набитого генно-модифицированным горохом и овощами металла в дензнаки. Реализация первой партии прошла столь быстро и столь успешно, что и сам чувак, и бандиты решили пока не резать курицу, несущую золотые яйца, а подзаработать деньжат на торговле, покрасть попутно у глупых френчей деньги, выделяемые на рекламу, а там посмотреть. Но, как и любой русской сказке, всему приходит конец. Не всегда счастливый. Поймав пару раз левые балансы и неубедительные отчеты о рекламных затратах (действительно, разве могут быть так похожи друг на друга пейзажи, окружающие 150 размещенных в Москве рекламных щитов, — выглядит так, будто пять щитов снимали с разных точек), французы сами приехали в Москву. Здесь они резво нашли выходы на соответствующие органы, в которых объяснили, что они-де инвестируют в Россию сотни тысяч долларов, а могут и миллионы, но здесь сидят люди не совсем, скажем так, честные и тормозят взаимовыгодный для наших стран бизнес. Соответствующие органы вошли в положение французов и, руководствуясь идеей укрепления российско-французских торговых связей, быстро отжали с поляны чувака с его бандитами.

Так получилась контора, в которой я тружусь на посту коммерческого директора.

Со временем из маленького офиса вырос целый монстр, с неповоротливой инфраструктурой, парой сотен сотрудников, алкоголиком-директором (с русской стороны), с жутким запахом изо рта и манерой собирать еженедельные совещания в девятнадцатьнольдве.

Продажи шли довольно успешно, директор постепенно готовился к пенсии. Наезжавшие с проверками французы весело проводили время в клубе «Night Flight» с русскими проститутками. Низший персонал был низведен до состояния работников потогонных предприятий по пошиву кроссовок в Индонезии, а топ-менеджмент, частью коего я и имею честь быть, устроил диктатуру корпоративного рабства, замешенного на жути совковой министерской эстетики, получал ломовые бонусы, неимоверные командировочные и воровал, по мере возможностей, бюджеты. В общем, бизнес был построен как положено.

Наш милый офис находится в одном из первых бизнес-центров города. В Riverside Towers, этой цитадели корпоративного ужаса. Само название, по замыслу его создателей, должно, вероятно, вызывать у работающих в нем ассоциации с этакими ажурными дворцами на берегу благословенной реки. Но у меня лично с первого дня работы оно вызывает ассоциации с жуткими готическими замками или юдолями зла из романов-фэнтези. Ранним зимним утром, когда на улице еще не слишком светло, кирпичные башни загораются восковыми глазницами окон, как ожившая иллюстрация к книгам Толкиена.

В особенности когда ты стоишь в девять утра на горке, перед въездом на территорию, и видишь, как стягиваются к башням людские и автомобильные потоки. Люди семенят, пытаясь не опоздать на работу, многие на ходу лопочут по мобильникам, постепенно втягивая свои невыспавшиеся мозги в утреннюю суету города. (Мобильные телефоны выполняют в настоящее время, ко всему прочему, еще и функцию дополнительного будильника. Если первый будит тебя на работу, то второй сообщает тебе, что она уже началась.) Иногда мое воображение дорисовывает чуть сгорбленным фигуркам тюки на спинах, превращая их в крепостных рабов, ежедневно несущих своим хозяевам оброки в виде собственного здоровья, чувств и эмоций. Самое глупое и самое ужасное в этом то, что все это они делают по своей собственной воле, в отсутствие каких-либо кабальных крепостных грамот.

Ближе к десяти утра на стоянку медленно въезжают солидные представительские автомобили производства западногерманских концернов. Из них вылезают БОССЫ, вальяжно проходят в офисы, на ходу молниями из глаз испепеляя опоздавших или курящих на улице сотрудников. В Riverside Mordors* начинается новый день...

Да, кстати, курить в офисах, на этажах и на улице близко от входов — запрещается. Во-первых, курящие сотрудники меньше работают (уменьшается ли при этом ПРОИЗВОДИТЕЛЬНОСТЬ ТРУДА, не уточняется). Во-вторых — курение является источником многочисленных болезней (и как следствие, многочисленных оплачиваемых больничных листов), таких как: бронхит, легочные заболевания и т.д. Курящий человек может умереть и лежать в гробу на собственных похоронах с ужасным серовато-зеленым цветом лица (в противоположность скоропостижно скончавшемуся от переработок розовощекому некурящему коллеге), чем нарушит Инструкцию номер 234 «О внешнем виде сотрудника Компании, находящегося на корпоративных событиях, мероприятиях или в иных Общественных Местах, где он может быть напрямую ассоциирован с Компанией».

Напротив, топ-менеджерам, к числу коих я, по недоразумению, принадлежу, в виде поблажки негласно разрешается курить в собственных кабинетах. Этим, наверное, Компания подчеркивает, что ей все равно, от чего и с каким цветом лица вы сдохнете. В вас вбухано столько корпоративных денег, что руководство Компании не то что не заявится к вам на похороны, а трижды перекрестится по поводу вашей кончины. Такова жизнь. Большую ее часть ты карабкаешься в стремлении занять место под солнцем, а когда достигаешь желаемого, то подчас испускаешь дух, так и не успев насладиться его первыми лучами.

_____
* Мордор — обитель Черного Властелина, цитадель абсолютного зла в трилогии Толкиена «Властелин Колец».

Я, как поднаторевший в корпоративном этикете буль-дог, заблаговременно позвонил в девять утра собственной секретарше, чтобы она сообщала всем о моей мифической утренней встрече, съездил домой переодеться и, закапав в глаза визин, отправился на службу. К офису я подъехал без десяти одиннадцать.

И вот я выхожу из лифта на восьмом этаже и открываю дверь офиса, источая из себя флюиды вечных ценностей, таких как: пунктуальность, служебное рвение, начальственная мудрость и забота об интересах Компании.

При входе размещается ресепшн. Ажно с тремя секретаршами. Я здороваюсь, все три одновременно поднимают головы от книжек формата «покетбук» и говорят мне: «Доброе утро». Мониторы компьютеров практически загораживают их лица. Разглядеть, кто сидит за ресепшн-деск, можно только в просветы между мониторами. Таким образом, создается полнейшая иллюзия того, что наши секретарши сидят в долговременной огневой точке. Сотрудники неделями безуспешно осаждают это современное фортификационное сооружение, пытаясь получить нужную информацию, заказать себе разъездную машину или соединиться по телефону с топ-менеджментом. Добавим сюда каменные лбы секретарш, их пулеметные скороговорки, бухающие фугасом хамские выкрики по отношению к сотрудникам низшего звена, и иллюзия превратится в реальность. Воистину, не много у нас найдется Матросовых, способных собственной грудью броситься на амбразуру секретариата с гранатой в руках, чтобы оградить весь офис от их хамства, нежелания работать и проблем, вызванных их полнейшей профессиональной непригодностью.

Казалось бы, что легче их уволить и найти новых? Вежливых, предупредительных и работящих. Но во-первых, они ловко научились беременеть, чувствуя надвигающуюся грозу (увольнение). Во-вторых, на вакантные места выбывших в декретный отпуск они тотчас же приводят своих подруг, таких же твердолобых ослиц, создавая у руководства полную уверенность в том, что секретарша — это не должность, а особая человеческая порода, с детства обученная тупить, филонить и хамить окружающим. Так и живет наш секретариат годами. Половина перманентно в декрете, вторая половина (временно заменяющая первую) на испытательном сроке (видимо, бессрочном), защищенные КЗОТом, как ДЗОТом. Железобетонно.

Я прохожу к своему кабинету, в этот момент одна из секретарш начинает говорить с места:

— Постойте, тут для вас конверт передали.

— Откуда? — спрашиваю я.

— Вот, тут у меня записано было. — Она встает с места и начинает рассеянно ковыряться в бумагах на столе. Тут же забывает, что ищет, и застывает в растерянности.

— Если найдете, принесите мне тогда, о'кей?

Я-то точно знаю, что наши секретарши — андроиды. И работают они притом от сети. В стульях запаяны контакты, снабжающие секретарш энергией и поддерживающие их жизнеобеспечение. Стоит им подняться со стула, как контакт размыкается, вызывая сбои в информационной системе секретарши. Начинаются неполадки, грозящие стереть у нее всю память и вывести из строя на месяц. Находясь на работе, они могут передвигаться без сети только на расстояние до туалета или кабинета директора. А уходя на обед или уезжая домой, они переключаются в режим «Улица», позволяющий воспринимать информацию, только написанную в книгах формата «покетбук».

Я захожу в свой кабинет, моя секретарша стремительно скидывает «окна» эксплорера. Идиотка, как будто бы я не знаю, что ты целыми днями виснешь на сайте damochka.ru в поисках неземной любви или хотя бы элементарной ебли. Как-то, подсмотрев ее ник на «дамочке», я полдня разводил ее на местном форуме, посылал по почте фотографии мачо, взятые мной из Интернета, затем назначил встречу в интернет-кафе «Мах» на Новокузнецкой, насладившись теми пятью минутами, когда она, краснея и мямля, просила отпустить ее раньше на полчаса. В общем, ухохотался я тогда неплохо.

Секретарша у меня мало чем отличается от своих коллег на ресепшн. Зовут ее Катей, она довольно глупая двадцатипятилетняя девка, переспрашивающая все по пять раз, но исполнительная. Не симпатичная (что скорее плюс, учитывая вред романов с собственной секретаршей), любящая часами обедать и сплетничать со своими офисными подругами. Ее суждения по разнообразным вопросам современности поражают космической глупостью и колхозной непримиримостью с чужой позицией. Пару раз она меня вырубала напрочь своими высказываниями по вопросам общественной морали, нравов, института брака и межполовых отношений. Таким образом, ко второму году нашей совместной работы мы совсем перестали разговаривать (исключая рабочие моменты), дабы не выводить из себя меня и не вгонять в краску ее. Я к ней уже привык, как привыкают к заедающему ящику рабочего стола или неустойчивой вешалке в углу кабинета.

Я здороваюсь (стоит ли говорить, что с похмелья я чересчур вежлив. Вежлив до такой степени, что иногда здороваюсь по нескольку раз с одними и теми же людьми), прошу кофе и сажусь в кресло. Стол, как всегда, завален кучей бумаг, символизирующих непрерывность рабочих процессов и мою круглосуточную занятость. Следует отметить, что некоторые документы полугодичной давности. Куча занимает правый край весьма широкого стола, на котором также пребывают плоский монитор, беспроводная мышь, фотография, сделанная в прошлом году на встрече моих бывших одноклубников по «Спартаку», в котором я занимался в 1984—1988 годах. Еще имеются три стопки музыкальных дисков, выпущенных модными клубами Москвы, Питера и Европы. Как аудиосвидетельства моей night fever: от «Zeppelin» до «Costes». Что находится в ящиках стола, я вам поведать не могу, ибо не заглядываю в них с момента их первоначального заполнения.

За моей спиной большое окно с видом на набережную Яузы, в которое я часами пялюсь, размышляя о странностях бытия. Вот и сейчас я пью кофе и смотрю на проезжающие по улице машины. Ну что, amigos, наступило время и мне представиться?

Мне двадцать девять лет, четыре из которых проведены за стенами данного учреждения. Я служу здесь коммерческим директором, с личной секретаршей, служебной машиной, весомой годовой зарплатой и еще более весомыми годовыми бонусами. В мое ведение входят «продажи и развитие дистрибьюции компании», так, во всяком случае, написано в должностной инструкции. На самом деле свое рабочее время я в основном трачу на чтение подчиненным лекций по повышению их личного рвения (одни и те же фразы, в которых меняются только названия брэндов и текущий год), на их ежедневные избиения за недостаточно высокие продажи и скидывание собственной работы на чужие плечи.

Вы знаете, кто такой коммерческий директор на самом деле? Это такая современная разновидность дорогой проститутки, которая лавирует между интересами руководства, с их завышенными в несколько раз планами продаж, и интересами собственных подчиненных, не желающих эти планы претворять в жизнь. Поскольку, как и положено обращаться с проституткой, ебут тебя несколько раз на дню, вся твоя задача — это побыстрее довести клиента (босса) до оргазма, в идеале избежав секса в стиле S&M (порка за провал поставленных задач) и анального секса (тут уж как повезет, без всяких дополнительных бонусов).

Поскольку я профессиональная блядь, то и спектр услуг у меня достаточно широкий:

классика (о ней говорилось выше);

ролевые игры по желанию клиента (партнер по футбольной команде, любитель рыбалки, поклонник творчества Есенина, фанат караоке, совместное составление на выходных бизнес-планов);

куннилингус (по приезде пятидесятилетней финансовой директрисы из Франции);

глубокий минет (это у меня первой строчкой в ежедневном расписании с пометкой «Не переусердствовать»);

лесбос (переговоры с руководителем продаж головного офиса в присутствии собственного босса);

услуги семейной паре (раз в два года по приезде владельцев холдинга, БОЛЬШИХ ДЯДЕЙ из города Парижа).

Вся суть работы коммерческого директора в хождении по этому лезвию корпоративной бритвы: когда верхи не хотят думать, а низы не могут по определению.

Одним ты говоришь, что как коммерческий директор думаешь прежде всего об интересах компании и перспективах бизнеса в отличие от своих подчиненных, которые думают только о собственной зарплате. Других ты уверяешь в том, что «сам из среды сейлс, такой же, как они, парень», который знает, как делаются результаты, и понимает всю тяжесть полевой работы.

Вот так я и живу последние четыре года. Утро туманное плавно переходит в рабочий полдень, который сменяется вечером трудного дня. Зима сменяется весной, а лето — осенью. (В смысле времен года. Хотя и в смысле названий клубов также.)

И все идет по плану, и лица твоих подчиненных меняются с калейдоскопической скоростью, и ты уже путаешь имена половины из них, а другую половину ты просто не знаешь, как зовут. И иногда твое отупение доходит до такого уровня, что для того, чтобы вспомнить точное название собственной компании, ты вынужден вытаскивать собственную визитку.

Просмотрев почту, а точнее, перепулив входящие письма от клиентов и партнеров своим подчиненным, я иду в комнату, где сидят менеджеры по продажам. В целом это единственные люди в компании, общение с которыми не вызывает у меня отвращения. Самая справедливая оплата труда, придуманная капиталистическим собственником, — это прямой процент комиссии с проданного. Лучший индикатор быстроты твоих передвижений и искусства продавать. То, что невозможно замылить и извратить никакими мифическими «маркет-ресёрчами» и «филд-репортами». Голая правда. И ничего, кроме правды. Посему линейный сейлс — это главные люди любой торговой компании. И самое гнусное, что может делать их руководитель, — это воровать их рабочее время. Изводя его на планерки, совещания и утренние поверки. Борьба с этим совещательством, пожалуй, единственное, чему я еще уделяю внимание. Видимо, вспоминая начало собственной карьеры, хождение под мудаками начальниками, выходцами из низших слоев советских министерств, которые совершенно не врубались в быстро меняющийся рынок и продолжали жить в системе «зарплата — прогрессивка — "тринадцатая"», я пытаюсь искоренить эту дубовую бюрократию. Был бы я менее ленив и более талантлив, я непременно написал бы «Оду торговым представителям» и заставил бы всех начальников заучить ее, чтобы всегда помнили, чей хлеб они едят и чей коньяк они пьют.

В сейлс-офисе тем временем один из начальников департаментов общается со своими подчиненными. Постигает рынок путем чтения их отчетов о проделанной работе, значится. О проверке рыночной ситуации путем собственного выезда «в поля» речь, разумеется, не идет. С получением мягкого кресла руководителя департамента у многих голова превращается в задницу.

— А вот в еженедельном отчете есть графа «Новости рынка. Конкуренция». А почему ты ее не заполняешь уже второй месяц? — обращается он к уставшему от глупых вопросов подчиненному.

— Так никаких новостей нет и новых продуктов, конкурирующих с нашими, не появилось, чего в ней писать-то?

— Ну... ну напиши чего-нибудь. Графа же здесь есть? Значит, нужно заполнять.

Я вспоминаю, как один достаточно талантливый сейлс написал как-то в этой графе, устав выслушивать подобные вопросы, про новый зеленый горошек, появившийся на рынке, в треугольных банках, с этикеткой, имитирующей нашу. Когда этот отчет принес мне его горе-руководитель, с лицом, кричащим о надвигающейся катастрофе, да еще и начал говорить мне о нестандартном ходе конкурентов, я загонял всех руководителей департаментов в поисках образца этой удивительной продукции. Как вы, наверное, догадываетесь, вернувшись с пустыми руками, они бормотали что-то вроде:

— Это был быстрый промоушн конкурентов. Вероятно, неудачный икспирьенс, поскольку продукция данного вида более не появлялась.

Вдоволь поиздевавшись над ними и их незнанием рынка, усугубленным ленью и взглядом на конкурентное поле из окна собственного офиса, я еще месяц переглядывался с написавшим этот отчет работником, улыбаясь нашему общему с ним розыгрышу.

Руководитель департамента, увидев, что я вошел, делает еще более серьезное лицо и произносит такую тираду:

— Хорошо, Александр. Отчет я принял, показатели у тебя по месяцу хорошие, только вот ты про свои визиты как-то неразвернуто пишешь. Целостное восприятие твоей работы нарушается у меня, понимаешь? Ну, иди, ладно.

Когда сейлс выходит, я сажусь на его место и говорю:
— Паша, вот скажи, зачем ты людей дрочишь из-за ерунды? Он тебе план делает?
— Ну, да.
— Квартальный план выполнил? Прирост есть?
— Ну, да, но ведь отчеты. Есть же производственная дисциплина.
— И ты думаешь, что он больше продавать станет, если ты ему мозги запылишь этим? Если тебе интересно, чего он там развернуто обсуждает с закупщиками магазинов, ты бы съездил с ним на встречи. Вот ты скажи, ты сколько раз на прошлой неделе «в поле» был?
— Я... (на лбу Паши собираются морщины) я был занят офисной работой. И потом, ситуация не требовала моего аутсорсинга* со стороны подчиненных.
— Чего она такого не требовала? — кривлюсь я.
— Аутсорсинга.
— А ты по-русски это слово сказать не можешь? «Моего привлечения», например? Или «моего участия»?
— Но ведь существует ряд общепринятых выражений в бизнес-этике, и я полагаю, что...

---

* Аутсорсинг (*сленг*) — от outsource — привлечь третьих лиц для выполнения работ.

— Паша, ты рад должен быть, что он тебя, как ты выражаешься, не «аутсорсит». А то ты, наверное, и забыл уже, как с клиентами договариваться?

— Нет, я не забыл, просто отчеты нужно анализировать и на основе анализов должны строиться краткосрочные и долгосрочные планы, и поэтому я требую от своих подчиненных...

— А кто, по-твоему, их анализирует? И кто на основе этих отчетов планы составляет?

— Ну... руководство. — Он поднимает руку вверх, туда, где, по его мнению, живут небожители из топ-менеджмента.

— Паша, запомни. Отчеты эти не мне, а тебе нужны. Чтобы ты своим подчиненным правильные задачи ставил, а не ебал им мозги, заставляя писать мифологию про новые продукты. А я, дорогой мой, план продаж, в зависимости от того, сколько раз в неделю твой сейлс с тетей Клавой из гастронома «Надежда» побеседовал, не пишу. Понял?

— Ага.

— Ну вот и отлично. — Я, порядком устав от этого пустословия, направляюсь к двери. — Да, Паша, чуть не забыл. Ты ко мне на митинг в пятницу подтянись часиков в одиннадцать... И отчет о своих рабочих визитах и плане визитов на следующую неделю приатачь к себе, о'кей? Мы с тобой аналитику и устроим. Можешь мою секретаршу аутсорсить, кстати, она быстро печатает на компьютере.

Я возвращаюсь в свой кабинет, открываю файл, содержащий цифры ежедневных отгрузок компании, чтобы посмотреть картину в департаменте этого аутсорсера, Миши.

Мы все говорим о глобализации. О транснациональных корпорациях, поглощающих планету и превращающих ее в один гигантский завод с нечеловеческими условиями труда и нищенской зарплатой. Мы вслух, совершенно серьезно, рассуждаем о том, что макдоналдсы, кокаколы и майкрософты заставляют нас делать то-то и то-то.

Бред. Вы понимаете, что это полный бред? Здесь давно уже не нужно никого заставлять. Все двигаются навстречу «Компании Без Границ» семимильными шагами. Вдумайтесь, зачем мои подчиненные, эти не глупые, в общем, молодые люди, получившие хорошее российское образование, стремятся выглядеть тупее, чем они есть на самом деле? Образование в его классическом понимании. Не узкопрофильное, а разноплановое. Пусть не всегда глубокое по сути, но открывающее для сознания выпускника широкий горизонт для приложения усилий. Образование, ставящее системное мышление выше системного потребления. Кто из них дорожит этим?

Вместо того чтобы использовать свой базис, все они уподобляются твердолобым и узкоколейным американцам. Те же жесты, те же улыбки, та же манера поведения. Та же дурацкая манера говорить словами — рекламными слоганами. Зачем умные люди старательно, день за днем делают из себя идиотов?

Вы знаете, я ненавижу их не за то, что они клерки. А за то, что они мечтают быть клерками. Солдатами Международной Корпоративной Армии. И не дай вам Бог отнять у них эту мечту.

В унисон с мыслями про армию открывается дверь моего кабинета, и входит Саша. Заместитель нашего хозяина Петровича. Саша, так же как и Петрович, бывший вояка. Приблизительно месяц назад я просил Петровича поставить в мой кабинет новый «шредер» для измельчения документов, а также повесить на стену черно-белую фотографию девичьих ног на столе казино. Фотография в самом деле очень стильная.

Месяц эти деятели тянули кота за хвост, надеясь на то, что поручение отменят или о нем забудут. Раз в неделю моя секретарша звонила им, и вот наконец это свершилось. На вытянутых руках, торжественно, подобно шапке Мономаха, Саша вносит этот пресловутый «шредер». На его лице маска человека, исполняющего воинский долг.

— Чё так долго не приносили, Саш? Он своими ногами шел от поставщика?

— Не понял? Кто шел?

— «Шредер».

— Ты что! Они же в дефиците. Мы, чтобы его достать...

Далее следует витиеватая речь о том, что в Москве в 2004 году очень трудно найти «шредер». Еще минута, и я скорее всего услышу про «тяготы и лишения, которые мы испытали в поисках "шредера"». Я киваю головой, а Саша тем временем пятится к выходу.

— Постой, постой, — говорю я, — а фотографию повесить? Я вот ее в рамку даже уже вставил!

Сашино лицо делается каменным. Он понимает, что сегодня уже ПЕРЕРАБОТАЛ.

— Может, я завтра зайду? — делает он робкую попытку улизнуть. — А то мне еще в бухгалтерии там надо кое-чего...

— Саш, ну хорош, а? Дел на пять секунд.

Саша подходит к моему столу, снимает телефонную трубку и набирает внутренний номер Петровича. Докладывает ситуацию. Получает «добро». Кладет трубку и говорит официальным тоном:

— Вешаем, значит. На каком расстоянии от плинтуса?

Я цепенею. Хороший вопрос, да? Вот что бы вы ответили? «На глаз»? Я тоже хотел так же сказать. Но побоялся услышать в ответ: «Это сколько в сантиметрах?»

Поэтому я, не моргая, отвечаю: «Метр девяносто два».

— Ну, я за рулеткой тогда пошел, — говорит Саша и уходит.

Дай Бог, чтобы через месяц зашел.

Почти все хозушники в прошлом начальники складов, всевозможных частей обеспечения обмундированием и продовольствием. В общем, та самая наиболее твердолобая и тупая прослойка «сапогов», ничего общего не имеющая с русским офицерством и вообще людьми, защищающими Родину. Только по недоразумению все же именуемая «военными». Это они — герои бесчисленных анекдотов: «копать от забора и до обеда», «красить траву зеленкой к приезду начальства» и так далее. В жизни они мало отличаются от фольклорных персонажей.

В офисах, то есть, пользуясь их же терминологией, «на гражданке», они продолжают вести себя так же, как в армии. Например, деньги водителям на мойку представительских машин выдаются не тогда, когда машины становятся грязными, а тогда, когда «положено». X раз в месяц в зимнее время года и Y раз в осенне-весеннее. Летом, вероятно, машины вообще мыть «не положено» — ввиду сухого климата. Оно и понятно. Военные тягачи, в принципе, моют раз в год. По приезде начальства.

Ручки, степлеры, скрепки и ластики выдаются не по мере необходимости, а раз в год, согласно акту инвентаризации.

Когда ты обращаешься к хозяйственнику за новым дыроколом, то в ответ всегда услышишь:

— А старый ваш где, интересно?

— Не знаю. Взял кто-то. В общем, его нет.

— Да вы понимаете?!

Тут же начинается получасовой монолог, из которого можно уяснить, что потеря дырокола равносильна потере полкового знамени. И за это преступление в прежние времена тебя бы под трибунал отправили. А то и расстреляли бы. После того как ты выслушиваешь эту ересь в надежде получить после ее окончания искомый предмет канцелярии, выясняется, что на склад их «не завезли». Я после таких ответов покрываюсь холодным потом.

Кто, блядь, не завез? Мировой комитет по поставке дыроколов? Дыроколмен из комиксов? Или это ты, ленивая сука, вместо того чтобы обеспечивать компанию средствами «для комфортного ведения бизнеса», закупать все своевременно, сидишь целыми днями на своей бетонной жопе и рисуешь инвентарные номера на всем, вплоть до скрепок? Была бы твоя воля, ты бы и на спинах сотрудников их начал бы рисовать.

Скорее всего все они являются членами тайной организации — Российского союза хозяйственников и администраторов, сокращенно РСХА. Цель организации — внедрение в коммерческие организации своих людей на соответствующие посты с последующим развалом экономической составляющей фирмы. Повсеместное насаждение бюрократии, тупости, мелкого воровства, саботажа, совкового мышления и развала рабочих процессов. Придет время, и все коммерческие структуры превратятся в Большие Склады: продуктов питания, спиртных напитков, канцелярии, автомобилей — в зависимости от прежнего профиля организации, уничтоженной членами РСХА. И вся Россия, таким образом, превратится в Царство Прапорщиков. От Мурманска до Владивостока по телеграфным и телефонным линиям (Интернет они к тому времени отменят как средство, ускоряющее передачу информации) будут нестись идиотские приказы и разнарядки, которые никто не будет спешить исполнять, в ожидании их последующей отмены.

Я так и слышу их будущие телефонные переговоры:

— Петрович, здравия желаю! (Всех начальников складов, естественно, будут звать Петровичами.)

— Здорово, Петрович. Чего случилось?

— У нас тут в Ленинграде народ замерзает, как в блокаду. Твой Склад нам состава три дров не пришлет? А то у нас в городе треть личного состава (жителей то есть) к весне перемрет.

— А как я тебе их пришлю? Мне разнарядка нужна из Главка, от Петровича.

— Так он умер два месяца назад, а нового не назначили еще, где ж я тебе разнарядку-то возьму?

— А я что могу? Без разнарядки не положено! Присылай разнарядку, тогда хоть всю тайгу вырубай. А без разнарядки не могу. Не положено.

— Да... ну будем ждать назначения в Главке. Устав есть устав. Ты-то как сам, дети, жена?

— Да путем, путем. Не болеем. Ты себя тож береги. Не мерзнешь? Теплое белье есть?

— Да нет вроде. У нас же штаб в бывшем музее каком-то расквартирован, ну был, может, когда? На площади такой, здоровой.

— Ага. Там посредь ее еще колонна какая-то?

— Так точно. Ну, вот сидим тут, топим пока. Картинными рамами да мебелью всякой старой. Тут ее как вшей. Мебели этой. До весны продержимся. А там, может, Главк чего решит.

— Ну, бывай, Петрович. Звони, если чего.

— Есть. Давай.

И пока мы тут прожигаем жизнь на клубных ристалищах, эти самые Петровичи, деловито и целенаправленно, как короеды, подтачивают деревья нашего бизнеса. И полная катастрофа состоит в том, что они даже успевают растить себе смену из таких вот Саш и Володь, работающих пока офис-менеджерами. В один прекрасный день, когда они окрепнут, все мы рискуем прийти на работу и получить двадцать пять лет лагерей по «суду тройки» (завхоз, администратор и офис-менеджер) за утерю двух ручек и одного маркера.

Пока я размазываю свои мысли между хозушником, руководителем департамента и оставшимися до конца рабочего дня часами, звонит внутренняя линия и секретарша САМОГО голосом каменного Сфинкса говорит мне:

— Пройдите, пожалуйста, к Алексею Андреевичу, — причем имя и отчество она выдыхает практически с дочерней нежностью.

Я надеваю пиджак, поправляю галстук, беру в руки ручку и блокнот (на случай если вдруг услышу гениальный способ добычи философского камня или решения теоремы Ферма) и направляюсь к САМОМУ.

Алексей Андреевич Кондратов явно чувствует себя еще хуже, чем я. Похмелье и (что еще страшнее в его возрасте) недосып написаны на его лице всеми красками медицинской палитры. Он воистину подобен радуге. Лицо его за те несколько секунд, что я стою в кабинете, поменяло цвет от бледно-лилового до серо-голубого. Первое, что мне хочется сказать ему, это: «Что же вы водку-то так жрете? Вам же не семнадцать лет, да и не двадцать семь давно уже».

Я здороваюсь, осведомляюсь о цели моего вызова и получаю кивок в сторону левого угла кабинета, где на стуле, как на жердочке, примостился заместитель финансового директора филиала, омерзительный, тощий француз Алан Гарридо. Я давно уже намекал Кондратову, что все проблемы и проверки, все то дерьмо, которое регулярно сыплется на наши головы из Парижа, — плод наушничества месье Гарридо. Но судя по всему, этот жулик так втерся в доверие к головному офису (по зову родной крови, так сказать), что выкурить его пока не представляется возможным. Мы с Гарридо уже три года живем в режиме «фронт без линии фронта», всячески пакостим друг другу, тратим время на подставы и ругань, вместо того чтобы заниматься делом. Началась эта война после того как я жестко выступил против его инициативы урезать бюджет сейлс-структур в пользу общего бюджета продвижения компании и отдать всю рекламную и промо-активность филиалу французского агентства, директором коего работал лепший кореш Гарридо. Уж представляю, какие акции они бы намутили с нашим бюджетом и куда бы они что продвинули. С тех пор наша война то затухает, то разгорается вновь, поскольку этот урод не оставляет надежду влепить мне между глаз, в отместку за тот инцидент.

— Вот полюбуйся, что наш отдел маркетинга выдумал, — говорит мне Кондратов.

Гарридо передает мне эскиз рекламного плаката консервированной кукурузы. На нем изображен настоящий мачо с волевым небритым лицом, сидящий за столом и готовящийся нырнуть лицом в горку кукурузы, лежащую на стеклянном столе. Рядом с горкой разбросаны монеты и банкноты. Поверх всего слоган: «Сладкая кукуруза «Тандюэль» — ИСТИННОЕ ЗОЛОТО».

— Ну и что? — спрашиваю я. — Была задача создания рекламных образов для региональных промоушенов, с идеей продукта для настоящих мужчин. Или чего-то подобного. В установке из головного офиса все подробно написано. Вот они и создали. А в чем проблема?

— А у Алена другое мнение на сей счет, — говорит Кондратов.

— Да. Я хотель говорьить на то, што этот имажь вьесьма провакасьон.

— Это чего же там такого провакасьон? — начинаю заводиться я. Краем глаза я вижу, что Кондратов очень хочет спрятаться под собственный стол и поспать там, чтобы не глядеть, как два корпоративных пса будут рвать друг друга пред светлыми очами.

— Этот имажь похожь на гангста-фильм «Scar Faced» с Аль Пачино, ву компроне? (Продолжает он на англо-русско-французском диалекте.) Этот гора корн лукс лайк а (он делает паузу) драг, ю си? Нашь консьюмер не есть гангста. И это очень демеджь имажь брэнда и можеть вызывать у консьюмер не хорошый филинг. О'кей? И у нас есть проблем, который нада решить. Вот что я хотель говорить.

И это уже за гранью. Даже такой испорченный персонаж, как я, не смог бы додуматься о сравнении кукурузы и наркотика. Причем этот придурок Гарридо даже не в силах произнести слово «кокаин» вслух. Хотя сам, я уверен, торчит вместе со своими дружками, французскими шеф-поварами и рекламистами. И Кондратов смущенно отводит лицо в сторону, тогда как сам Гарридо делает печальную гримасу и в кабинете повисает, как написал бы сценарист, «вязкая атмосфера сожаления». И обоим очень неудобно, что я «смог пропустить такое безобразие», и обоим очень трудно говорить в нашем респектабельном офисе об ЭТОЙ проблеме. И все мы заботимся о своем целомудрии в глазах потребителя и не хотим никого провоцировать, так как занимаемся «бизнесом, связанным со здоровьем» (консерванты, генная инженерия и т.д.). И оба, Гарридо и Кондратов, исполняют сейчас свой «гражданский долг» борьбы с пороком, присущим «каждому нормальному человеку без вредных привычек». Хотя Кондратов, практически законченный алкоголик, поедет сегодня, как истинный муж и отец двоих детей, к проституткам, а Гарридо ждут «нормальные коллеги из французского клуба». С пухлыми губами, крепким мужским рукопожатием и карточкой закрытого S&M-салона в кошельке.

Из царящего здесь лицемерия и ханжества об этом не принято говорить вслух. Город Москва похож на одну большую фирму, в которой запрещен доступ к порносайтам, тем не менее все поддрачивают в обеденный перерыв, договорившись с системным администратором. Миром давно уже не правит капитал. Лицемерие и ханжество — вот истинные короли мира. Здесь все разнюхиваются кокаином, ходят, как олигофрены, тряся головами, но во всех печатных изданиях и СМИ эта тема старательно обходится стороной, табуируется и вымарывается чьим-то маркером. Конечно, никто не хочет говорить о своих пороках. Мы же приличные люди, а не какие-нибудь бандиты из тарантиновских фильмов. Мы живем с хроническим насморком, объясняя все плохим московским климатом, изводим в день по три-четыре пачки салфеток, смущенно отводим глаза, встречаясь со знакомыми или сослуживцами в туалете ресторана (в десятый раз за вечер), но при всем этом делаем возмущенное лицо при виде помятого лица подчиненного, презрительно хмыкаем, если заметим на столе у друга книжку Берроуза, запрещаем новые идеи для наружной рекламы, если она содержит слова, похожие или идентичные сленговым фразочкам из лексикона дилеров.

— Что это у вас за слоган такой? «Дорога в небеса»? Для наружной рекламы железной дороги до аэропорта? Вы хотя бы понимаете, что словосочетание весьма двусмысленно? Что оно может вызвать у многих граждан, ну, скажем так, не совсем адекватное восприятие? Нет, ну многие могут подумать, что... могут возникнуть проблемы...

Чувак, проблемы, по ходу, у тебя. Это не они, это ты старательно выискиваешь всюду знакомые символы и слова. Гаденько подхихикиваешь, находя их. Была бы твоя воля, ты бы запретил рекламу стирального порошка, употребление в печати слов «белый», «быстрый» и прочих. Услышав их, ты начинаешь нервничать, крутить в руках мобильный и потеть, ожидая, когда на его дисплее высветятся такие простые и близкие сердцу каждого московского тусовщика аббревиатуры, как СашаДил или ВоваПервый. Это у тебя проблемы, слышишь, придурок? Хочешь поговорить об этом? Конечно, нет...

Об этом Гарридо говорить не хочет. Он всем своим видом показывает, что говорить нам после ТАКОГО вообще не о чем. Он полностью упивается сидением на облаке собственной победы на этой дуэли.

— А как давно стали интересовать финансовую службу нашей компании разработки департамента маркетинга? Или теперь этот отдел находится не в подчинении коммерческого директора, а в подчинении заместителя финансового директора? — спрашиваю я.

— Поскольку ми работаэм в одной команде, я считаль, что все, что есть в делах компании, есть респонсабилити каждого ее сотрудника. Ми все делаимь одно дело. Ви колл ит тим спирит, изн ит? Я провел достаточьно время в малтинейшнл-бизнес в Европе и Америка, и, беливь ми, есть принсиплс и рулз, которые уже приходят и в Россия. И имажь наших брэндов, и имажь нашей компании есть бейзис для успеха всех операций. Мне странно, что ви пока этого не понимаете, занимая такой пост. Стрейндж, риали стрейндж. Когда я работаль в Америке, — он кивает в сторону Кондратова, — месье Алексис знает, о чем я, на спешл брэнд-тренингах нас учильи...

Тут Гарридо «включает» программу «Иностранный профессионал учит работать русских бездельников»...

Экспаты... В начале девяностых в каждой уважающей себя конторе, занимающейся крупным бизнесом, на ответственных постах обязательно сидели экспаты. Если в то время это отчасти объяснялось нехваткой собственных профессиональных кадров, то сейчас этот рудимент почти необъясним. Безусловно, не стоит говорить о той части иностранных менеджеров, которая перекупалась за бешеные бабки во всяких там «BONY» или «British Petroleum» для подготовки вывода отечественного бизнеса на международный уровень. Как правило, приглашение такого профессионала себя оправдывает.

Для меня слово «экспат» является определением иностранного социума, состоящего из всяких менеджеров гостиничного бизнеса, директоров ресторанов, разного рода консультантов по ассортименту, маркетинговых специалистов, креативщиков и сейлс/оперейшн директоров. В большинстве своем это международные аферисты или обыкновенные неудачники, приехавшие сюда в начале-середине девяностых, с целью открытия в этой, тогда еще почти дикой, стране собственного бизнеса по продаже стеклянных бус туземцам в обмен на золото. Яснее ясного, что те из них, которые не смогли в тот период адаптировать западные бизнес-модели со столетней историей в чистом поле российского предпринимательства, суть полные лузеры. Но на каждый вопрос подобного рода они всегда готовы ответить историей про то, как у них отняли блестящий и доходный бизнес казнокрады-чиновники или krytie bandity from Taganka Area.

Понятно, что человек, востребованный у себя на Родине, никогда не покинет ее для занятия бизнесом за ее пределами. Если только это не расширение бизнеса на интернациональном уровне или не передвижение в рамках мультинационального холдинга. Все прочие объяснения из серии «я просто лублу путэшествьвавать» или «у вас такие красивые женщины» являются полной туфтой. Таким образом, на короткий период люди, вытесненные конкуренцией в своей стране, стали нашими бизнес-вождями. Им платили безумные (особенно в сравнении с их родными странами) зарплаты, покупали корпоративные квартиры и машины, оплачивали их ресторанные счета и загулы с проститутками, и они всем этим антуражем демонстрировали собственную успешность окружающим россиянам, которые еще не успели стать их работодателями. Таким образом создавался миф о том, что иностранец всегда дороже и всегда лучше отечественного сотрудника.

При всем этом резюме всех этих управляющих и консультантов во многом остается белым листом. Владельцы российских компаний говорили про своих иностранных топ-менеджеров:

— Как, ты не знаешь моего Джима? У него три года назад был такой успешный бизнес в России, потом он ко мне пришел работать.

Или:

— Ну, у Марка огромный опыт работы в ведущих французских рекламных агентствах.

Какие такие успешные бизнесы в России и какие такие ведущие агентства, не уточняется. Известно, что наша русская традиция иметь иностранцев на своей службе ведет свое начало от государя Петра. А вот традиция иметь у себя на службе иностранцев-аферистов началась, наверное, со времен войны 1812 года. Когда попавшие в плен французы оставались в услужении у русских дворян учителями музыки, языка, танцев и хороших манер. Действительно, раз он француз, то всяко хорошо танцует, знает манеры и музыку. У них ьедь в Париже все такие? А пленные тут же принимались искать в себе эти достоинства, чтобы попасть в услужение. Так они и жили. Имея неплохое жалованье, авторитет (особенно в среде провинциального дворянства), они учили своих подопечных. Ну и частенько все заканчивалось как в бессмертном труде Александра Сергеевича Пушкина:

Сперва *Madame* за ним ходила,
Потом *Monsieur* ее сменил.
<...>
Когда же юности мятежной
Пришла Евгению пора,
Пора надежд и грусти нежной,
Monsieur прогнали со двора.

Так же получилось и в современной России. Сначала грянули первые громкие скандалы о воровстве и растратах, затем начались обвинения в профнепригодности и доведении бизнеса до грани банкротства. А тут уж подросли и отечественные кадры (во многом уже испорченные западными «учителями»). И вот даже в филиалах западных монстров, которые ранее под страхом пистолетов не подпускали в управление «не своих», в топ-менеджменте появляются русские.

Но безусловно, самые стойкие из описанного мной социума все еще остаются в России. И по-видимому, этих уже ничем не выкуришь. Ставшие наполовину русскими, прошедшие огонь и воду увольнений, банкротств и слияний, они цепляются за свое место зубами. Уже нет того высокомерия, той безудержной траты корпоративных благ, но нет-нет да и промелькнет поучающая нотка или снисходительный тон а-ля «ну я-то иностранец и в бизнесе побольше вашего понимаю».

Вот и сейчас Ален сидит с таким сосредоточенным лицом «истинного профессионала» и несет откровенную ахинею о том, чему учат на специальных брэнд-тренингах (которые он сам вряд ли посещал, а скорее прочитал об этом в бизнес-журнале). Он долго говорит о вопросах морали, семейных ценностях и обществе без пороков — как единственно верном подходе в рекламе продуктов нашей группы и рекламе вообще. И провоцируют потребителей, по его мнению, исключительно люди низкой профессиональной культуры. В особенности отвратительны провокации, связанные с наркотиками.

Наверное, он считает, что это очень круто — поставить на повестку дня вопрос о порочности нашего отдела маркетинга и покровительства этому с моей стороны. Но мы не в Америке, где Гарридо, по его словам, проработал десять лет. Мы в России. И здесь руководители не готовы сразу рвать на себе волосы из-за того, что пропустили такую ужасную провокацию. Главное в противоборствах с такими псевдоспециалистами — это бить их их же собственным оружием. И действовать при этом как можно наглее.

— Алексей Андреевич, а это вы обнаружили двусмысленность в этом рекламном плакате? Я имею в виду ассоциативный ряд с кокаином.

— Я? Нет, это Ален зашел и показал, а то бы так и проехало, — отвечает Кондратов.

— Ах Ален. Гм... — Я выдерживаю продолжительную паузу. — Ален, а вы знаете, что думают об этом плакате фокус-группы? Наш маркетинг опросил порядка двухсот респондентов в регионах, и вы знаете, с чем ассоциируется этот образ у них?

— Нет, а что, били фокус-груп? Я не зналь об этом. И что же оньи сказаль?

— Так вот, господа. Региональные потребители ассоциируют данного мужчину с победителем в казино или на скачках (банкноты и купюры на плакате), который вдруг осознал, что есть еще более важные, чем деньги, ценности. Понимаете, Ален? Более важные ценности. И ни один из опрошенных не провел аналогии с кокаином. Кроме вас, разумеется. Но для меня очень важно ваше мнение, и я, допуская, что несколько сотен потребителей все же смогут увидеть негативные аналогии, так же как и вы, пошлю этот имаж на доработку.

— Это ошень интересьно, что сказаль потребители, а можно увидеть репортс? — спрашивает Гарридо, зеленея.

— Завтра с утра. Пархоменко сегодня выходной, все материалы только у него, но то, что я видел, говорит против вашей версии с наркотиками.

Кондратов, с облегчением от того, что беседа подходит к концу, вздыхает и говорит следующее:

— Ну вот видите, Ален. Я же вам говорил, что у нас не бывает ситуаций без контроля. Я был уверен, что маркетинг работал в тесном контакте с коммерческим директором и другими службами. И были сделаны необходимые анализы потребительского рынка. Я только вот что подумал. А нельзя ли женщину вставить туда? Ну такую секси, чтобы придать плакату эффект... — Он ищет пальцами в воздухе необходимую фразу.

— ...большей привлекательности? Мы, Алексей Андреевич, как раз готовим параллельную версию плаката. А как вы относитесь к тому, чтобы дать море, или пляж, или дикую природу на фоне женщины?

— Вот. Вот я хотел об этом сказать. Пляж, я думаю, будет очень кстати.

— Ален, — спрашиваю я, — а по вашему мнению, тема сексуальности не повредит имиджу нашего товара? Вы вообще как относитесь к привлекательным женщинам? В рекламе, я имею в виду.

— Ошень хорошо. Да. Я полностью согласьен. Я вот только хотел спросить еще о фокус-группах.

— Коллеги, вы не могли бы у себя продолжить? Я должен сделать важный звонок. — Кондратов выпроваживает нас за дверь. Я встаю, бросаю на него взгляд и отмечаю, как он кивает мне.

— Алексей Андреевич, так мы вашу идею с женщинами и дальше развиваем, я так понимаю? — спрашиваю я напоследок.

— Ага. Развивайте. Принесите мне посмотреть на неделько.

Гарридо уходит к себе, так и не задав мне больше ни одного вопроса. Даже его спина источает ненависть по отношению ко мне. Что же, у султана всегда несколько жен, а в почете та, которая сумеет его лучше ублажить.

В абсолюте весь бизнес строится на системе круговых отсосов. Ты отсасываешь у своего босса, твои подчиненные, руководители департаментов, отсасывают у тебя, у них сосут линейные сейлсы, твой босс отсасывает у главы компании в Париже, глава всей компании сосет у акционеров, а те, в свою очередь, через благотворительные фонды, экраны телевизоров и программы, посвященные здоровой пище, отсасывают у потребителей (в когорту которых входят также и линейные сейлсы), чтобы те увеличивали потребительскую активность по их товарной группе. Таким образом, получается некий замкнутый круг мультинациональных минетов, в котором непонятно, кто конкретно получает удовольствие. Все одновременно или никто в принципе?

Напевая про себя «The winner takes it all», я захожу к себе в кабинет, беру ключи от машины и спускаюсь вниз, собираясь ехать ужинать в «Галерею».

По дороге я набираю номер телефона Пархоменко, руководителя нашего отдела маркетинга:

— Пархоменко, привет, отдыхаешь?

— Отдыхаю, а ты?

— Гандон ты, Алексей. — На другом конце трубке слышится посапывание. — Макет рекламы кукурузы для колхозов ты делал?

— Мое. А что?

— А ты считаешь, это нормальный такой плакат?

— Ну так... для регионов-то сойдет. Ну, такого Аль Пачино мафиозного дали. Когда он лицом в кокосе лежит, помнишь? По-моему, смешно даже. И я думаю, все сработает.

— А ты ничего поинтереснее не мог придумать, чем чужую идею спиздить и притащить ее за уши к кукурузе? Мне почему не показал исходники?

— Так не успел же. Готово было только в пятницу, ты рано уехал. А в понедельник и вторник я выходной, а чего случилось-то? Переделаем, если чё не так.

— А ни хуя. Я только что твою задницу закрывал перед шефом и Гарридо.

— А френчу-то чего надо?

— Ничего. Он в твоем плакате углядел аналогию с кокосом. Ту самую. Смешную, блядь. Юморист ты мой. Петросян от рекламы. И шефу все досконально показал и даже рассказал, из какого фильма украдено и на что похожа твоя кукуруза. Как ты на ней еще белыми бликами налет не дал, я удивляюсь. Для полноты картины. И ножа еще не хватало, консервного. В виде кредитной карточки. Ага.

— Мать моя в кедах... И чё, скандал большой был?

— На твое счастье, я его замял.

— С меня причитается, босс.

— У тебя есть ночь, чтобы изобразить фокус-группы. Только договорись с приличным агентством, чтобы бланки дали свои. Вадиму моему из сигарет позвони, он все устроит. Фокус-группы должны сказать следующее (я пересказываю ему мои фантазии).

— Так ведь это ж бред, нет?

— Бред — это когда гангстеры кукурузу рекламируют. А это не бред. Это шанс спасти твою жопу.

— Понял. Сделаем. А с плакатом чё теперь?

— Берешь телок, красивые пейзажи и добавляешь туда кукурузу. Слоган только хороший придумай.

— Ага. Ну, как обычно, да? Губищи в пол-лица, сиськи, попки, купальники?

— Ну да. Шеф уже одобрил. Ты только трансвеститов не рисуй, ладно?

— Обижаешь. Ну, извини, в горячке же делали. Взяли первую идею и сляпали.

— У тебя все в горячке. И всегда. Давай, Леша, не подведи. И все копии фокус-групп и нового плаката мне на мыло, о'кей?

— Есть, товарищ комдив. Считай, что у меня уже все работает.

— У тебя всегда все работает. Ну все, бывай. Аль Капоне хуев.

Я кладу трубку, и чувство выполненного долга переполняет меня. Затем оно плавно переходит в усталость от проделанной работы, затем в осознание того, что в общем-то за день я ничего путного опять не сделал, а потом все это тонет в чувстве голода и желании праздника. Я подъезжаю к «Галерее».

Промоутер

Пристегнись, наверно, крепче.
Я свою превышу скорость.
Нас с тобой твой друг не увидит вместе,
Мы ляжем по разные стороны полос.

Мумий Тролль. «Скорость»

Федеральная служба Российской Федерации по контролю за оборотом наркотиков в своей деятельности руководствуется Конституцией Российской Федерации, федеральными конституционными законами, федеральными законами, указами и распоряжениями Президента Российской Федерации, постановлениями и распоряжениями Правительства

Российской Федерации, международными договорами Российской Федерации, а также настоящим Положением.

*http://www.gnk.gov.ru/
index.php?module=ContentExpress&func=display&ceid=1*

Несмотря на то что сегодня рядовой будний день, в «Галерее», ставшей для московских бездельников новой Меккой и Мединой в одном флаконе, все забито. Куча людей у барной стойки, некое подобие очереди в туалеты, у гардероба. Я вхожу в первый зал и выглядываю знакомые лица, чтобы приземлиться за чужой стол, ибо сесть сегодня за отдельный, видимо, малореально.

За столом в углу сидят три девушки, две из которых мне очень знакомы, и трое парней, которые знакомы мне смутно. Вокруг них стоят еще какие-то люди, чьи спины мне совершенно ни о чем не говорят. Я двигаюсь по залу таким образом, чтобы попасть в поле их зрения, и когда девушки поднимают на меня глаза, приветственно машу им рукой. Они начинают улыбаться, я подхожу к столу, расцеловываюсь с ними, парни, сидящие рядом, жмут мне руку и так же, как и я, пытаются вспомнить, где именно мы виделись с ними. Тогда одна из девушек, по имени Наташа, с которой мы познакомились в туалете на закрытии ZIMA, представляет меня, я начинаю улыбаться, парни, сидящие вокруг, тоже начинают улыбаться, мы все начинаем улыбаться и выглядим при этом полными идиотами. Но поскольку здесь так принято, никого, в общем, это не смущает. За столом идет обсуждение того, как подруга Наташи — Илона — приехала вместе со своим бойфрендом с Ибицы. Они оба такие загорелые, что почти сливаются с шоколадным интерьером «Галереи». У Илоны на пальцах много колец из желтого золота, которые в сочетании с ее коричневыми руками наводят на мысль о черном дереве и африканских невольницах из

53

страны Нуб. Но Илона не знает, что была такая страна Нуб, зато ее парень — Фарид — имеет интересы в нефтяной области, и две ее подруги очень завидуют тому факту, что он все время молчит, улыбается и платит за весь стол Visa Gold. Илона ощущает себя королевой вечера, говорит какую-то чушь низким, чуть хрипловатым голосом, подобно итальянке. Мне даже ее голос кажется «загорелым».

За соседним с нами столом еще одна компания просматривает журнал «Robb Report» и вслух обсуждает какие-то новые модели яхт и часов. И один из сидящих, с лицом чеченского принца, рассказывает о том, как летел с компанией в Милан, на «Гольфстриме», что шампанское кончилось рано и они попали в воздушную яму, но зато успели на показ коллекции «Prada», и это того стоило. А его подруга, сногсшибательная блондинка, красиво, как в рекламном ролике, пьет «Дайкири» и ест его глазами. И ему это очень нравится, а ей дает возможность надеяться. Они действительно очень красивая пара, хотя он никогда на ней не женится. Впрочем, какая разница?

К нашему столу подходят разные люди, здороваются и задают два вопроса: «Как отдохнули?» или «Куда собираетесь ехать отдыхать?».

В основном ответы никто не слушает и сразу переходит к рассказу о собственном отдыхе. За те двадцать минут, что я стою у стола, мне стали известны все самые горячие сплетни и все самые актуальные темы этого лета. Мы уже обсудили отдых на Сардинии, последнюю коллекцию Гальяно, нашествие русских моделек в нижний бар «Plaza Athenee» в Париже, сошлись во мнении, что ресторан «Nobu» стал хуже, а в Лондоне сейчас слишком холодно, осудили всеобщее помешательство на футбольном клубе «Челси», решили, что «Prada» уже несколько demode. Также мы прошлись по всем мало-мальски раскрученным светским персонажам столицы, порадовались за Аню, которая спит теперь с Федей, посмеялись над очередной датой замужества Ксюши, осудили Антона, который бросил такую замечательную Таню (кто-то при этом вполголоса назвал Таню шлюхой). Фоном проходит тема о надвигающемся банковском кризисе в России, но поднявшего ее сразу успокаивают фразой «Забудь об этом». Никто не хочет говорить о неприятных вещах, это слишком пошло и слишком нагружает. Мы все хотим быть еще более расслабленными.

Я смотрю на пригласившую меня к столу Наташу и как бы спрашиваю ее глазами о моих возможностях сегодня. Она отрицательно покачивает головой, скашивая глаза в сторону приятеля Фарида. Меня это ничуть не расстраивает, я просто говорю Наташе одними губами: «Круто», а она мне таким же образом отвечает: «Одна» — и показывает пальцем на третью подругу, очень молоденькую девушку с русыми волосами и большими голубыми глазами/линзами. Я подношу в знак благодарности два пальца к губам и киваю.

Людское многоголосие сливается у меня в ушах в единый гул, сродни тому, что слышишь, когда прижимаешь к уху морскую раковину. Кто называет это шумом прибоя, я же думаю, что этот шум более всего похож на гул толпы. Я пытаюсь, как акустик на подводной лодке, вычленить из этого «белого шума», из этой информационной пустоты суть бесед, ведущихся за другими столами и в проходах между ними, но, кроме вереницы названий брэндов, ресторанов и женских и мужских имен, ничего не слышу. Уловить эмоциональный фон разговоров также весьма тяжело. Все здесь говорят одними губами, остальная часть лицевых мышц просто не задействована. Лица не отображают ни веселья, ни грусти, ни восторга, ни разочарования. Они просто неживые. Если сильно подпить, то покажется, что на восковых головах красной краской нарисованы рты, которые двигаются, как у мультипликационных персонажей. Частенько даже не в унисон с голосом. Но я-то знаю половину этих персонажей. Здесь те, кто был вчера в «Vogue», те, кто будет завтра на «Веранде», в общем, та группа, которая сидит здесь, как мне кажется, всегда. И никто здесь совершенно не рад друг другу, просто выдавать свои эмоции не принято. Если бы хоть на секунду дать волю нашим чувствам, вы бы увидели исключительно кривые от зависти и тоски морды. Настолько кривые, как будто все разом откусили от зеленого лайма. Настоящая тоска зеленая.

Мимо нас по проходу идут две девушки с застывшими лицами. Они ни на кого не смотрят, замечая при этом, кто с кем пришел, или выбирая сегодняшний объект для атаки. Стопроцентно — у них на затылке или во лбу имеется третий глаз, позволяющий им оценить рельеф предстоящей битвы. Притом инфракрасный. Способный оценивать содержимое кошельков возможных партнеров.

Ресторан находится в постоянном движении. Люди ходят от стола к столу, заказывают выпивку, официанты приносят заказы, но выясняется, что клиент уже пересел за другой стол. Официант пытается выяснить, куда делся клиент, но это никому не известно, и сидящие за столом оставляют чужой заказ у себя. В конечном итоге не понятно, кто именно что заказал, а главное, кто за все платит? Впрочем, какая разница?

Мне становится скучно, и я прохожу за спину той девчонки, на которую кивнула Наташа. Я кладу ей на плечо руку и говорю:

— Привет.

Она отбрасывает со лба прядь волос и улыбается.

Я начинаю вовлекать ее в диалог:

— Хочешь выпить?

— Вообще-то мне уже хватит, если только чуть шампанского.

— О'кей.

Пока приносят шампанское, она успевает назваться Леной, спросить меня о том, куда я обычно хожу, о том, куда я собираюсь ехать в отпуск, и все такое, что необходимо знать молоденькой девушке перед тем, как уехать в ночь с малознакомым джентльменом.

— Ты работаешь? — спрашиваю я.

— Я учусь. Ну и еще так... подрабатываю на показах моделью. А ты?

— Я тоже модель. Танк «Т-34». Знаешь, из серии «Собери сам». Склеишь меня сегодня? — отвечаю я и целую ее в шею.

Она чуть отстраняется и выпаливает мне что-то вроде «нуишуточкиутебя».

— Извини, я не хотел тебя обидеть.

— Ничего, просто я слегка скованна с малознакомыми мужчинами, — отвечает она и призывно смотрит на меня.

Я быстро вспоминаю, что там говорят в таких случаях эмтивишные мальчики в передаче «Поцелуй на вылет», и отвечаю, что она не похожа на таких, которые сразу знакомятся, и я бы никогда, просто очень волнуюсь и все такое. И я предлагаю ей еще шампанского, а она делает комплимент моим часам, и я уже глажу ее по волосам, а она рассказывает мне про свою подругу, которая сломала ногу «где-то в Альпах, на лыжах». А диск «Costes» «La Suite» играет уже, кажется, целую вечность, притом одну и ту же песню «Doris Days». И люди движутся вокруг, как на подиуме, принимая зовущие позы, как в глянцевых журналах. И у меня создается впечатление, что все мы — герои бесконечного клипа из Fashion TV.

И тут из второго зала выплывает настоящий герой Fashion TV, воплощение клубной культуры и night fever style, человек из первой пятерки московских клубных промоутеров — Миша по прозвищу VooDoo. Говорили, что он уезжал работать в Нью-Йорк и теперь, спустя два года, вернулся. Полный безумных идей и собирающийся открыть лучший клуб города. В воскресенье кто-то из моих знакомых рассказывал мне, что Миша уже начал стройку. Лет пять назад, на заре моей карьеры, мы с Мишей очень часто оказывались в одних и тех же компаниях, кроме всего, когда-то мы учились на параллельных курсах института, пока Мишу не отчислили ввиду слишком насыщенной клубной жизни, вылившейся в неуспеваемость. В общем, мы достаточно тесно общались, и это его сегодняшнее появление меня очень сильно обрадовало.

— Старичок, — крикнул мне Мишка от входа, — ты живой? Это большой талант — выжить в наши дни!

— О да, — смеюсь я, — ты тоже вроде жив? Или это твоя голограмма? А сам ты сидишь в Лондоне?

— Я пытаюсь построить Лондон вокруг себя, брат.

Мы обнимаемся, Мишка здоровается с моими соседями и приглашает меня и мою сегодняшнюю подругу Лену за свой стол. Во втором зале за двумя соседними столами сидит Мишкина компания из десяти человек, юношей и девушек, составляющих авангард прогрессивной московской молодежи, пара лысых серьезных дядек, знакомый дилер по кличке Усы и человек лет тридцати по имени Саша, которого Мишка представляет своим партнером. Кроме того, вокруг стола вьется еще человек десять, стремящихся поздороваться за руку с наиболее известными персонажами из сидящих, чтобы продемонстрировать окружающим свою принадлежность к сливкам нашего общества. Столы уставлены суши и шампанским, некоторые курят сигары, некоторые пьют коньяк, и на лицах у всех Мишкиных гостей нарисованы успешность и беззаботность.

И все спрашивают друг у друга: «А какое сегодня число, а какой сегодня день недели?» А в ответ слышат: «Да какая разница?»

В этом сезоне, впрочем, как и в предыдущем, в Москве модно изображать, что у тебя каждый день воскресенье. И кажется, что время остановилось и всегда будет лето. Даже зимой. И счастью не будет конца. Все пьют коктейль из веселья напополам с тоской. И все уверены, что эта party никогда не закончится...

Саша рассказывает анекдот про тусовочного наркомана, который спрашивает у своего приятеля:

— А сегодня что, пятница?

— Нет, сегодня вторник.

— А-а, пятница вчера была, да?

— Не, старик, вчера был понедельник.

— Понял. Пятница завтра, да?

— Завтра будет среда.

— Послушай, а что, на этой неделе пятницы вообще не будет?

Все дружно хохочут, кто-то говорит: «Это про нас». И разговор плавно съезжает на тему клубной жизни. В основном все разговоры строятся вокруг трех фраз: «Полный отстой», «Забудь об этом» и «Какая разница?». Кажется, люди собрались здесь, чтобы покидаться этими фразами друг другу в лицо. Все прочие слова являются фоном. Я вместе со всеми веду эту херовую беседу, изредка вставляя свои предложения:

— Говорят, «First» закроется на ремонт...

— Да? Что, после ремонта будет еще хуже?

— Не знаю, но обещают, что будет очень круто!

— Горобий собирается открывать «ZIMA-2».

— Я слышала, что будет называться «Осень».

— Ох, как оригинально!

— Полный отстой!

— Забудь об этом.

— Ходить стало совершенно некуда.

— Гарри собирается заново открывать «XIII», круто, да?

— Этой шутке уже года три, приятель.

— Как и твоему костюму, старичок.

— Забудь об этом.

— Кто знает, куда переедет «Zeppelin»?

— На аэродром в Тушино, ха-ха-ха!

— А когда Оганезов открывает «Миллиардер»?

— В другой жизни, зайка.

— В «Кабаре» будет такая же тоска?

— Наверное. Впрочем, какая разница?

— В «Fabrique» я больше ни ногой, там одни малолетки.

— Зато там можно подцепить студенток.

— Тебе их здесь не хватает?

— Что нового откроет «Mercury» осенью?

— Кладбище haute couture. С гробами по индивидуальному заказу. Срок доставки — полгода.

— Ты шутишь? А где все это время будет лежать покойник?

— Они предлагают клиенту точно обозначить дату своей смерти, чтобы успеть с заказом. Так что поторопись!

— Ты придурок, зайка. Твои шутки — полный отстой.

— А я и не шучу.

— Какая разница?

— Забудь об этом.

— Послушай, в этом сентябре «First», «Poison» и «Bad» будут делать самолет на уик-энд в Турцию?

— Не знаю, впрочем, я туда бы не поехала, там одни наркоманы.

— А ты-то кто? Ха-ха-ха!

— Дура (обиженным голосом). Я последний раз пробовала две недели назад, и то совсем чуть-чуть (показывает объем большим и указательным пальцами).

— А где встречать Новый год?

— Окстись, подруга, на дворе июль.

— Да какая разница?

— А в январе все опять собираются в Куршевель?

— Ой, он так надоел, но выбора нет, придется.

— Там опять будут ВСЕ. Как это скучно.

— Если все надоели, можно поехать в Яхрому. Там тоже горы и лыжи.

— Полный отстой.

Я как-то незаметно выключаюсь и рассматриваю салфетку на столе. Моя новая девушка так увлечена беседой про клубы, что, кажется, забыла о моем существовании.

— А мы стареем, да, брат? — Мишка кладет мне руку на плечо.

— Да, конечно. Это необратимый процесс, — отвечаю я, глядя ему в глаза.

— Тебе скучно здесь?

— Как и везде. Ты прости, твои друзья очень хорошие, но я, наверное, поеду скоро. Ее вон только прихвачу, если она меня еще помнит.

— О... таких харизматичных мужчин не забывают, — смеется Мишка. — Ну, расскажи, как у тебя дела, сто лет не виделись. — Он поворачивается спиной к соседям, как бы демонстрируя сосредоточенность исключительно на нашей с ним беседе.

Я рассказываю ему о работе, своих перманентных телках, наркотиках, московских клубах, потере духовных ориентиров, тоске и безделье. Мы вспоминаем наших общих друзей, из тех, кто еще не умер или не уехал из страны. Наших прежних подруг и их удачные или неудачные замужества. Мишка, в свою очередь, очень ярко и остроумно рассказывает мне о своей работе в Нью-Йорке. О том, как он чуть не женился, о том, в скольких клубах ему довелось поработать. И еще о частных вечеринках в Милане и Берлине, о лондонских диджеях, гомиках из Сан-Франциско, телках из Майами, русских нуворишах в Марбелье, о полетах на частных джетах, наркотических угарах в Париже, швырянии деньгами в Сан-Тропе и Куршевеле, частных клиниках для богатых тусовщиков в Швейцарии, о трансвеститах в Таиланде.

Мишка относится к той категории людей, под чье обаяние ты попадаешь сразу и навсегда. Он настолько легок в общении, настолько небрежен к деньгам, знает всех, и все знают его. Он отчаянный хулиган и при этом весьма манерен и элегантен. Его манера разговаривать и жестикулировать сразу привлекает внимание окружающих. Его хочется слушать, и самое плохое настроение само собой улетучивается. В общем, Мишка — тот человек, которого ты хочешь непременно иметь в друзьях, еще лучше — в близких. Идеальный образ легкомысленного светского денди и думающего человека. И мне кажется, что он никуда не уезжал, так хорошо он осведомлен о происходящем в городе. И вместе с тем понятно, что он провел какое-то время в Европе. Настолько иначе он выглядит.

Я жалуюсь ему на вечную тоску, мертвость окружающих, их лицемерие и пошлость. Рассказываю про то, как я устал от пустых девиц и друзей на один вечер. От всей этой тусовки.

— Ты знаешь, я ВСЕХ ЭТИХ, — он обводит зал рукой, — не воспринимаю как людей. Я столько проработал, устраивая все эти вечеринки, показы и клубы, что понял: лучшее наказание за их глупость и стремление к прожиганию жизни — это плата за мое общество. Причем по двойному тарифу.

— Что ты имеешь в виду?

— Их не стоит ненавидеть. На них стоит зарабатывать. Дайте им самую вычурную идею, самую глупую китчуху за неразумную стоимость. Простебайте их. Подбросьте им самое тупое и пошлое развлечение. И они сами принесут вам деньги.

— Это основная идея твоего нового клуба?

— Практически.

— Кстати, когда открываешься?

— Да вот должны на следующей неделе. У нас заминка небольшая с Сашкой, моим партнером. Ты его не знаешь? Человек жил пять лет в Европе, в основном в Лондоне. Мы с ним там и познакомились.

— А в чем проблема?

— Да ерунда, Господи!.. Типично совковая проблемка. Мы вбухали уже с Сашкой порядка пятисот тысяч, заказали мебель в Италии, свет, звук, заплатили дизайнерам. А наш третий партнер в последний момент соскочил. У него банковский бизнес, а тут сейчас кризис вроде как может начаться, вот он и решил не тратить деньги. Мы чего-то разошлись, решили подороже все сделать. Сейчас нужно примерно сто пятьдесят тысяч строителям. Вон сидим с двумя лысыми «бузинесменами», хотят к нам в долю прыгнуть за двадцать процентов, но я чего-то с ними не хочу ничего мутить. Напряженные товарищи.

— Обидно из-за таких копеек весь процесс срубать. А тебе больше некого пригласить, что ли, Миш?

— Да народу полный город. Ты же знаешь, я привык работать только с близкими по духу людьми. Мне тут не нужны в партнерах всякие быки, которые сделают из клуба филиал сауны. Ты сам-то как себя чувствуешь?

— В плане?

— В плане — вступить не хочешь? Помнишь, мы лет десять назад мечтали сделать бар в нормальном западном стиле...

— Помню, только какой из меня партнер? Я в этом бизнесе ноль полный. Одно дело тусить, другое дело — тусить тех, кто тусит.

— Ой, не прибедняйся. Чего-то я не поверю, чтобы ты не врубался. Ты управляешь бизнесом, оборот которого в десять раз больше любого клуба. Да и в тусовке тебя знают. Так что это не вопрос схемы бизнеса. Это вопрос личной готовности.

— Миш, если ты серьезно, то я подумаю. Я так, с кондачка, не могу. Да и потом, у меня одного нет ста пятидесяти тысяч. Я предложу своему приятелю одному.

— Не заморачивайся, брат. Я так просто предложил. Надумаешь — звони. А сейчас я хочу еще в одно местечко прокатиться, сняться с алкоголя. Ты как?

— Я запросто.

— Ну и отлично. Я сейчас счет закрою и поедем, отдохнем узким кругом. — Мишка обворожительно улыбнулся. — Старик, ты даже не представляешь, как я рад тебя видеть.

Мы собираемся и идем к выходу. Сидящие в первом зале провожают нашу группу глазами. Некоторые показывают на Мишку и что-то говорят своим соседям. Черт возьми, при всей глупости этого как же приятно находиться в центре внимания. Девушка Лена, увидев, КАК близко я общаюсь с Мишкой, уже не отходит от меня, хватает на выходе за бицепс и эротичным шепотом спрашивает:

— А куда мы едем?

— Навстречу мечте, — отвечаю я. — Главное, не забудь пристегнуться. Скоро взлетим.

Пока мы едем на машине в другое место, я предаюсь сладким мечтам о том, что из меня может получиться отличный партнер в этом новом клубе. И что этот шанс не только путь к денежным потокам и вниманию окружающих, но и к возможности впервые заниматься делом, которое меня не напрягает. Которое доставляет удовольствие, а главное, позволяет рулить мыслями и кошельками этих московских пустышек. Мне так хорошо, я настолько умиротворенно себя ощущаю, что чуть не прожигаю себе брюки. Тлеющая сигарета обжигает мне пальцы и возвращает в действительность. Я чертыхаюсь и выкидываю сигарету в окно.

— Все в порядке, брат? — улыбается мне Мишка с переднего сиденья.

— Все о'кей. — Я показываю ему поднятые вверх два пальца, на манер Ясера Арафата.

— Скоро приедем. Там здорово. Ты не сильно торопишься?

— Я вообще не тороплюсь...

И вот наша компания заявляется в этот клуб/кафе/ресторан, находящийся где-то в Тверских переулках. Мы входим как настоящие кинозвезды. У одного в руке початая бутылка шампанского, другой курит сигару, третий обнимает двух девушек. И все мы громко говорим по мобильным телефонам, смеемся во весь голос и всячески демонстрируем исключительную сосредоточенность на самих себе. Хотя весь этот спектакль играется только ради того, чтобы на нас поскорее обратили внимание. Желательно все сразу. И девушка Лена спрашивает меня искрящимся от радости голосом:

— А где мы находимся?

— Я не знаю. Впрочем, какая разница?

И в этот момент она прижимается ко мне еще плотнее, наводя на мысль о том, что именно такой ответ она и хотела услышать.

Мишка проводит всех в диванную зону, где мы занимаем два стола, и сразу начинает здороваться со всеми сидящими вокруг. Здесь несколько иной контингент, чем в «Галерее». Моложе и свежее. И у всех мальчиков прокачанные руки, а у всех девочек прокачанные животы. Все очень спортивные, слегка загорелые, кричаще модные и гиперсексуальные. Одним словом, молодые боги, с шикарными спортивными телами, пышущими здоровьем, и совершенно порочными лицами, с нездорово блестящими глазами. Все говорят полушепотом, маняще улыбаются друг другу одними губами и время от времени трогают себя руками за лицо, как бы проверяя, все ли на месте.

И все беседы строятся здесь вокруг двух диаметрально противоположных тем — наркотиков и здорового образа жизни. Со всех сторон только и слышится:

— Тридцать подходов, как обычно, брали у Вани, как всегда, она на диете по Волкову — полностью раздельное питание, кокос пополам с «герасимом», новый корт с хорошим баром, у этого парня всегда есть небодяженный, тренерша весьма секси, эта сучка, симпатичная дилерша из Литвы, плавали два километра, меня держало часа два, молодец парень, не забывает про тренажеры, ага, он уже полгода по вене двигается, сбросил два килограмма за неделю, у него норма два грамма в день, я сегодня умру, если не поеду в фитнес, я щас сдохну, если не возьму, пресс у него прокачан на пятерку, у него скоро носовая перегородка исчезнет, сжигатели жира, MDMA, у нее свой второй размер? у него есть первый номер? попробуй в моем СПА-салоне, лучше не пробуй ЛСД, я после спортзала, я на отходняках, поехали завтра в солярий? пойдем в туалет?

Так и живут. Утром к тренеру, вечером к дилеру. С утра изматывают себя тренажерами, вечером — наркотиками. Мне кажется, что они так усердно занимаются собственным здоровьем утром только для того, чтобы было чего гробить вечером.

Из диванной зоны периодически отходят по направлению к туалету парочками. Возвращаются. В туалет уходят другие и так далее.

Мой сосед рассказывает о том, как хорошо вечерами ездить на летнюю площадку в районе Экспоцентра на Пресне. Какой там чудесный парк и хороший воздух, и единственное, что там не очень удобно, — это туалеты, и поэтому все берут из машин компакт-диски с клубной музыкой и идут в парк, в темноту. И парк вечерами кажется наполненным светлячками, из-за вспыхивающих тут и там огней зажигалок.

А я, в свою очередь, озвучиваю мысль о том, что, когда эти чудесные люди-светлячки с горящими глазками уезжают обратно в ночь, утром в парк приходят играть дети, которые натыкаются на брошенные там и сям почти новые компакт-диски с модной музычкой. И дети, вероятно, думают о том, что в этом парке поселился такой специальный Оле Лукойе, который одаривает их каждым утром новинками актуальной клубной музкультуры. Или в этом районе каждую ночь идет волшебный дождик из компакт-дисков. И еще, продолжаю я, роль светлячков в жизни этих детей очень важна. Во-первых, они оставляют после себя компакты, а могли бы использованные презервативы или еще какую-нибудь гадость типа игл, которыми дети могли уколоться. Во-вторых, они приобщают детей к хорошей музыке, чем способствуют популяризации отечественной диджей-культуры. И все рады. И дети, и светлячки. Хотя я подозреваю, что за всеми этими чудесами стоят наши музыкальные промоутеры, которые просто придумали новый вид распространения продукции своих подопечных в массы.

На секунду после моей тирады все замолкают, затем заливисто хохочут. Таким образом, я становлюсь медиагероем вечера. И мне все улыбаются и хотят со мной выпить. Но продолжается это все минут десять, пока очередной юморист не рассказал более смешной истории.

И на пике моей популярности возвращается Мишка с конвертом и передает его одному особенно долго хохотавшему над моей шуткой товарищу, который, в свою очередь, зовет меня глазами в туалет. Исходя из того, что товарищ — Мишкин знакомый, и находясь на волне всеобщего позитива и братства, я иду вслед за ним.

В туалете он высыпает некоторую часть содержимого конверта на стеклянную полочку над раковиной (эта пошлая полочка — непременный фетиш любого уважающего себя клуба), и я начинаю растирать стафф клубной карточкой. Я убираю одну дорожку самостоятельно. Традиционно несколько раз втягиваю ноздрями воздух, чтобы остатки вещества всосались в носоглотку, и говорю всего одно слово:

— АД!

Кокаин в самом деле очень хорошего качества.

Затем я протягиваю свернутую купюру своему содорожнику (если есть собутыльники, то должны быть и содорожники?), и в этот момент дверь в туалет с жутким грохотом распахивается настежь. В кабинку вваливаются двое парней, одетых на манер модников, завсегдатаев дискотеки в Гольяново, один из которых, низенький толстяк, с ходу бьет мне в нос. Первые мысли, посетившие мои затуманенные мозги: каким образом охрана пустила в клуб этих лохов, да еще и позволяет им устраивать драки с vip-посетителями? Кто вообще они такие? Они думают, что это сельская дискотека? Может, они спутали меня с парнем, который пригласил на танец жену одного из них? С каких это пор в клубные туалеты стали врываться колхозники, мешающие релакснуться ударникам капиталистического труда? Мир сошел с ума? Вообще, WHAT THE HELL IS GOING' ON?

Колхозные танцоры довольно быстро представляются. Второй парень, с весьма интеллигентным, несколько кавказским лицом, начинает махать перед моим остекленевшим лицом ксивой, сопровождая это действие выкриками:

— Федеральная служба по контролю за наркотиками! Стоять на месте! Спокойно, блядь! Спокойно, я тебе сказал.

Первый при этом продолжает бацать мне кулаком под ребра. И бубнить мне в ухо что-то угрожающее, вроде того: «Дернешься — тебе пиздец». Они довольно быстро закручивают мне руки за спину, в туалет вбегает третий (ростом еще меньше первого) и начинает засовывать лежащий на полке конверт со стаффом мне в карман. Тут до меня наконец начинает доходить, что это не клубный маскарад, эти ребята сделают все, чтобы превратить мое дьявольское удовольствие в райский отдых сроком на пять лет.

Действительно, раз это ад, то в нем, само собой, должны быть и демоны? Такие весьма осовремененные демоны. Без рогов и копыт, зато с ксивами и наручниками.

В общем, вышеуказанные демоны выводят меня из туалета и ведут через весь зал, обняв за плечи с двух сторон. Скорее всего со стороны мы выглядим как троица сильно выпивших педиков. Причем двое так сильно сжимают в объятиях идущего посередине (меня то есть), что кажется — они сейчас задушат его в объятиях в порыве страсти. Для полноты картины было бы неплохо, если бы один из них сделал что-то еще более подчеркивающее наши с ними близкие отношения. Ну, например, облизал бы мне ухо! Или схватил бы за задницу! Отчего-то мне дико смешно. Где-то в глубине мозга я понимаю, что попал в очень неприятную историю, но воспринять ее всерьез мое сознание пока отказывается.

— А танцевать мы пойдем? — спрашиваю я (мне кажется, что юмор способен разрядить некую неловкость, повисшую между мной и работниками органов).

— Ты щас, сука, потанцуешь, — возникает из-за моей спины третий (который самый маленький), — ты чё, не врубаешься? Мы ща тебе устроим такие танцы.

— А тебе не рано по клубам ходить, нет? Тут, по-моему, вход только для тех, кому уже исполнилось восемнадцать...

— Ты, казел, думаешь шутки шутить? Я тебе щас нос сломаю, если рот не заткнешь. — Он чуть оттесняет идущего слева от меня, слегка бьет мне по почкам и жарко говорит мне в ухо. Мне кажется, он еще и подпрыгивает при этом.

— Товарищи, не позволяйте ему меня бить, а? И потом, у него изо рта воняет. А травить газами заключенных запрещено различными мировыми конвенциями в защиту гуманного обращения с людьми. Россия, между прочим, их участница.

Третий чувак перекашивает лицо от злости и, вероятно, очень хочет меня ударить.

— Спокойно, Паша, спокойно, — говорит ему тот, что с кавказским лицом. — Ты бы не кривлялся, а? Тебе лишние проблемы нужны? — Это уже мне.

Воистину, опер с кавказской внешностью говорил мне чистую правду. Во-первых, человеку, живущему в мегаполисе, не следует употреблять вообще никаких наркотиков. В этом городе и так все безумцы, и ускорять/изменять свое сознание весьма чревато. Во-вторых, если вы все-таки употребляете различные стимуляторы, и в особенности делаете это в общественных местах, стремясь таким глупым образом приобщиться к гламурной части населения, будьте готовы к тому, что рано или поздно ваши экзерсисы закончатся в кабинете следователя. В-третьих, и это самое главное, оказавшись в подобной ситуации, не стоит хамить представителям органов. Работа у них, как это ни банально звучит, очень нервная. Каждый раз, вытаскивая из туалета или салона автомобиля обдолбанного тусовщика, они испытывают жесткий когнитивный диссонанс. Подумайте о том, что содержимое вашего носа потянет на изрядный процент их официального жалованья, а уж поход в заведения, которые вы посещаете, является для них серьезной тратой. (Речь идет о рядовых сотрудниках, а не об их начальстве, разумеется.) Таким образом, сталкиваясь с вами лицом к лицу, они очень сильно хотят наказать своего классового врага. Причем сделать это на месте. А тут еще и вы провоцируете их своими дурацкими выходками. Чем больше вы взвинтите ситуацию, тем хуже/дороже все для вас закончится. Самое главное, что вы должны понимать в любой момент своей жизнедеятельности: нет ничего такого, за что вас нельзя было бы привлечь к ответственности. В особенности когда вас ловят со свернутой купюрой в носу. У всех своя работа, приятель...

Меня выводят на улицу, и тут наши отношения теряют весь романтически-гомосексуальный флер. Не особо церемонясь, они нагибают мне голову вниз, еще сильнее заламывают руки и вытаскивают из кармана мобильный телефон.

— А как же звонок другу? Адвокату в смысле? — спрашиваю я.

— Мы не в Америке. У тебя там, может, героин вместо батарейки?

— Ага. И еще шприц там же, — уже не так весело говорю я.

На место телефона в карман мне запихивают еще что-то. В голове стремительно вечереет.

Вся сцена разыгрывается на глазах у охраны клуба, которой я успеваю крикнуть:

— Позвоните Мише, у меня неприятности!

В этот момент на меня надевают наручники и заталкивают на заднее сиденье припаркованного неподалеку «жигуленка». На заднем сиденье уже кто-то есть.

— Что, дилера взяли? — осведомляется он у приведших меня.

— Ага. У него там все в правом кармане, — отвечает ему один из моих «спутников».

Поскольку руки у меня защелкнуты в наручники, за спиной, потрогать, что еще, кроме моего конверта, у меня в кармане, я не могу. К нам назад подсаживается какой-то новый человек с весьма угрюмым лицом. Таким образом, я оказываюсь между двух сотрудников органов. На переднее сиденье и за руль садятся двое понятых. Которые так и представляются:

— Здрасьте. Мы это... понятые, кароче.

Тот, кто сидит справа от меня, начинает допрос, стандартно интересуясь, нет ли у меня «предметов, запрещенных действующим законодательством к ввозу, хранению и т.д.».

Я, так же стандартно, отвечаю, что «кроме тех, что положили мне в карманы ваши сотрудники, не имею».

— То есть наши сотрудники только и делают, что носят с собой наркотики и всем их подбрасывают? — уточняет он.

— Ну не всем, вероятно, на всех производство не рассчитано.

— Может, перестанем дурачиться и все расскажем, как оно есть? У кого брали, кому перепродавали, давно ли этим занимаемся?

Я понимаю, что всеми этими постановочными вопросами-утверждениями во множественном числе — «перестанем дурачиться», «расскажем», «занимаемся» — создается эффект вовлечения меня в необходимый диалог. Вроде того, что это не я один сейчас расскажу, «давно ли я ЭТИМ занимаюсь», а мы вместе с этим ментом пройдем долгий путь от преступления до наказания. Срок, надо полагать, или «административку», мы также разделим с ним на двоих? Прием не новый, знакомый мне из тренингов по продажам, но иногда работающий. Параллельно со стороны прочих участников сцены дознания начинается жесткий прессинг:

— Смотри, его вырвет сейчас, как он уколбашен. Слы, ты в машине только не блюй!

— Ну чё, как торговать да нюхать — смелость есть, а ща чё сник?

72

— О-о-о-о, да у него в карманах нормально. Парень, ты хоть понимаешь, СКОЛЬКО ТЕБЕ ДАДУТ?

То есть все идет по плану. Хороший следователь должен сочувствовать плохому парню и задавать хорошие вопросы, тогда как плохой следователь должен просто издеваться. Стоит ли говорить, что раздавленный натиском правосудия плохой парень должен в конце концов все рассказать хорошему следователю?

В этот момент мой рассудок (несколько расслабленный алкоголем и кокаином) отчего-то преображается. С одной стороны, у меня довольно четкое ощущение, что я смотрю на ситуацию со стороны, как кино. А с другой стороны, у меня возникает абсолютная ясность мышления, позволяющая мне весьма четко отвечать на поставленные вопросы.

Я совершенно отстраненно наблюдаю, как из моих карманов достают деньги, ключи, документы, конверт с кокосом, целлофановую скрутку с чем-то белым внутри. Я отвечаю на вопросы весьма стандартно, как бывалый наркоман (зашел в туалет — там лежало, что в кармане, не знаю, подбросили), в руки ничего не беру, сколько денег в карманах, называю точно, и прочее, что странно, если учесть, что данный инцидент в моей жизни впервые.

Прошло уже минут пятнадцать, руки у меня уже достаточно занемели, и тут я говорю им:

— Ребят, может, хватит? Вы не того взяли. Я не дилер, я продвинутый пользователь.

— Какие мы тебе ребята?

— О'кей, девчонки. Ну все-таки, может, уже прекратим весь этот цирк?

Я получаю весьма ощутимый удар под ребра, сопровождаемый фразой:

— Все ясно, сейчас поедем в контору, сделаем у него пробу из-под ногтей, тогда посмотрим, что его, а что не его. Подбросили ему, ага.

В общем и целом ситуация — херовей некуда. Попал, как говорится, «наглушняк».

И тут открывается задняя дверь нашего «газенвагена» и в проеме, как deus ex machine, появляется Мишина голова. Он что-то говорит сидящему слева от меня оперу, тот выходит наружу и через несколько минут вытаскивает меня. Совершенно спокойно, как гардеробщик, он расстегивает наручники, возвращает мне паспорт, кошелек, ключи и говорит:

— До свидания.

Я, в некоторой сомнамбуле, стою около машины, пока Мишка не берет меня за руку и не уводит. Мы возвращаемся в клуб, садимся за столик, он наливает мне виски и говорит:

— Все нормально, старичок, они просто перепутали. Ну, бывает всякое, расслабься.

— Сколько я тебе должен? — спрашиваю я.

— Брось, да все о'кей. Ничего не надо. Люди должны помогать друг другу.

— Откуда они взялись? Это же не облава плановая, я так понимаю?

— Старик, давай забудем, а? Проехали. Главное, что все вопросы решили.

— Нет, ну скажи, ну откуда они взялись? И очень интересно — где мой партнер? Куда это он сразу делся? А?

— Я прошу тебя, я тебя умоляю, — говорит он мне на ухо, обнимая меня. — Ну мало ли в жизни пидарасов? Ну, мы после разберемся и воздадим. Не ломай себе голову, мы уже все решили, о'кей?

— Миша, ну ты же понимаешь, что этот парень слился совершенно не случайно?

— Старик, это все уже случилось с тобой ВЧЕРА. Догоняешь? ВСЕ! ЭТО уже прошло! Завтра у тебя будет новый день. Будут новые эмоции, и все забудется. Я тебе рассказывал, как я, увлеченный одной девчонкой в Лос-

Анджелесе, поехал к ней домой и от волнения перепил и заснул в туалете? Я наутро думал, что жизнь закончена. Рассказывал или нет?

И я понимаю, что он все делает правильно, пытаясь рассказать мне все самые глупые истории из своей жизни, чтобы вывести меня из ступора и вернуть ситуацию в тот временной отрезок, в котором ничего еще не произошло. Но я продолжаю находиться в состоянии шоковой отстраненности. И мне несколько не по себе от того, что я выгляжу убитым, а еще более от того, что Мишка видит, как именно я выгляжу. И ситуация в целом совершенно дурацкая. Мне бы сто раз сказать ему «спасибо», а ему сто раз несколько небрежно ответить «не за что». А вместо этого он сидит и утешает меня. И от этого мне еще более херово. И вот наконец Мишка решает противопоставить моему состоянию свою проблему.

— Поверь, я в течение трех дней должен найти деньги на завершение ремонта клуба. И мир может перевернуться, а я все равно должен это решить. И сегодня вечером для меня это проблема, а завтра уже нет. Потому что я не могу показывать, что у меня проблемы, иначе не выжить. И я уверен, что в конце концов все решится положительно, потому что хорошие люди всегда выигрывают. И мне кто-то поможет. Потому что хорошие люди должны друг другу помогать. И тогда все в жизни становится на свои места.

И я слушаю его, продолжая пребывать в этом заторможенном состоянии, обвожу взглядом окружающих, пытаясь прочесть на их лицах сочувствие, сопереживание или хотя бы заинтересованность. Но нет. Ничего подобного. Судя по их лицам, кажется, что они вообще не заметили моего отсутствия.

И тут один из тех красивых и спортивных парней, в красной бейсболке, говорит мне:

— Старик, а они у тебя все забрали, или ты успел сбросить? Оставил чего?

Я отрицательно качаю головой.

— Жалко. Ну ладно, проехали, забудь об этом, — говорит он и хлопает меня по плечу.

И в тот момент, когда я готов послать этого парня, Мишка кладет мне руку на плечо и говорит так, чтобы все это могли услышать:

— Поверь. Есть те, кому не все равно. И на этом все строится. Главное — встретить таких людей.

И после этого Мишка провожает меня до такси, сажает в машину, мы долго прощаемся и обнимаемся. И, отъезжая, я смотрю назад и вижу стоящего Мишку, который поднимает вверх большой палец, как бы говоря мне, что все будет хорошо.

И всю дорогу до дома я сижу совершенно расклеившийся от нахлынувшей сентиментальности. Я думаю о том, что мир еще не до конца скурвился и есть люди, готовые тебе помочь, ничего не прося взамен. Хотя в сегодняшней ситуации я мог бы отдать многое. И я завидую тому, что Мишку не изменил ни статус, ни деньги, ни амбиции. И еще я завидую себе. Почти разуверившемуся в людях персонажу, который совершенно случайно встретил человека, внезапно вынырнувшего из нью-йоркско-лондонской тусовки. Человека, который приехал в Москву открывать клуб, а заодно с этим открыть мои глаза. И эта встреча кажется мне совершенно логичной. Нет, я не загоняюсь в паранойю о мессии, которого я так долго ждал. Я просто начинаю верить, что многие вещи еще имеют ценность и все гораздо проще и, местами, честнее, чем я думаю.

И мне очень смешно, что тем единственным человеком, способным разобраться в московских хитросплетениях, оказался человек из Лондона. И еще я начинаю ощущать такое позабытое мной чувство благодарности.

И я чувствую, что я, кажется, встретил человека, на которого могу рассчитывать. И мне хочется чем-то его отблагодарить, хотя он, безусловно, ни о чем таком наверняка не думает.

Я выхожу из машины и набираю номер своего приятеля Вадима. Потом смотрю на часы и понимаю, что лучше отправить СМС. Что, собственно, я и делаю: «Вадим, я завтра приеду к тебе в офис. В 10.00. Дело на сто рублей».

Отправив наш условный пароль, я иду домой. Я очень хочу быстрее проснуться в Завтра.

Perfect day

Just a Perfect Day
You made me forget myself
I thought I was someone else
Someone new

It's Such a Perfect Day
I'm Glad I spent it with you
Such a Perfect Day
You Just keep me hanging on
You Just keep me hanging on

Lou Reed. «Perfect day»

Как только стеклянные двери бизнес-центра разъезжаются передо мной в стороны, я сразу замечаю, как от противоположной стены отделяются два фотографа и начинают щелкать фотоаппаратами.

«Что, уже? Слава? Так быстро?» — осой проносится по моему сознанию первая и совершенно естественная мысль по этому поводу.

Но стоит мне повернуть голову налево, как я вижу трех полуголых девушек, возлежащих на стойке ресепшн. Они-то и являются объектами для съемки. Вероятно, происходит фотосессия для статьи «Твоя новая секретарша» в очередном глянцевом журнале для мужчин, «прекрасных душой и телом». А меня папарацци пока еще не знают в лицо. «Что ж, так оно, пожалуй, спокойнее», — уже в кабине лифта рассуждаю я.

Я выхожу из лифта и подхожу к стойке охранников. Пока мне отмечают пропуск, я любуюсь видом, открывающимся с двадцатого этажа башни «Сити-2000» на набережную Москвы-реки. Я подхожу вплотную и прижимаюсь лбом к стеклу. Город лежит у меня под ногами, и мне очень нравится думать о символичности момента. Я стою и смотрю, как солнце начинает поливать Москву своими лучами, пока охранник не обращается ко мне:

— Все в порядке?

— Да, да. Все хорошо. Я просто задумался.

Я беру пропуск и иду к кабинету Вадима. Перед дверью я останавливаюсь, смотрю на носки собственных ботинок, широко улыбаюсь и вхожу к нему.

— Виски хочешь? — говорит он вместо приветствия.

— Ты сумасшедший? Время одиннадцать утра. Или мы прямо с утра пить начнем?

— Старик, ну где-то же уже ночь? В Нью-Йорке, например.

Вадим выходит из-за стола, жмет мне руку, мы обнимаемся и проходим к окну.

— День сегодня прекрасный.

— День сегодня просто потрясающий, — отвечаю я, настраиваясь на волну собеседника.

С Вадимом мы знакомы уже лет семь. Когда-то давно мы встретились на дне рождения у нашей общей знакомой. Я не помню, кто именно из нас за ней тогда ухаживал, впрочем, это уже никому из нас не важно. Тогда мы познакомились, с ходу нашли друг друга потрясающими и напились, как водится. В то время нас объединяли совместные интересы в литературе, кино, спорте, музыке. Мы говорили о политике, таскались на какие-то выставки современного искусства, пили в скверах, ездили на дискотеки, посещали рок-концерты, обсуждали наши первые карьерные успехи и неудачи. Мы даже отдыхать ездили вместе довольно часто. Страшно подумать, что мы иногда занимали друг у друга деньги. Затем Вадим женился, мы стали реже видеться, сменился круг общих знакомых и общих интересов (которых ни у кого из нас, честно говоря, не осталось). Но, как это ни странно, из виду друг друга не теряли, регулярно созваниваясь, поздравляя с Новыми годами, днями рождения и прочее. Хотя все знают, что мы лучшие друзья и у нас много общего, я могу констатировать, что из общих интересов, спустя все эти годы, у нас остались девушки, совместные посещения вечеринок и общий дилер. Вот, собственно, и все. Не так уж и плохо для истории семилетних отношений на сегодняшний день. И мы с удовольствием играем в «лучших друзей», коль скоро ни у кого из нас никаких друзей нет в принципе.

Вадим трудится директором по маркетингу в крупном международном табачном концерне. В сфере его деятельности лежит продвижение брэндов компании в индустрии развлечений, что просто великолепно, учитывая его образ жизни. Визуальное позиционирование в клубах, ресторанах и казино, поддержка разного рода вечеринок и светских мероприятий, колоссальные бюджеты, десять человек персонала — что может быть лучше для того, чтобы умереть молодым?

— Вадим, — начинаю я, — ты помнишь, в воскресенье ты говорил мне, что Мишка Зеленов открывает новый клуб?

— Так об этом уже вся Москва говорит, у него открытие на следующей неделе.

— Вчера я встречался с Мишкой. Он уже отделывает помещение.

— И чего? Мы пойдем работать к нему фейсконтрольщиками?

— Это вряд ли. У него денег не хватит нам на зарплату.

— А что тогда?

— Понимаешь, у них какие-то трудности с третьим партнером. В последний момент он спрыгнул. Они уже везут мебель, начали заниматься косметикой внутреннего пространства и сейчас ищут деньги. Сто пятьдесят тысяч. За двадцать процентов доли.

— Чего-то мало просят. Тебе не кажется?

— Они вообще не просят. Мне вчера Мишка предложил как бы между делом. У них сегодня встреча с какими-то инвесторами, уже готовыми на этот проект. Клуб просуществует восемь месяцев, соберет весь аншлаг, и они собираются потом менять площадку. Там есть все необходимые лицензии, разрешения, согласования и т.д. Это место, где раньше был ресторан. В общем, у них цейтнот, и, я думаю, есть реальная маза вписаться. Вот так вот вкратце.

— А кто еще в партнерах? — Вадим проходит обратно на свое место. По тому, как он крутит в руках ручку, я понимаю, что его обуревают те же чувства тщеславия и тяги к клубному бизнесу.

— В партнерах некто Саша. Они с ним за границей познакомились где-то. Вменяемый парень, и, судя по всему, основные деньги его. Он вчера сидел в «Галерее» с какими-то полуолигархами.

— Интересная тема. Все, что откроет Мишка, так или иначе сработает. Этот инстинкт мартышек все победит у нашей тусовки. Ну и что ты обо всем этом думаешь?

— У меня есть пятьдесят тысяч свободных. Ну, я могу еще столько же занять, но хотелось бы работать со своими. Тебе интересно?

— Не знаю даже. С одной стороны, очень заманчиво, с другой стороны, как-то надо подумать.

— Вадим, тут думать долго не стоит. Либо да, либо нет. Мне кажется, все очень реально. Понимаешь, люди ждут таких шансов всю жизнь, а нам требуется только сказать «да». И через полгода (говорю я эротичным голосом) мы станем богатыми и знаменитыми. Понимаешь, чувак?

— Как Ян Шрагер и Стив Рабелл*?

— Круче, чувак. Этих парней в Москве знают только любители читать западные глянцевые журналы без перевода. А таких ввиду недостатка языкознания не много.

— Только я не хочу умереть от СПИДа! — смеется Вадим. — Можно же открыть клуб и не умереть от СПИДа?

— Старик, Рабелл был гомиком. Ты же не гомик? Или чего? Может, ты уже начал встречаться с прикольным парнем? Скажи, охмурил нового сотрудника в своем отделе?

— Тьфу на тебя. Слушай, ну это реально интересно. Это очень интересно. А как они хотят деньги? Кэшем?

— Я не выяснял еще подробностей. Нужно ехать смотреть помещение и узнавать, как и под какие документы будут переводиться деньги.

— Когда тебе нужно дать им ответ?

— Я обещал перезвонить сегодня до часу дня.

— То есть у меня для принятия решения есть еще часа полтора?

— Поверь, старик, ты уже согласился, просто не готов это признать. Давай я пойду в туалет, а когда вернусь, ты обнимешь меня и скажешь что-то вроде: «Партнер, ты даже не представляешь, как здорово, что мы вместе».

— ХА-ХА-ХА-ХА! И поцелую тебя в губы, да?

— Поцелуешь меня в нос. В нос, который по ветру. Ты просто не понимаешь, я принес тебе лучшую новость в этом году.

---

* Ян Шрагер и Стив Рабелл — владельцы клуба «STUDIO 54» в Нью-Йорке. Клуба, ставшего легендой мировой ночной жизни.

Я открываю дверь и подхожу к писсуару. Потом оборачиваюсь по сторонам и думаю о том, что сейчас откроется дверь и зайдет какой-нибудь сотрудник компании, который будет пялиться мне в спину, как обычно это делают, когда видят в туалете своей компании незнакомца. Потом он обойдет меня и встанет справа, чтобы заглянуть мне в лицо. От этой мысли мне становится несколько неуютно, и я перехожу в кабинку, закрыв за собой дверь. В кабинке мне становится еще более неуютно, учитывая события вчерашнего вечера. Мне снова кажется, что дверь с шумом распахнется и опять увижу этих парней. Меня окончательно запирает. Я открываю дверь кабинки, сажусь на унитаз и закуриваю. Кажется, вчера я приобрел очередную фобию. Прямо какая-то «туалетная паранойя». Я курю и размышляю над тем, что можно бы и показаться психоаналитику, или попить антидепрессанты, или пойти в спортзал, или стать вегетарианцем. Я смотрю на рулон туалетной бумаги, прикрепленный к правой стене, потом я перевожу взгляд налево и вижу пластиковую полочку на уровне глаз. В этот момент мне становится смешно, и я понимаю, что просто взвинчен вчерашним и очень волнуюсь, что Вадим откажется. Я бросаю недокуренную сигарету в унитаз и иду обратно.

Вадим сидит в своем кресле и говорит по телефону. Когда я вхожу, он прощается с собеседником и кладет трубку.

— У тебя даже в казенном туалете полочки, — смеюсь я.

— А что делать? Стараемся моделировать ситуации в обстановке, приближенной к реальности. Мы же маркетологи или где?

— Вы что, в самом деле там хуячите? Совсем головы вы нет?

— Бывает. Серьезно, в одной из смен есть охранник, который сидит на пульте, контролирующем камеры. Его один мой сотрудник как-то раз встретил в кафе «Poison» основательно удолбанным. Потом они еще где-то жрали вместе экстази. И теперь этот паренек изредка, в смену этого охранника, ходит в туалет юзать. Издеваецца, ха-ха-ха. И рассказывает потом мне, как он нюхает и показывает камере в потолке на полку — «тебе, мол, оставить?». Каждый разнообразит свое рабочее время как может. Ты этого паренька, кстати, знаешь. Максим, который занимается разработкой макетов. Талантливый такой креативщик.

— Да я смотрю, у вас тут талант на таланте. Что ни охранник, то промоутер. Ну что, поеду я. Ты, как надумаешь, позвони.

Вадим снова встает, проходит к окну, потом от окна к двери кабинета, потом возвращается к столу, выдвигает свое кресло и ставит напротив меня. Картинно в него садится и спрашивает:

— Послушай, будущий партнер, сколько ты реально сможешь занять?

— Я же тебе сказал, тысяч пятьдесят, не больше. А что, у тебя основной вопрос в деньгах?

— Да нет, просто я подумал, если бы ты занял еще двадцать пять тысяч, было бы круто. Мы бы вложились по семьдесят пять, и было бы все просто здорово.

— Давай так и сделаем. Только нужно посмотреть место и документы перед тем, как соглашаться. Во сколько поедем?

— Давай вечером? Часов в семь? И потом, главное — документы. Помещение-то они по-любому раскрутят, мы же при условии этого и входим.

— Да... но все-таки. О'кей. Вадим, я позвоню Мишке и договорюсь на семь. А сейчас поеду работать.

— Ты в свой концлагерь сейчас?

— Ага. Arbeit macht frei!

— Ты уже и так чересчур свободен, разве нет? — Вадим делает характерное движение носом.

— Человеку всегда есть куда двигаться. — Я шевелю пальцами левой руки и массирую вены.

— Да ну тебя к черту, езжай уже, клоун.

Я открываю дверь, и Вадим говорит мне в спину:

— Партнер... хорошее слово... тебе нравится?

— Ага. Очень гомосексуально. — Я поворачиваюсь к нему и игриво помахиваю пальцами.

Вадим быстро комкает лист бумаги и кидает в меня. Я ловко закрываю дверь и иду к лифтам.

В лифте я стою, прижавшись спиной к задней стенке. Слева от меня стоит умопомрачительная красотка в плотно сидящем брючном костюме, расстегнутой под пиджаком белой рубашкой (чуть более расстегнутой, чем того требует бизнес-этикет, расстегнутой так, чтобы был виден ярко-красный лифчик). У нее прямые светлые волосы, пухлые, чуть вывернутые губы и наглые голубые глаза (впрочем, это наверняка линзы). Она говорит по мобильному телефону и свободной рукой чуть нервно постукивает пальцами с длинным маникюром по бедру. В общем, она безумно сексуальна. Сексуальна до неприличия, до такой степени, что хочется остановить лифт и наброситься на нее. Сорвать с нее пиджак и впиться губами в грудь. Еще мне хочется верить в то, что и она была бы весьма не против подобного поворота сюжета.

Справа от меня стоит еще более интересный тип. Довольно большой дядька, в джинсах, огромных до нелепости туристических ботинках, мешковатой куртке, плотно надвинутой на брови черной бейсболке и с бесформенной сумкой на плече. У него широкоскулое, несколько детское лицо, черная борода и очки с невероятно толстыми стеклами. На вид ему что-то около сорока лет. Одежда, в сочетании с этой шапкой и бородой, делает его похожим на сказочного гнома. Хотя, конечно, никакой он не гном, а бывший старший научный сотрудник, с кучей публикаций за спиной, не один год разрабатывавший одну очень интересную тему, но волею случая ставший курьером. Он смотрит на блондинку широко раскрытыми глазами, кажущимися просто огромными из-за толстых стекол. Скользит взглядом по ее телу, чуть краснеет, и по всему видно — очень ее хочет. В какой-то момент в его глазах появляется вспышка, он расправляет плечи, приоткрывает рот, и кажется, вот сейчас он отбросит всю свою природную робость и сделает шаг по направлению к ней. Обе его руки чуть отходят от тела, как у пингвина, готовящегося перепрыгнуть кочку. Но вот глаза его потухают, плечи расслабляются, и он чуть опускает голову, как будто осознав всю бесперспективность своих желаний или вспомнив поговорку про Сеньку и шапку. Лифт доезжает до первого этажа, двери открываются, и блондинка выходит. Он уныло плетется за ней, я за ним. Мы вместе выходим из здания. Блондинка и курьер расходятся в разные стороны. Он останавливается, чтобы еще раз посмотреть ей вслед, затем снова расправляет плечи и бодрым шагом уходит прочь.

Я сажусь в машину и долго не трогаюсь с места. Эта сцена лучше всего иллюстрирует человеческое существование. В нашей жизни имеется некоторое количество моментов, когда ты, вот так же, как тот курьер, загораешься, чтобы сделать что-то особенное. Перейти свой Рубикон, поднять планку и так далее. Сменить работу, поменять подругу, уехать в другую страну. Одним словом, ЧТО-ТО ИЗМЕНИТЬ.

Ты живешь с этой мыслью несколько дней, месяцев, лет. Затем она постепенно отходит на второй план, ты понимаешь, что рыпаться бесполезно, все равно ничего не изменится. Ты все больше попадаешь в плен заскорузлых идей разряда «всяк сверчок — знай свой шесток», «где родился — там и сгодился» и прочих мерзостей, подрезающих человеку крылья с рождения. Конечно, ты многое оправдываешь средой обитания. Воспитанием, устоями, родителями, которые с детства отучали тебя совершать необдуманные поступки. Ты вспоминаешь все то, что могло бы оправдать твое бездействие и стиль жизни, подобный бревну на лесосплаве. А ведь кто-то делает в этой жизни резкие движения? Кто-то вот так же запросто находит своих блондинок в лифтах? Им просто везет?

О да, ты и в этом случае найдешь себе оправдание в том, что огромное количество людей, бросающихся к солнцу, так и сгорают, не долетев до него. Единицам везет. Но все-таки лучше вот так. Без особых колебаний и риска для здоровья. Спокойно и размеренно, ибо все предопределено. Вот так и получается армия курьеров, несущих самих себя к пункту доставки, именуемому «Судьба», в надежде получить у адресата чаевые «за ноги». Но судьба не особенно щедра на чаевые. В лучшем случае хватит на замену стоптанных по дороге ботинок. Бездействие и безволие — вот два бича населения Среднерусской возвышенности. Будь я на месте ребят из «NIKE», я бы точно сменил промо-слоган для территории России с «Just do it» на «Do something».

Естественно, основной задачей этих моих херовых умствований является сооружение правового базиса для собственного шага. Я все-таки решился что-то сделать. В правильном ли направлении я двигаюсь, вот в чем вопрос.

Я вынимаю из кармана мобильный и набираю Мишку. Через несколько гудков он отвечает мне.

— Привет, Миш.

— Привет, старичок, как ты?

— Нормально все вроде. Спасибо тебе еще раз за вчерашнее.

— Ой, хватит, ну сколько можно. Забудь об этом.

— Мишка, помнишь, мы вчера говорили про твой клуб?

— Да, конечно. Ты что-то надумал?

— Да, мы хотим с моим другом посмотреть помещение, документы и все оформить, если мы друг другу понравимся.

— А что за друг?

— Вадим. Сигаретник один, ты знаешь его наверняка.

— Смирнов?

— Да.

— Конечно, знаю. Отличный парень. Мы хорошо знакомы. Во сколько вы хотите приехать?

— Давай в семь?

— Отлично. В семь. Записывай адрес.

Я запоминаю адрес, прощаюсь с Мишкой, перезваниваю Вадиму с подтверждением нашей встречи, потом звоню на работу, узнаю новости и сообщаю свое мифическое расписание встреч вне офиса. Обещаю приехать в шесть. Желания ехать на работу нет никакого. Зато очень хочется выпить, поехать на природу и поговорить о чем-то высокодуховном. Закурив, я решаю позвонить своей знакомой девушке, Юлии, которая вот уже более года является для меня одновременно собеседницей такого рода, психоаналитиком и объектом для воздыханий на расстоянии, если хотите. В общем, это единственная моя знакомая девушка, отношения с которой мне совершенно не хочется портить своими настойчивыми ухаживаниями. Хотя в целом я очень не против. Более того, частенько алкоголь заставляет меня думать, что отношения пора переводить из разряда воздыханий в разряд близости, но каждый раз случается что-то, что мешает этому. Вероятно, мы так долго существуем в «бесконтактном» режиме только потому, что провидением задумано, чтобы в моей жизни оставалось что-то совершенно отличное от моих повседневных знакомых телочек. Или просто не настал еще один такой прекрасный августовский вечер, когда эмоции перевесят духовность и меня потащит в омут страстей. И я очень жду этого вечера, а с другой стороны, очень его боюсь, потому что уверен, он будет каким-то особенным, и не уверен, смогу ли я ему соответствовать.

Мы договариваемся встретиться через полтора часа, и я сажусь в машину, продолжая пребывать в отличном настроении. Я еду по Кутузовскому, разворачиваюсь под мостом, выезжаю на набережную, потом поднимаюсь вверх, к зданию мэрии. Проезжаю мимо нее, потом мимо американского посольства и за ним поворачиваю на Садовое кольцо. На Садовом весьма слабый поток, и я понимаю, что правильно сделал, когда не поехал по бульварам. Разворачиваюсь в сторону Маяковской и ухожу переулками на Патриаршие. Я очень хочу прогуляться пешком, успокоить нервы и системно выстроить мысли. Тем более что сегодня просто потрясающий день.

И вот я уже иду по Спиридоньевскому переулку, мимо гостиницы «Марко Поло Пресня Отель», дохожу до кафе «Донна Клара», сворачиваю налево и оказываюсь на Бронной. Через несколько минут я выхожу к Патриаршим прудам.

Я, как и многие москвичи, по-особому отношусь к этому месту в Москве. Студентом я сидел на скамейках у прудов со своими еще не искушенными в «науке страсти нежной» подругами-сокурсницами, болтая о музыке, любви, нашем потрясающем (не исключено, что совместном) будущем, о глобальной проблеме надвигающейся сессии, которая казалась тогда единственной и самой страшной проблемой для нас.

Еще мы катались тут зимой на коньках, целовались весной в переулках вокруг прудов, пили вино. Это место всегда будет нести для меня печать легкости и беззаботности бытия. Здесь всегда будет весна и всем окружающим всегда будет восемнадцать. Даже тому старику с газетой, который выглядит еще молодцом в свои семьдесят пять. Что же, такими, какими мы были, мы уже не будем...

На «Патриках» ощущается центр тяжести города. Хотя центром Москвы считается Красная площадь, я никогда ее не воспринимал подобным образом. Возможно, из-за того, что это самое не московское место, ввиду обилия гостиниц, ГУМа, туристов, уличных продавцов из «канадской компании» и гостей столицы.

Возможно, из-за того, что она слишком перегружена государственностью, различными атрибутами власти — от Кремля до машин со спецсигналами.

Патриаршие пруды — совсем иное. Особенно если выходить к ним со стороны Садового кольца. После шумной, гудящей и забитой машинами городской артерии, где пульс мегаполиса чувствуется острее всего, ты попадаешь в анклав спокойствия. В любое время года в районе Патриарших особая аура. Когда ты видишь множество людей, неспешно гуляющих вокруг пруда или сидящих на лавочках, ты понимаешь, что время здесь течет медленнее. Кажется, что этот квартал вокруг пруда окружен невидимыми стенами, состоящими из Спиридоновки, Спиридоньевского переулка, Бронной и Ермолаевского. Стенами, которые не пропускают внутрь себя гадость и уродство остальных частей города. Зимой кажется, что даже снег здесь падает медленнее, искрясь под фонарями и плавно превращая день в вечер, а вечер в ночь. В отличие от каких-нибудь Текстильщиков, где ночь надевается тебе на голову в пять часов вечера. Резко, как холщовый мешок для хранения картошки.

Патриаршие пруды — некий форт, задуманный ангелом-хранителем Москвы для того, чтобы москвичи могли укрыться за его стенами. Во времена, когда город безнадежно изменится, потеряет свою патриархальность, самобытность, свой особый диалект с «булошными» и «лавками» наших бабушек, сметенных селем из вновь прибывших, говорящем на тюркско-хохляцкой языковой смеси, изобилующей американизмами и блатным сленгом. Это место дает тебе возможность выйти из образа собаки, бегущей за подвешенной костью, и войти в человеческое состояние. Разобраться со своими мыслями и рассуждениями. Если ты, конечно, еще не потерял способность мыслить в век высокоскоростного Интернета и мира без границ.

Не исключено, что гражданин Булгаков после хождений по Москве, общения с прототипами Босого и Лиходеева, с членами МАССОЛИТа, напитавшись их энергетикой, сотканной из зависти, мздоимства, карьеризма и лицемерия, скрывался за стенами этого форта и замешивал противоядие от пошлости окружающей его действительности из морфия пополам с собственным талантом. Не случайно, что именно здесь, на Патриарших, появился Воланд. Князь, раздавший всем сестрам по серьгам.

Все это приходит мне в голову, когда я брожу вокруг пруда и плаваю на волнах собственного умиротворения. Воистину сегодня прекрасный день.

Звонит мобильный, и я слышу голос Юлии, которая сообщает мне о своем приезде.

— Ты где? — спрашиваю я.

— Выхожу к пруду слева.

Я оборачиваюсь и вижу ее, идущую по Бронной. Она улыбается, и солнце, светящее за ее спиной, придает ее каштановым волосам такой особенно теплый, бархатный оттенок.

— Привет, — говорит она, — у тебя какой-то сказочный вид, кажется, что ты помолодел. Знаешь, совсем как мальчишка.

И я смотрю на нее, дурацки улыбаюсь, и мне кажется, что опять наступил тот день, более года назад, и мы только что познакомились, и я снова слышу:

— Молодой человек.

— Да? — Я оборачиваюсь.

— Вы не подскажете, как проехать к Трехпрудному переулку?

— Вам надо повернуть чуть дальше направо. Хотя вряд ли вам стоит ехать туда. Парковаться на Трехпрудном в это время практически невозможно. А вы куда направляетесь? Возможно, я покажу вам более короткий путь.

— Спасибо большое. А вы тут гидом-экскурсоводом работаете? Вы всем, кто к вам обращается, так подробно объясняете и подсказываете наикратчайшие пути?

— Всем, кто обращается? Ну, безусловно, не всем.

(Господи, милая моя, если бы ко мне кто-нибудь обращался на улице в последнее время, исключая просьбу закурить. Сударыня, да вы первая, кто заговорил со мной за последний год на улице. Вы хотя бы понимаете всю ответственность и особую печать момента? Для меня, во всяком случае.)

Я вспоминаю наш диалог годичной давности, эти самые первые минуты нашего знакомства и спрашиваю ее:

— Юля, тебе сегодня на Трехпрудный не надо?

— Не-а, мне сегодня надо гулять, болтать и всячески бездельничать.

— Тогда пойдем гулять. Знаешь, действительно, я сегодня ощущаю себя восемнадцатилетним мальчишкой...

— Это так здорово. Я давно таким тебя не видела. У тебя какие-то особенно хорошие новости?

— Ага. Ты знаешь, я чувствую, что сегодняшний день унесет все мои депрессии, перепады настроения и прочую ерунду. Я затеваю новый проект, и у меня такое свежее, эмоциональное чувство. Или мне так кажется, в общем, я очень хочу новизны.

Мы гуляем вокруг пруда, курим, обсуждаем присутствующую здесь неформальную молодежь и целующиеся парочки. И я рассказываю ей про свое попадалово с кокаином, про ментов, про жуткий стресс, про грядущий клубный проект, стагнацию в бизнесе клубной жизни Москвы. Сдабриваю всю это клубными историями проектов в Штатах, Европе. Говорю о собственной готовности к проекту и о том, что все должно измениться и я очень в это верю. Еще я говорю ей, что устал от ежедневных кривляний, клубных девочек и клубных приятелей. Что хочется вернуться на десять лет назад, гулять здесь восемнадцатилетним студентом, и чувствовать любовь, которой вокруг так не хватает, и чувствовать потребность любить и потребность отдаваться без остатка. А она слушает меня, ее глаза меняют цвет по мере моего повествования от грустно-зеленого до искрящегося изумрудного, и когда я заканчиваю, она гладит меня по голове и говорит:

— Прекрасно, тебе давно пора измениться. Знаешь, иногда мне кажется, что тебе нужно просто успокоиться и перестать совершать глупые поступки. Просто осмотреться и понять, что вокруг тебя столько любви и ты просто не хочешь ее замечать. А иногда мне очень страшно за тебя. Ведь на самом деле ты очень хороший, просто заигравшийся в циника. И тебе не нужны никакие маски, тебе просто нужно перестать себя раскачивать, и все будет очень хорошо. Просто поверь, что все будет очень хорошо.

— Юленька, я очень хочу поверить, очень. Я очень устал бороться со скукой, устал от бесцельных тусовок, пустых друзей и безмазовых выходных. Мне просто очень нужно поверить. И еще мне хочется, чтобы рядом находился кто-то, кто может сказать мне, что все действительно изменилось к лучшему... Я очень хочу, чтобы наступил тот момент, когда мне больше не захочется прятать свои эмоции.

— Момент наступит, мальчик мой, он обязательно наступит. Тебе только нужно снова стать восемнадцатилетним. И перестать замыкаться на окружающем негативе. И тогда прятать эмоции уже не будет никакой нужды...

И тут мимо нас проносится футбольный мяч, посланный не слишком точным ударом каким-то местным Роналдо. Мяч скатывается вниз, скачет по кочкам и шлепается в воду. Вслед за мячом появляется и сам смущенный исполнитель удара, он чешет затылок и говорит «блин». Мы смотрим друг на друга, я с улыбкой, он с недоумением. И тут я чувствую какой-то порыв и решаю достать этот улетевший мяч.

Я сбегаю вниз, к пруду, и мальчик спускается сзади меня. Мяч лежит довольно далеко от берега, так что дотянуться рукой практически невозможно. И я начинаю сожалеть о своем благородном порыве, но тут в траве я вижу отломленную ветку. Я беру ее в руку и пытаюсь дотянуться до мяча. Я цепляю его самым кончиком ветки так, что он начинает вращаться в сторону берега и от него расходятся круги по воде. Когда мяч практически подплывает к нам, я на секунду отрываю свой взгляд от него и смотрю на воду.

В воде отражаемся я и стоящий сзади и чуть выше меня мальчик. От мяча расходится очередной круг на воде, и в тот момент, когда рябь пробегает по моему отражению, создается интересный визуальный эффект. Отражение искажается волнами. Таким образом, что мужчина в деловом костюме сменяется мальчиком в спортивных штанах. И так происходит несколько раз, подобно переливающимся картинкам на календариках времен нашего детства. Несколько раз мое отражение плавно перетекает в изображение этого мальчугана. Я поворачиваюсь и смотрю на паренька, который это тоже заметил и широко улыбается. Видимо, ему кайфово. Потом я перевожу свой взгляд на Юлю, которая также уже спустилась и смотрит на воду каким-то очень теплым взглядом, исполненным нежности и грусти одновременно. И мне в этот момент становится слегка не по себе, будто кто-то шкрябает горло изнутри. Мальчик берет свой мяч, говорит «спасибо» и уходит. Мы поднимаемся наверх, идем по аллее и отчего-то не обсуждаем тему сменяющихся картинок. Как будто не хотим чего-то нарушить. Хотя поле для фантазий разного рода более чем обширное. И в какой-то момент я, сам того не замечая, беру ее за руку. Мы останавливаемся на аллее как вкопанные, она прижимается ко мне и тихо говорит:

— Мне сегодня очень хорошо. Мне очень хорошо с тобой...

И я хочу ей сказать, что так хорошо мне еще никогда не было и что я готов бродить с ней часами вокруг Патриарших или каких-нибудь других прудов, что мне хочется звонить ей каждое утро, а еще лучше просыпаться с ней. И у меня как-то слишком сухо во рту, и вместо того чтобы озвучить ей все мои переживания, я просто говорю ей:

— Сегодня просто потрясающий день...

Потом мы гуляем по окрестным улицам, я слушаю ее рассказы про подружку, у которой две собаки, про то, как она потерялась в парке Горького, когда была маленькой, про старое советское кино и прочую ерунду, от которой мне становится очень тепло и спокойно. Я смотрю на нее, улыбаюсь, иногда вставляю свои комментарии, и мне совершенно не хочется расставаться с ней сегодня. Но потом мне звонит Вадим, и я понимаю, что мне уже нужно выезжать. Мы прощаемся, и я еще долго смотрю ей вслед. Она оборачивается и машет мне рукой, прежде чем скрыться за поворотом, а я думаю о том, что у нее потрясающие длинные ноги, что она чуть выше меня ростом и что я уже начинаю скучать по ней.

И кажется, что тепло исходит от асфальта, стен и крыш домов, прохожих и пробегающих собак. И мне кажется, что все улыбаются друг другу, и я также улыбаюсь всем. И когда я почти подхожу к своей машине, московское небо разражается вдруг теплым ливнем. Я задираю голову и смотрю в небо. И я ловлю капли дождя, вода бежит по моему лицу, рукам. Я закуриваю сигарету и прикрываю ее огонек от капель ладонью, как это делают мальчишки-хулиганы из фильмов про послевоенное время. И когда дождь уже достаточно сильно мочит мой пиджак, я сажусь в машину и набираю ее номер:

— Юля, дождь начался, ты уже в машине?

— Ага.

Я открываю окно и чуть выставляю телефон на улицу.

— Слышишь капли?

— Ага.

— Юленька, мы слышим одни и те же капли, здорово?

— Здорово, я сейчас поймала себя на мысли, что тоже хочу тебе позвонить и сказать про дождь. Глупо, да?

— Не-а. Здорово. Мы сегодня очень хорошо погуляли. Удивительно просто.

— Мне так хорошо...

— Это просто сегодня такой особенный, прекрасный день. Ну ладно, я поехал. Я тебе еще позвоню.

— Пока. Будь, пожалуйста, аккуратнее.

— Буду. Обязательно буду...

Я сижу в машине на Мясницкой улице, перед входом в клуб. Подъезжает Вадим.

Мы проходим с ним под козырек, спускаемся по ступенькам вниз и попадаем в само помещение. У стен лежат половые доски, различные стройматериалы, кресла или диваны, затянутые полиэтиленом, стены подготовлены к облицовке, а проломы в них подразумевают переходы в другие залы. У задней стены помещения стоит стол в псевдобарочном стиле и кожаное кресло с высокой спинкой, в котором, положив ноги на стол, сидит Саша, Мишкин партнер, и смотрит в ноутбук. Он совершенно абстрагирован от помещения, и его лицо выражает ту же мимику, как если бы он сидел в пентхаусе на Манхэттене, а не в недостроенном клубе. Мишка лежит на распакованном белом диване и листает «Буржуазный журнал». Под диваном находится стопка разного рода глянца, типа «Меню удовольствий», «GQ» и «Vogue». К единственной готовой розетке подключена большая кофе-машина. Никаких факсов и телефонов, именно кофе-машина. В общем, весь интерьер говорит о том, что сидящие здесь люди не ждут никаких особо важных звонков и новостей. Все новости они создают сами.

— Привет, — говорю я, — мы таки добрались.

— Хай, кофе будете? — поворачивает к нам голову Саша. Из-за того, что он жует печенье, фраза звучит как

«Фай, фофе вувите?», что сразу создает ощущение домашней обстановки.

Печенье лежит на столе в блюде из светло-голубого стекла, такого же, как и кофейные чашки. Оно выглядит особенно стильно посреди этого бардака. Саша ловит мой взгляд на тарелку и говорит извиняющимся тоном:

— Я просто не люблю есть на говне, — и пожимает плечами.

— Саша у нас эстет такой, что мама не горюй. Эстет, у тебя WI FI работает? — встает с дивана Мишка. — Привет, садитесь на диван, или хотите, я вам кресла распакую? Только получили из Италии.

— Нет, Миш, спасибо, — говорит Вадим и плюхается на диван.

— А у вас тут еще и WI FI будет? — спрашиваю я.

— Ага. Днем здесь будет функционировать кофейня и что-то типа бизнес-ленчей. Вокруг же одни офисы. Готовимся показать двадцать первый век лицом, — отвечает мне Саша.

— Ну что, ребят, давайте сначала кофе, потом посмотрим дизайн, потом мы с Сашкой вам тут все покажем. Вадим, тебе кофе, извини, могу предложить только без сахара. Заменителя нет, — говорит Мишка с недовольной гримасой, — у нас завхоз не расстарался, все в интернетах висит, — кивает он на Сашку.

Сашка показывает ему фак и продолжает щелкать по клавишам компьютера.

— А ты знаешь, что я пью кофе с заменителями? — оживляется Вадим.

— Я не знаю. Я помню, старик. Ничего не пропадает, — стучит Мишка себя по голове.

Мы пьем кофе, стоя вокруг ноутбука, и смотрим макет дизайна. Смотрится в самом деле сногсшибательно. Все в белой коже и блестящем металле, диджейское место стилизовано под кабину пилотов самолета. Под потолком две площадки для go go girls. VIP-зал обтянут кожей шоколадного оттенка («Дизайн випа спиздили у офисов "Swiss Air"», — доверительно сообщает нам Мишка).

— Три зала повторяют концепцию самолета: эконом-, бизнес- и первый классы. Персонал одет под стюардесс и стюардов. В випе и бизнесе будут даже тележки со спиртным, наподобие тех, что есть на борту самолета. За випом комната отдыха для супергостей (дизайн пока не готов). Барная стойка решена в виде крыла самолета, что естественно. Общая площадь 600 метров. Сорок восемь «привозов» западных диджеев. Ну, каждую неделю, короче. В экономе днем будет кафе, а в клубные дни — лохденс. Цены и ассортимент выпивки демократичные. Цены в бизнесе и первом классе «улетные», что естественно. Место хорошее, парковка довольно вместительная. Думаю, аншлаг обеспечен, — резюмирует Саша.

— А называться будет «Concorde», что естественно? — ехидничает Вадим.

— Называться будет «Jet Lounge». И название мы не будем менять даже для самых крупных инвесторов, — так же ехидно отвечает Саша.

Затем мы ходим по залам, и Мишка, отчаянно жестикулируя, объясняет, где будет гардероб, туалеты, кухня и прочее. Постоянно тыкает в план помещения, в котором ни я, ни Вадим ничего не разбираем. Пока я застреваю в первом зале, пытаясь понять, сколько посадочных мест планируется тут с расчетом на кафе в будние дни, Вадим с Мишкой уходят дальше. Я дохожу до третьего зала и вижу, как Мишка что-то рассказывает Вадиму, изображая руками беременную женщину. Вадим смеется и хлопает Мишку по плечу, и по его лицу я вижу, что он попал под Мишкино обаяние окончательно и бесповоротно. Они щебечут, как старые друзья, и я испытываю что-то вроде ревности к нему — ведь это я познакомил их с Мишкой. Но на самом деле мне очень прикольно, что все тут так, практически с первого раза, подружились и нашли общий язык. И в воздухе витает ощущение команды или чего-то в этом роде.

Сзади подходит Сашка и спрашивает:

— Под нами подвал есть, я вот думаю, может, нам там бордель для олигархов сконструировать? — Он достает из кармана очки «Gucci» в зеленой пластиковой оправе, протирает их мягкой тряпкой и надевает, смешно поправляя их указательным пальцем в районе переносицы. — Как считаешь?

— Клевая идея, — отвечаю я, поднимая вверх большой палец правой руки.

Мы возвращаемся в первый зал, и Вадим спрашивает:

— Как вы хотите получить деньги и под какие документы?

— Наличные, безналичные — все равно, — отвечает Мишка.

— Учредительные документы изменим за два-три дня, потом переведете деньги, — резюмирует Саша.

— Ну, партнер, что скажешь? Нравится тебе? — спрашивает меня Вадим.

И эта наигранная фраза необходима, понимаю я. Несмотря на то что мы с Вадимом приняли решение еще утром — каждый самостоятельно, нам стоит выдержать приличествующий моменту этикет.

— А тебе как? — спрашиваю я.

— Можно попробовать, — говорит Вадим и закуривает.

— Ну, давай впишемся, — небрежно говорю я и роюсь по карманам в поисках сигареты.

Саша и Миша смотрят на нас, как добрые родители смотрят на своих непутевых детей, и мне становится слегка неловко от этих фуфловых финальных диалогов, которые мы с Вадимом прогоняем им с идиотски серьезными лицами.

Мишка достает из-за дивана дорожную сумку «Hermes», вынимает из нее бутылку шампанского «Dom Ruinart» и коробку с шестью бокалами «Riedel». Он подходит к нам с Вадимом и говорит так запросто:

— Может, бухнем по случаю? Мне как раз будущие поставщики подарили бутылку и образцы посуды. Заодно и обмоем.

И потом мы еще часа два пьем шампанское, которого обнаруживается три бутылки, рассказываем всякие смешные истории, ближе знакомимся с Сашкой, который при всей своей внешней меланхоличности оказывается человеком с потрясающим чувством юмора и багажом такого рода историй. Перманентно мы говорим тосты, обнимаемся, и каждый старается передать другому эмоциональный заряд из успешности, счастья и радости. И все мы выглядим как студенческие друзья, и в этот вечер, в сочетании со всеми событиями сегодняшнего дня, я чувствую себя впервые по-настоящему счастливым.

Потом мы собираемся разъезжаться, и Вадим садится ко мне в машину «на пару сигарет» и, несколько стесняясь, говорит мне:

— Брат, у меня такое дело... Понимаешь... В общем, когда они сказали, что можно загнать безналом, я подумал, что могу перевести еще пятьдесят тысяч со своего счета.

— Да ты тайный миллионер, как я посмотрю?

— Нет, старик, просто я же думал, что все наличными нужно будет внести, а у меня столько не было. В общем, тут такое предложение. Я внесу сотку, а ты как бы займешь у меня двадцать пять тысяч. Ты же хотел занимать все равно?

— Вадим, ты последний человек в этом городе, у кого я хотел бы занять деньги.

— То есть? Ты так не хочешь? Ты хочешь, чтоб я внес только семьдесят пять тысяч?

— Старик, давай я внесу свой полтинник и буду иметь самую меньшую долю. Так проще. Ага?

— Брат, то есть ты хочешь сказать, что мы с тобой не поровну будем вступать?

— Вадим, ну я же вижу, как ты загорелся идеей. Поверь, мне этот проект важен не из-за денег, а из-за возможности поработать со своими людьми.

Вадим закуривает сигарету, смотрит в окно, выдерживая паузу, потом поворачивается ко мне и говорит:

— Старик, ты даже не представляешь, как мне этот проект важен. Я собираюсь сваливать из своей конторы, так мне все там обрыдло. И для меня это шанс. Понимаешь? Шанс начать другую жизнь, шанс работать с ДРУГИМИ людьми, шанс поменяться, понимаешь? Я сегодня весь день хожу как ужаленный.

— Брат, я не собираюсь пока полностью переключаться на клубный бизнес. Давай сделаем, как я предложил. Ты вносишь сто, а я вношу пятьдесят. И решили, а то у меня завтра совещание, спать надо ехать.

— Ты не обижаешься на меня? — делает грустные глаза Вадим.

— Поверь, для меня в этом нет ничего обидного, — говорю я и кладу свою руку на руку Вадима.

— Спасибо тебе. — Вадим обнимает меня, целует в щеку и открывает дверцу машины: — Ты точно уверен?

— Я всегда уверен, и я тебя реально очень хорошо понимаю. Давай, старик, я тебе позвоню.

Вадим уходит, а я трогаюсь и еду к Лубянке. И мне на самом деле не обидно ни капли. И я рад, что хоть кто-то из нас двоих вырвется из этой ежедневной корпоративной рутины. И хорошее настроение маслом растекается по моему телу. Воистину день сегодня был совершенный во всех отношениях.

Совещание

Но поскольку мы ведем речь о мотивации персонала, тем более нестандартной, перед нами задача: без особых затрат финансовых средств оценить по достоинству труд сотрудника...

В Уставе Вооруженных Сил есть такая мера поощрения — фотографирование у развернутого боевого знамени воинской части (ст. 19, гл. 2). Человек хранит эту фотографию как память о целом периоде своей жизни. Мы делаем то же самое у себя в универсаме. Так зарождается чувство, знакомое японским трудящимся, — чувство корпоративного патриотизма, принадлежности к общему делу.

Из журнала «Мое дело/Магазин»

Десять утра следующего дня. Сегодня в компании намечено совещание, посвященное итогам финансового года. Как и во многих международных компаниях, финансовый год у нас сдвинут и заканчивается в июле. Хотя разумных объяснений тому мало, это никого не смущает. Так уж повелось.

Кругом полно представителей региональных структур, филиалов и кураторов дистрибьюторов, которые ходят по офису и разглядывают наши интерьерные богачества. Деликатно пьют кофе, вежливо раскланиваются с московскими работниками (в особенности с финансовыми директорами и бухгалтерией). И все это кажется картиной «В гостях у барина». В основном все кучкуются в холле, перед переговорной, боясь пройти дальше, как школьники перед экзаменом, но когда им делают замечание, что они мешают входящим и работе секретариата, приезжие переходят в комнату сейлс. Часть из них разбредается по кабинетам своих московских знакомых.

Затем начинаются обзвоны по внутренним телефонам всех кабинетов с просьбой пройти на совещание, поиски отдельных персонажей, суета, связанная с тем, что кто-то из приезжих где-то оставил свой органайзер или мобильный, опять же окрики из секретариата: «А чашку, из которой вы кофе пили, вы нам вернули?»

Возвращение чашки с извинениями и реверансами.

И вот все собрались в переговорной. Все начальники отделов, директора филиалов, их замы по продажам и маркетингу. В общем, весь наш так называемый топ-менеджмент. Судя по лицам, каждый здесь мечтает стать человеком-невидимкой. Чтобы слышать все, что скажут о присутствующих, но избежать личной порки.

Заходит Некер. Он несколько сдал по сравнению с прошлым годом, но все равно неплохо выглядит для своих пятидесяти пяти лет. Хорохорится, носит такие (по его мнению) молодеженькие желтые галстуки со зверушками и отвратительные коричневые лоуферы. Он типичный французский старпер вэкэкэшник или как там это у них называется. Некер садится и здоровается, обводя присутствующих тяжелым взглядом. Я читаю на его лице буквально следующее: «Господи, ну почему счастливчикам, готовящимся к пенсии, достаются такие потрясающие зоны ответственности, как Мартиника, или итало-французская зона, или, на худой конец, Скандинавия? Но почему же мне на старости лет досталась Восточная Европа с этими дикарями? Хамоватыми азиатами, которые после многочисленных тренингов во Франции так и не научились по-европейски работать, зато отлично научились жульничать?» О, как он нас в этот момент ненавидит! Будто бы это мы виноваты, что он так плохо работал языком, полируя задницы своих акционеров, чтобы сидеть сейчас не в промозглой Москве, а в Милане или Мадриде. Его «здравствуйте, коллеги» звучит как «будьте вы прокляты, туземцы». Ну ничего, ничего, я ему это с легкостью прощаю, ведь после всего этого словоблудия нас ждет объявление годовых призов этих Больших Скачек!

Все начинается с того, что Некер, с лицом страдающего за веру, этакого мученика во имя КОМПАНИИ (да святится имя ея, да пребудет царствие ея, да увеличится капитализация ея, во веки веков, аминь!), начинает скорбный сказ о том, как ужасно сказалось на общем состоянии дел в компании невыполнение плана в России:

— Мы с сожалением вынуждены констатировать, что, несмотря на увеличение бюджетов (ого, на целых 2,5%, да они просто расточительны!), российский филиал компании не выполнил план продаж. Это весьма негативно сказалось на наших интернациональных показателях (ага, это отразилось на том, старый придурок, что ты получишь чуть меньший бонус и твоя неврастеничка жена меньше растратит на «омолаживающих СПА-курортах»). Довольно удивительно, что при общем росте рынка наши показатели в России оказались ниже ожидаемых по плану (чего ж тут удивительного? Какого же еще черта вы ожидали от конторы, в которой работают только ксероксы, да и те с перебоями?).

Наши доблестные сотруднички, все эти тупари-многостаночники, сидят и торопливо пишут в органайзерах. Интересно что? «Мы, идиоты, лузеры, бездельники, не выполнили план из-за собственной профнепригодности и неумения думать». Я думаю, что это единственное, что можно записать. Или есть варианты? Я украдкой смотрю через плечо на то, что пишет директор по логистике, сидящий рядом со мной. Ага, примерно так я и думал:

шпатлевка — 5 литров;

штукатурка — 3 мешка;

краска — 8 литров;

сетка малярная — 5 метров.

Это, наверное, новые составляющие плана бесперебойной логистики. Перемещения денежных знаков по маршруту «бюджет компании — строительный рынок — дача». Весело мы живем и, судя по всему, уедем в этом году еще дальше по дороге, ведущей к построению собственного благополучия.

Всем здесь настолько фиолетовы речи докладчика, что уже можно было бы придумать какую-то новую процедуру подведения итогов, но мы продолжаем практиковать эти дни общего покаяния и вырывания волос/бюджетов из головного офиса.

Монотонная речь Некера постепенно убаюкивает меня. Недосып плюс накатывающая хандра вкупе с его херовым английским языком действуют получше валиума. Судя по лицам моих коллег, полных неподдельного раскаяния и какого-то пионерского порыва все взять и тотчас же исправить, обвинительная речь подходит к концу. Я уже давно не слушаю и ориентируюсь по лицам окружающих. Обычно, как только директор питерского офиса подпирает голову рукой и складывает на лбу четыре поперечных морщины, ежегодное совещание подходит к самой интересной его части. Той, во имя которой все готовы заниматься самобичеванием, покрывать спины свои рубцами, носить власяницы, в общем, нести все страдания ради своего куска счастья, этого ежегодного снисхождения света в виде выписки по твоему личному счету.

Так и есть, дело доходит до объявления годовых бонусов по подразделениям. Некер сидит и зачитывает список. Объявляя название департамента или филиала, он поднимает глаза на человека, представляющего данное подразделение, и с вящим пафосом называет сумму. В этот момент он похож на генерала, которого играл Георгий Жженов. Помните момент, когда тот обходит позиции, которые стояли насмерть перед танками Манштейна, находит уцелевшую группу бойцов и начинает раздавать им награды из коробочек, со словами: «Все, чем могу. Все, чем могу лично»? Не хватает только разбитых танков и пушек и трупов погибших, а то точно бы получился «Горячий снег-2». С орудиями и танками у нас действительно тяжело, а вот погибших бойцов — сколько угодно. Я представляю, скольких людей мы сгноили или уволили во имя достижения этих пресловутых ПЛАНОВЫХ ПОКАЗАТЕЛЕЙ. Сколько секретарш, сейлс-менеджеров и операторов было вышвырнуто по ходу этой «кукурузно-гороховой войны», без компенсаций и возмещений неотгулянных отпусков. А уж про мерчандайзеров, грузчиков и водителей и говорить не приходится. Уж эту-то пехоту точно никто не считает. Я полагаю, что их просто списывают как некондиционный товар. Или как образцы.

Я был свидетелем (да и, что греха таить, исполнителем) всего этого холокоста в Москве, где все обставлялось более-менее в рамках КЗОТа. А уж про наши доблестные филиалы страшно и думать. Тамошние директора, подобно воеводам времен Ивана Грозного, получили почти пожизненную систему «кормлений» и возродили феодальный строй. Могу себе легко представить, что они наверняка обмениваются своими крепостными подчиненными с конкурентами или директорами компаний из смежных отраслей.

«Дворовые, 47 и 52 лет от роду. Недужат редко. Имеют крепкие зубы и зрением хороши. В работе сносны, норов покладистый. Меняю двух дворовых (уборщиц) на одного кучера (водителя «Газели»)» — наверное, так выглядят разделы вакансий в местных газетах.

Самое отвратительное во всем этом то, что все бонусы по подразделениям высчитываются, исходя из количества работающих на начало года, и уж будьте уверены, уволенные сотрудники ничего не получат. Даже тех денег, которые им можно было бы дать в соответствии с отработанным временем. Все, абсолютно все раздербанят эти коршуны, их начальнички. Я сижу и смотрю, как они постукивают по столу корпоративными ручками в предвкушении того, сколько они отцепят себе за счет этих «мертвых душ». И это сверх того, что у них имеются личные годовые бонусы!

Да, да. Я прошу об этом не забывать. Их собственные деньги при всех, естественно, не обсуждаются. Иначе годовые отчетные собрания были бы похожи на драку ворон на помойке. Представляю, с каким наслаждением они убивали бы друг друга. Пришпиливали бы руки противника к столу степлером и пробивали бы друг другу головы медными уголками корпоративных органайзеров.

Аха-ха! Я представил себе, как вон та толстая чувиха, директор нашего филиала в Самаре, постоянно изводящая меня е-мейлами, содержащими жалобы на отдел маркетинга и просьбы об увеличении промо-бюджета, задушит свою коллегу из Новосибирска. Раздерет ей горло своим восьмисантиметровым маникюром!

А уж если бы они все узнали, какой кусок пирога на этом «пире во время чумы» собираюсь откусить я, то многие бы просто умерли. Например, эта смазливая девчонка (по-моему, ее зовут Наташа, хотя имя Маша ей, мне кажется, подошло бы больше), директор по продажам в Ростове, получила бы апоплексический удар. Я два раза в год, во время своих командировок в Ростов, трахаю ее на корпоративной квартире. Она патологически жадна до денег и все время пытается вымутить с меня какую-нибудь покупку, а в уме грезит, что я перетащу ее в Москву. Ага. Бэзусловно.

Я все время ей рассказываю, за какие копейки мы все тут в Москве пашем, как над нами издеваются и что я собираюсь уходить прямо по приезде обратно. Я так себе и представил, как она бахнется лбом об стол, услышав сумму моего бонуса. Воистину, My Girlfriend in a Coma. Думая об этом, я почему-то поворачиваю голову к ней и подмигиваю.

Вся эта пьеса «Нищим от графа», рассказывающая о результатах по России, начавшись с Дальнего Востока,

106

весь этот ежегодный «День благодарения», плавно сворачивается. Вот уже поздравили центральные регионы, вошли в Северо-Запад, вот уже с несколько недовольной миной откинулся в кресле директор Питера, а там уже и самая важная для меня часть — Москва. Во время того как Некер, буравя меня взглядом, объявляет мне прайс, я пытаюсь скорчить благостно-благодарную рожу. Жалко, что я так и не научился плакать по заказу. Как раз для таких моментов, очень бы помогало.

Вот я сижу, слушаю его бубнеж про то, что, «несмотря на то что мы рассчитывали, что в целом результаты по Москве будут гораздо лучше, оценивая достижения вами следующих показателей» и т.д. Судя по всему, лицо у меня в этот момент настолько тупое в этой маске благодарности, а сам я, после произошедших в начале недели событий, настолько одеревеневший, что со стороны похож на труп. Gratefull Dead.

Да, реально, я благодарный мертвец. Зачитайте уже скорее вашу отходную, перечислите мне причитающееся на карточку, и я отойду в иной мир. Мир, полный плотских удовольствий, проституток, алкоголя, наркотиков и клубной музыки. Не спорю, он такой же пустой, как и эта цитадель корпоративных свиней, зато там хотя бы можно разнюхаться.

Окружающие во время оглашения моих результатов пялятся на меня очень недружелюбно. Они просто готовы меня разорвать, зная, какой кордебалет творится у меня в Москве, и, несмотря на это, я тут еще и бонусы получаю (да еще и какие!). Выслушав Некера, я откидываюсь в кресле и обвожу глазами собравшихся в переговорной. Мой взгляд содержит ясный месседж: «Умрите, свиньи, вы все равно не станете такими же, как я. Молодыми и успешными. Вы так и сдохнете в своих Урюпинсках с мечтами о переезде в Москву. Сдохнете да еще и прихватите с собой десяток ни в чем не повинных сотрудников». Виноваты они лишь в одном, что вовремя не скинули своих бездарных шефов, написав донос в Москву.

Мне кажется, что в комнате в этот момент повисла огромная шаровая молния, сотканная из всеобщей ненависти. По количеству вырабатываемой негативной энергии это собрание превзойдет Братскую ГЭС. Уж что-что, а ненавидеть друг друга мы умеем, как никто другой. Можно сказать, что ненависть — это основной двигатель нашего бизнеса. Кажется, еще пара секунд, и комната взорвется, обрушится потолок, под которым будут погребены двадцать пять гнусных ублюдков.

Я просто мечтаю, чтобы так случилось, но, конечно же, этого не произойдет. Это только в боевиках мерзавцы погибают от пуль хороших парней. А в реальной жизни мерзавцы — самые жизнестойкие существа из всех млекопитающих.

Объявляется перерыв. Все высыпают в холл. Начинают лицемерно обниматься, поздравлять друг друга, создается столпотворение у кофе-машины. Все делятся на стайки (по региональному и половому признакам). Мужская часть гогочет над анекдотами двадцатилетней давности, составляет планы на вечер. Кто-то в очередной раз предлагает поехать в какой-то там клуб, снять дорогих проституток и завалиться в «Балчуг» на ночь. Все дружно кивают, хотя понятно, что здесь каждый за рубль удавится, а уж пробашлять три сотни за шлюху — это уже из области личного героизма и морально-волевых качеств. И снимут они в лучшем случае девушек из стран ближнего зарубежья, что выполняют свою дипломатическую миссию на Ленинградском шоссе. И закончится все это в гостинице «Олимпиец» или «Союз», в водочном угаре, как это обычно и бывает у наших региональных сотрудничков. Мне от всех этих ЛОХнесских чудовищ делается дурно, и я ухожу в свой кабинет.

Я сижу, курю сигарету, и тут открывается дверь и заходит та самая Наташа/Маша.

— Я не помешаю? — говорит она, томно глядя на меня.

— Нет, что ты, welcome, — говорю я, стараясь быть как можно более гостеприимным.

— У вас тут курить нельзя, а в твоем кабинете можно, я вот и решила зайти.

— Ага. У нас со следующего месяца еще и воду убирают из холла.

— Почему?

— А много за ремонт и чистку сантехники платим. А все потому, что сотрудники воду тоннами пьют, вместо того чтобы работать. И после питья... ну, сама, в общем, понимаешь...

— Слушай, ты серьезно? Как вы тут живете?

— Наташа, — говорю я, отворачиваясь к окну, — тебе никак нельзя в Москву перебираться. Ты мила той самой чистотой и наивностью, которая осталась в наше время только у женщин из тургеневских романов. Нельзя... нельзя тебе в Москву. Этот город пожрет твое девственное сознание.

— Ты шутишь так, да? Ты не можешь без этих своих вечных сарказмов. Без длинных предложений и издевательств. Не можешь, да?

— Наташа, мне уже поздно что-то менять. Я как капитан тонущего корабля. Свой корабль уже не спасу, так хотя бы предупрежу других, что здесь скалы.

— Да... — деланно обиженно тянет она. — Слушай, мы тут с некоторыми, ну с Вовкой из Питера, с Лешкой из Краснодара, с девчонками там вашими собрались вечером в боулинг пойти поиграть. Так, компания человек пятнадцать. Поедешь?

— А куда именно?

— В «Апельсин», знаешь такой?

— Да, конечно, знаю, отличное место. Во сколько?

— Часов в девять.

— Супер, конечно, поеду. Я к половине десятого подтянусь.

— Не врешь? — спрашивает она, поднимается, трогает меня за руку и продолжает: — Ну, приезжай обязательно, я тебя буду ждать.

«Конечно, я не вру, Наташа. Конечно, я поучаствую в этом вашем развлечении для истинных интеллектуалов. Сниму пиджак и в костюмных брюках, в рубашке с засученными рукавами буду истово катать шары, подпрыгивая и поднимая руки вверх при удачных ударах, как это наверняка делают эти мудаки, наши коллеги. Потом еще нажремся и поедем в караоке. Будем там петь хором все эти ублюдские песенки вроде «Ты у меня одна» или «Ой, мороз, мороз». А потом мужики поедут снимать шлюх, а мы с тобой поедем ко мне домой, и я окончательно заработаю себе репутацию плейбоя для провинциалок. Мне еще только этого не хватало», — думаю я, пока она закрывает за собой дверь. Мне после сегодняшней нудятины потребуется дорожка, но уж наверняка это будет не дорожка боулинга, honey.

Я вообще противник всех этих корпоративных тусовок. «Способствующих формированию командного духа и улучшению взаимопонимания». Ни черта они на самом деле ничему не способствуют. Какое, на хер, может быть взаимопонимание у грузчика с заработной платой 500 евро в месяц и у меня, придурковатого сноба, заколачивающего ту же сумму, но в день. Чего это он такое «взаимопоймет»? Как я просераю за один день три его месячных оклада? О каком командном духе может идти речь в этом коллективе жуликов, идиотов и бездарных лодырей с комплексом Наполеона? Если речь идет о том, как скрысить очередной бюджет, то тут команды уже давно сформированы. Как в хорошем футболе, каждый отвечает за свой участок поля, не дай Бог сунуться на чужой край. Полнейшее взаимопонимание.

Я лично в постоянном закосе от этих общих сходняков. Нет, не подумайте, что я озабочен потерей собственной репутации. Меня уже в этом городе сотни раз видели в таком расколбасе, что на мой счет никаких иллюзий ни у кого нет. Просто я подвержен царящему повсюду двуличию. Я отлично понимаю, как меня ненавидят мои подчиненные, но не хочу выслушать это от них в лицо, по пьяному делу. Вы знаете, что самый большой процент увольнений приходится на дни, последующие всем этим корпоративным Новым годам, Восьмым марта и прочим праздникам? Чувствуете, к чему я клоню? Да, да, это жаждущие сатисфакции боссы делают такие новогодние подарки и презенты-валентинки.

Кроме того, мне лично претит вся эта показуха с дурацкими прыжками в мешках, фантами и хождением корпоративных богов в народ. Со всем этим фальшивым братанием, якобы отсутствием знаков различия на один день и прочим. Я слышал байку о том, что в советской армии был такой прикол, когда «деды» на один день становились молодыми и исполняли все приличествующие моменту ритуалы чмырения. Заигравшиеся молодые на следующий день, вероятно, жалели о том, что есть такой день. Так и здесь. Находятся еще дурачки, похлопывающие по плечу своих боссов, водители, щиплющие за грудь перезрелых директрис по маркетингу, с которыми никто не спит года так с 1995-го. Естественно, что подобный командный дух по достоинству будет оценен завтра.

До чего омерзительно смотрится, когда какая-нибудь шишка приглашает на танец самую ненужную сотрудницу (при этом великолепно, если она еще и самая страшная). И обоим как-то вроде не по себе от такого мезальянса, но исполнить до конца эти финальные па на балу лицемерия придется. Квинтэссенция корпоративного убожества... апофеоз фальшака... торжество царства клерков.

Тут звонит телефон, прерывая мои язвительные рассуждения, и секретарша зачем-то приглашает всех в холл.

В холле уже собрались все участники совещания для группового фотографирования на фоне логотипа компании. В центре стоят Некер, Кондратов, директор нашего питерского филиала, главный бухгалтер и Гарридо. Прочие сотрудники толкаются, стараются занять более удачное, по их мнению, место на групповом фото (при этом они реально верят в то, что здесь есть «удачные» места). Ведут они себя как школьники во время съемки на фотографию выпускного класса. Не хватает только старой, мудрой учительницы, этакой «верыиванны», в очках и с книгой Горького в обнимку. Я думаю о том, что на эту роль отлично подошла бы Ольга Евгеньевна, бывший старший научный сотрудник какого-то института, разжалованная этой шлюхой, российской историей, в уборщицы офисных помещений, невзирая на интеллектуальный багаж и выслугу лет. Я подхожу, занимаю подобающее мне место в ареопаге, рядом с Панкратовым. Завхоз Петрович, выполняющий сегодня роль фотографа, говорит: «Внимание!», и мы все дружно делаем серьезные лица с вымученными улыбками.

Перед самым щелчком фотоаппарта я успеваю заметить боковым зрением, как одна из секретарш сует голову в кадр, подобно придурку из клипа Darren Hayes — «I wanna be popular», который старался попасть в съемку Эм-ти-ви. Я представляю себе, что получится на этом снимке. Застывшие в неестественных позах, вытянутые по струнке люди, с торжественными, как на похоронах, лицами и глазами, выражающими смесь страха и подобострастия. Осталось дописать слоган над головами:

ОНИ СРАЖАЛИСЬ ЗА РОЗНИЦУ!

Вторая часть совещания посвящена отчету об интернациональных успехах компании, перспективах рынка и узловых моментах дистрибьюции в России. План продаж по традиции объявлен не будет и придет по почте, позднее. Некер не такой идиот, чтобы объявить цифры, завышенные процентов на тридцать, в лицо присутствующим и быть на месте разорванным руководителями департаментов. В общем, эта часть «Марлезонского балета» обещает быть еще скучнее. Подвесок ни с кого не срежут, но, что гораздо важнее, и погон не снимут.

Некер предлагает всем присутствующим заказать себе кофе/чай/воду. Он великодушен, этот старый прохиндей. Понимает, что бонусы уже розданы, планы будут присланы уже в его отсутствие, и решает таким образом чуть облегчить грядущую пытку своим словоблудием. Решает создать, сука такая, «демократичную атмосферу семейного предприятия, коим когда-то являлась наша фирма» или чего там написано в презентации компании.

Через некоторое время входит секретарша с подносом, на котором громоздятся кофейные чашки. Сидящие ближе ко входу сотруднички наперегонки берут с подноса чашки и предлагают их Некеру. Некер благодарит и напоминает, что он все-таки просил чай. Все дружно, как гуси на сельском дворе, начинают шипеть на нее: «Вы разве не слышали, что просил мистер Некер?»

Пользуясь случаем, пара человек настойчивыми голосами сообщают о том, что они «тоже просили не кофе, а чай». Кажется, еще секунда, и все дружно откажутся от кофе в пользу чая, следуя за руководством.

Она выходит, все удрученно качают головами, осуждая невнимательную секретаршу. Мне при этом хочется встать и, воздев руки к небу, негодующе возопить: «Теперь вы понимаете, почему у нас проблемы с выполнением плана? Разве можно чего-то достигнуть с таким секретариатом?» И мне кажется, что все присутствующие поддержали бы меня. Ведь главное в нашем деле — вовремя найти стрелочника. Взять самого малозначимого персонажа, от которого, в принципе, ничего не зависит, и списать все собственные неудачи на то, что он распечатал нужный тебе документ маленьким шрифтом, который ты не разглядел.

Снова появляется секретарша с испуганным лицом и ставит перед Некером воду, а кому-то дает его чай. Лицо Некера краснеет, и он уже готов вылить эту воду на голову несчастной дурочки секретарши, на которую шикают все вокруг, а она пытается поменять местами чай и воду, хватаясь то за стакан, то за чашку. И ропот собравшихся достигает апогея, и кажется, что через секунду ад разверзнется под ногами секретарши и она провалится в корпоративные тартарары.

Но вот обмен напитками успешно завершается, секретаршу изгоняют вон из переговорной, а Некер делает лицо доброго отца семейства и говорит что-то вроде «Ну, у нас сегодня у всех тяжелый день, все устали, и не будем так строги к своим коллегам». Директор нашего филиала так же добродушно кивает, из чего я делаю вывод, что секретаршу все-таки уволят.

Доклад Некера тем временем начинается. Он подходит к доске и чертит матрицей цифры прироста в этом году, перспективные товарные группы для развития в следующем и прочее. Затем он монотонно и детально излагает итоги прошедшего финансового года в каждой стране, где имеется дистрибьюция компании. Я медленно, но верно начинаю засыпать...

На фразе «хорошие результаты были достигнуты нашими подразделениями в Юго-Восточной Азии» я поднимаю руку, чтобы отпроситься в туалет. Сидеть и представлять себе, как рабочие потогонок ведущих мировых брэндов давятся генно-модифицированной консервированной кукурузой, поднимая результаты продаж нашей славной компании, выше моих сил. Минут пять на поднятую руку не реагируют ни присутствующие, ни докладчик. Тогда я просто выхожу из переговорной. Я иду по коридору в свой кабинет и по пути встречаю ту секретаршу, которая облажалась с кофе-чаем.

— Ну как? Закончили? — спрашивает она меня, хлопая глазами, как пластмассовая кукла. — Какие-то изменения намечаются?

— Ага. В целях экономии фонда заработной платы хэд-офис решил поменять нам тут весь секретариат на роботов, — брякаю я.

— Ой... Это как? А что же делать?

— Иди вшей себе в голову микрочип. У меня есть знакомые, сделают скидку.

Я дохожу до своего кабинета, открываю дверь и оборачиваюсь. Эта дурочка так и стоит как вкопанная. Вероятно, обдумывает, куда вшить чип. В затылок или в лоб (в лоб все-таки не так эстетично). Я плюхаюсь в кресло и закуриваю сигарету. Проверяю почту, отвечаю в ICQ. Так проходит минут пять. Никаких звонков по внутреннему номеру нет. Это до какого же состояния нужно доработаться, какими же зомби нужно стать, чтобы не заметить, что я вышел?

Я беру ключи от машины и иду к лифтам. Уже внизу, в машине, меня посещает мысль о том, что моя шутка про замену секретариата не так уж и смешна.

Я давно работаю среди роботов...

Я приезжаю домой, принимаю душ, пью чай, прослушиваю автоответчик, потом ложусь на диван и подумываю о том, что мне очень хочется выспаться. С другой стороны, дома очень скучно. Я беру мобильный телефон и начинаю методично обзванивать всех доступных знакомых, чтобы узнать, кто где планирует провести сегодняшний вечер. Путем этого интерактивного опроса я устанавливаю, что половина из них будет сегодня на перформансе, посвященном открытию нового клуба-ресторана под названием «Basement», а половина пойдет на открытие нового бутика где-то на Кутузовском. Поскольку у меня есть приглашения в оба места, я долго раздумываю, где будет более интересно, но поскольку всюду практически одно и то же, я склоняюсь в пользу первого места. Там хотя бы будут кормить.

Я начинаю одеваться. Отвечаю на эсэмэс знакомой девушки. Стоя пью кофе. Бездумно щелкаю пультом телевизора. Фоном играет «Ready to Go!» Republica.

Вечер обещает быть удачным.

Тусовка

> Еще я нахожу, что многие персонажи настолько погрязли в светской жизни, что готовы пойти на любое открытие, даже на открытие холодильника.
>
> *Александр Васильев*

И вот я приезжаю в это заведение. Хотя еще рано для аншлага, где-то около девяти вечера, народа внутри достаточно много. Я ввинчиваюсь в людей, жму кому-то руки, целуюсь с какими-то чувихами и продвигаюсь к барной стойке. Заказываю себе пару бокалов виски, залпом опрокидываю первый и иду со вторым в зал посмотреть, что здесь происходит.

Помещение устроено таким образом, что в центральный зал ведут несколько переходов из комнат. В двух комнатах сделаны бары, в трех других — что-то вроде lounge-зон или vip-зон, как переиначили это название на русский манер тяготеющие ко всему гипертрофирован-

116

ному московские промоутеры. Там стоят столы, мягкие диваны и глубокие кресла. Конечно, никаких таких запредельных випов в этих комнатах нет, а сидят там знакомые владельцев, прикольные телки, друзья промоутеров или просто гости, которым надо разнюхаться или перепихнуться с девчонкой. Это очень удобно, учитывая всегдашнюю занятость туалетов. В центральном зале играет диджей и танцует или пританцовывает масса народа, для которой не нашлось места в vip-зонах. В общем, так называемые лохи, или, что является истиной, те люди, которые и составляют основные кассовые сборы для заведения. Люди, которые сами не в тусовке, но очень хотят в ней быть, чтобы рассказывать своим еще более лоховатым знакомым все эти удивительные истории из волшебного мира ночной жизни Москвы. За имитацию вхождения в тусовку, за момент пребывания рядом со всеми этими Ксюшами, Петями и Ульянами эта массовка и платит деньги.

Любое московское заведение, если, конечно, хозяева не полные колхозники, которые приехали из устыпиздюйска с идеей открыть ресторан, в который будет ходить богатая московская публика, чтобы вкусить кухню родного для владельцев края, строится по следующей схеме.

Сначала в заведение нагоняется тусовка со всеми этими вечными ночными путешественниками, актуальными диджеями и модными гомосексуалистами. Вместе с тусовкой приходят дамы полусвета, алчущие в поисках лучшей доли на сегодняшнюю ночь, или тэтэшки, как я их зову. Ни у тех ни у других денег, естественно, нет. Они могут выпить бокал шампанского или пять чашек кофе, но миллионерами хозяев заведения явно не сделают. Зато они дадут ту необходимую медиаисторию, которая волной пробежит по городу с помощью сарафанного радио и будет содержать всего несколько слов: «Открылось место. Там все наши».

Затем приедут богатые мужички, которые будут кормить этих вечно сидящих на диете телок высококалорийными и высокобюджетными ужинами с вином или шампанским. Они сделают большую часть кассы.

Потом придут все те, кто покупает актуальные журналы и читает или смотрит по телевизору отчеты о светской жизни города. Эти идиоты, стремящиеся попасть в обойму «своих», сделают вторую половину кассы. Уж эти-то заплатят любые деньги, чтобы рассказать всем своим близким о том, как они ужинали вчера «там-то, ну, в этом модном, ты знаешь, сидели рядом с такой-то, ой, чего она вытворяла! А ноги у нее кривые!», и получить статус самого продвинутого чувака в микрорайоне на ближайшие полгода.

Естественно, истерия по поводу нового места сойдет на нет через пару месяцев или как только откроется еще одно подобное заведение-клон. Но и там все пойдет по стандартной схеме.

Я оказываюсь в центральном зале и примыкаю к группе мужиков в хороших костюмах, которые пьют дорогой алкоголь, некоторые курят сигары и делают вид, что говорят «за бизнес». На самом деле они высматривают, кого бы подснять сегодня. Я с кем-то из них еще раз здороваюсь, кому-то меня представляют, я завязываю разговор ни о чем, с глупым видом выслушиваю чьи-то мысли о том, будет ли нынешней осенью кризис или нет. Сам вставляю пару фраз про экономику.

На стене напротив нас висит большое зеркало, в котором отражается наша группа. Я смотрю на него и думаю о том, что если бы мы все разом повернулись к нему спиной, то я бы не нашел среди этих пяти мужиков себя. Настолько мы все одинаковые. В костюмах в полоску, с бокалами в руках. У нас даже жесты одни и те же. Единственное, что могло бы различить нас в таком ракурсе, — это рост. Хотя и по росту мы приблизительно равны. То ли от ощущения единения, то ли от принятых на грудь двухсот граммов виски, но мне это мое наблюдение кажется очень прикольным. Хотя на самом деле это полная херня и отдает каким-то миром клонов.

Мы стоим, продолжаем переливать из пустого в порожнее, периодически отвечаем на телефонные звонки и косимся по сторонам, как гопники на привокзальной площади, которые ищут, кого бы кинуть. К нам присоединяется еще один парень лет двадцати семи, рано располневший, в очках и с поросячьим лицом. Он представляется редактором или там директором какого-то журнала. Начинает всем совать свои (достаточно безвкусно исполненные) визитные карточки. Тут же лезет с расспросами о том, кто где работает, параллельно рассказывает о каких-то своих новых проектах, вставляя в рассказ реплики типа «это будет бомба», «они там перевернутся», «мне вот как раз только что звонили по данному вопросу» и прочую ахинею. Все стоят с неврубными выражениями лиц и наверняка думают о том, кто привел сюда этого поца.

Он между тем выпивает уже четвертую порцию виски, его морда краснеет, а отвратительный дешевый пиджак, которые бывают только у госслужащих низшего звена, все время перекашивается на одну сторону. Он, уже порядком датый, стоит рядом со мной, плюется мне в лицо, горячо объясняя новый материал, и, я чувствую, набивается в друзья. Иногда он отвлекается для того, чтобы ответить на телефонный звонок. Причем делает он это следующим образом:

— Да. Але? Маша? Ну я же просил не звонить. Я щас очень занят. Шеф уехал? Да, все, отбой. — И поясняет мне, прикрывая рукой трубку: — Это моя секретарша, дура полная.

Я, конечно, понимаю, что чувак — фуфел и полный ноль и секретарша наверняка не его, а его босса. Но он продолжает раздувать щеки, предлагать мне какие-то спецномера на машину и почти законные мигалки. В общем, он меня уже начинает грузить, и я думаю, как быстрее от него отделаться. Меня вообще раздражают люди, которые стремительно набиваются мне в друзья. Особенно те, что с ходу предлагают чего-нибудь выкружить, замутить какую-то комбинацию, совместный проект или что-то в этом роде. Я отчетливо понимаю, что времена дружбы взасос прошли в пятом классе, когда ты становился с человеком «не разлей вода» после первой игры в футбол. В нашем возрасте так уже не бывает. И если я общаюсь с человеком, то это происходит либо по совместному интересу/расположению, либо ввиду моих личных планов на него. То ли так происходит ввиду моего цинизма, то ли из-за приближающейся тридцатки, когда ты продолжаешь бег времени с теми, кого приобрел на сей момент. Я лично склонен списывать все это на то, что слишком быстро устаю от людей, готовлюсь к тому, что они начнут выкруживать из меня свои личные интересы либо просто станут мне скучны.

Я торможу этого журналиста фразой о том, что мне нужно в бар за выпивкой, он, собака, увязывается за мной. Мы подходим, я беру две порции виски, оглядываюсь по сторонам, не нахожу знакомых и, понимая, что проведу в обществе этого козла как минимум полчаса, заказываю еще две. В любом случае слушать его в подвыпившем состоянии гораздо легче, да и потом, мой пьяный язык способен сказать ему какое-нибудь хамство, чтобы он отвязался. В то время как по трезвяку я где-то остаюсь джентльменом.

И тут в центральном зале начинается показ коллекции какого-то новомодного полусумасшедшего модельера. Конечно, это называется вычурным словом «перформанс», или «инсталляция», или еще как-то в этом роде, я не силен в терминах. Из стены выезжает подиум, на него выходит какой-то придурок, одетый в костюм Микки-Мауса, с прорезью для лица, и говорит, что сейчас уважаемая аудитория

120

(которая почти вся уже либо бухая, либо обдолбанная) увидит перформанс «вашего любимого» дизайнера — Андрея Шарпеева. Вся тусовка начинает валить к подиуму, рефлекторно туда подаюсь и я с журналюгой. Миккимаусмен (вумен) объявляет выход этого Андрея. И реально, что бы вы думали, из-за кулис выходит какой-то додик, тощий, в зеленых очках и с лысой головой, подходит к микрофону и начинает вещать что-то тонким, по-бабьи жеманным голоском. Я слышу только что-то вроде «Я готовил эту коллекцию очень долго-о-о, пооочти полгода, и сейчас я хочу, чтобы вы все ощутили себя ее частью. Я люблю вас». Он очень томно растягивает слова, выпячивает губы и делает все эти педиковские ужимки, которые я так ненавижу.

Начинается этот уродский перформанс. Кажется, он называется «Люди-булки» или «Балет хлебных крошек» — я толком не понял, но что-то подобное было написано на приглашении. Включается жуткая музыка с бешеным ритмом, и в зал со сцены спрыгивают человек пятнадцать, одетые в костюмы в виде батонов белого хлеба, опять же с прорезями для лиц, которые побелены мукой или я не знаю чем, в белых колготах и несуразно больших ботинках. Они бегают перед сценой туда-сюда, визжат, потом берутся за руки и врезаются в толпу, начиная передвигаться там наподобие «паровозика», в который мы играли в школе. Так продолжается минут двадцать. Визжащая группа идиотов бегает по залу, некоторые особо мудаковатые зрители присоединяются к ним, а с потолка перманентно падают конфетти, хлебные крошки и всякий мусор.

Самое смешное, что смотрящая на это безобразие толпа, обсыпанная всем этим дерьмом, стоит с улыбками, хлопает в ладоши, как пятнадцатилетние дети с задержками в развитии при виде воздушных шариков. А некоторые еще и обсуждают это, отпуская подобные комментарии:

— Здорово, да? Андрюшка, конечно, талант.

— Да, что есть, то есть. В прошлый раз, когда он с потолка всех облил клеем, было, конечно, круче. Но это тоже ничего.

— Да, там, конечно, сильно было. Мне потом кто-то говорил, что он с помощью клея хотел показать, что мода движется быстрее человеческой мысли.

— А при чем тут клей?

— Ну, я сама не очень поняла, ну, типа все должны были к полу приклеиться и застыть без движения. А между застывшими людьми снуют модельки, символизируя бег моды.

— Я не знаю, кто там приклеился, а вот костюмов он много у гостей испортил. Ты близко тогда стояла?

— Я вообще там не была, мне Ленка рассказывала, она в журнале каком-то прочитала. Да и потом, ради такого дела, по-моему, вещей не жалко.

— Ну, в общем, да...

Я стою за спиной этой парочки и прыскаю со смеху. Вот придурки. Покажи вам какую-то ересь, облей сверху мочой, да еще и собери за вход по сто долларов. И вы будете стоять разинувши рты, в испорченной, пропахшей одежде и восхищенно хлопать в ладоши. А потом еще и расскажете друзьям, как гениально вас обоссали. А уж если полить сверху конским навозом и продать билеты по двести (из-за дороговизны инсталляции), то будет просто хит сезона. И еще назвать как-то так: «Близость природы» или «Держаться корней». Чтобы фоном играла группа «Каста», а пришедшим объясняли, что сейчас модно все натуральное, без примесей и химических добавок. Это дорого, но того стоит.

Интерес к подобным шоу, безусловно, объясняется низким культурным уровнем аудитории. Думается мне, если вывести среднее образование присутствующих, то получится как раз первый год профтехучилища или «уровень интеллекта ниже табуретки». Стоит ли говорить с

122

этими людьми о произведениях искусства, если в школьной программе этому вопросу отводилась пара страниц в конце учебника? Да и те безнадежно забыты. Смешно, но факт остается фактом: туристические справочники для России, посвященные Парижу или Милану, имеют по 50 страниц с описанием отелей, магазинов и клубов, с подробным описанием коллекций и несколько страниц с описанием культурных ценностей данного города. Действительно, каждый россиянин с легкостью простит вам отсутствие в путеводителе адреса музея Прадо и приговорит вас к повешению, если вы ему там не напишете, на какой улице находится бутик «Prada». Именно поэтому всем этим любителям перформансов впариваются все эти срущие художники, пишущие поэтессы и поливающие клеем модельеры. Это называется «новым русским искусством», а другого-то они и не знают, посему с наслаждением заглатывают весь этот балет психов.

Сзади меня кто-то похлопывает по плечу. Я оборачиваюсь. Стоит мой хороший знакомый Саша, специалист по промоушену, отчаянный бабник и тусовщик. Рядом с ним две симпатичные девчонки. Одна даже очень «ничаво». С хорошей грудью и стройными ногами. В силу того, что я уже порядком пьян (за время говношоу я успел вылакать еще три виски), могу оценить только эти моменты в ней. Сашка начинает мне что-то плести про «хватит смотреть на этого пидора», мимоходом знакомит меня со своими подругами и увлекает в один из VIP-залов. Мы плюхаемся на диваны, и я с удовольствием отмечаю, что наконец отвязался от этого толстого представителя медиарынка. Официант приносит шампанское и суши, я кидаю в его кожаную папку VIP-карту заведения и кредитку и, в общем, очень радуюсь сложившийся ситуации.

Начинается разговор обо всех этих тупых ублюдках, которые совершенно не понимают, чего смотрят, о людях, повернутых на брэндах, и прочее. Я завожу свою любимую тему о том, что скоро нас ожидает мировая диктатура мультинациональных корпораций. Сашка с упоением рассказывает мне о том, что он сейчас читает книгу Найоми Кляйм «NO LOGO» (я про себя с удовольствием отмечаю тот факт, что я прочел ее год назад, и продолжаю слушать с чувством интеллектуального превосходства) и что перспектива жить в мире «Барби» очень реальна из-за всех эти скотов, которые убить друг друга готовы из-за нового галстука. (Стоит ли говорить, что я при всем этом одет в офигенный костюм от Paul Smith, а он — в какой-то крутой рваный джинсовый и модные кроссовки «Dris Van Nooten».)

Мы так прикольно беседуем, пьем шампанское, Сашка гладит по бедрам сразу обеих чувих, периодически целуясь с одной из них, к нам постоянно кто-то подходит, здоровается, и вот... откуда ни возьмись на столе появляется сложенный вчетверо конверт. Сашка делает мне знак глазами по направлению к туалету. Мы встаем и уходим.

По дороге к туалетам меня начинают охватывать некоторые стремаки, воспоминания о недавнем происшествии с ментами, допросом и понятыми и, останавливаясь как вкопанный, говорю Сашке:

— Брат, ты сходи один, а? Я вчера перебрал, боюсь, сосуды полопаются, да и алкоголя во мне уже полчайника. О'кей?

Саша делает недоумевающее лицо и говорит, пожимая плечами:

— Ну, как хочешь. Ты свободный человек в свободной стране, это твое право.

— Ага... Это точно, — мрачно резюмирую я.

Минут через пять Сашка выходит из туалета, плещет себе в лицо холодной водой, потом вытирается салфеткой, и мы двигаемся в обратном направлении. Не доходя до нашего VIPа, встречаем еще одних своих знакомых. Двух парней и одну девушку, которые пьют из маленьких бутылочек что-то вроде шампанского, только клубнично-красное по цвету. Мы начинаем с ними тереть, они спрашивают, «есть ли у нас чего», Сашка утвердительно кивает и передает им конверт.

Они уходят в туалет, а мы стоим и ждем, чтобы они нам вернули кокс, и болтаем. Я говорю, что очень смешно, как они втроем там поместятся, особенно с этой коровой (а девка реально очень толстая). Сашка тоже смеется, и чувствуется, что стекленеет. Меня также постепенно накрывает алкоголем, мне как-то очень весело и похотливо. Сашка тем временем предлагает мне взять себе одну из его чувих, которая мне больше нравится. Я про себя отмечаю, что, хотя, по слухам, он сейчас здорово зарабатывает, в сущности, он остался тем же клевым парнем, каким был, когда мы познакомились.

И вот наши знакомые возвращаются, и мы идем к своему дивану. Телки в наше отсутствие вылакали всю бутылку шампанского, сидят и смотрят на нас маслеными глазками. Я подсаживаюсь к той, что мне понравилась в самом начале, и целуюсь с ней. Какое-то время мы занимаемся всем этим натираловом, она гладит меня по ширинке и расстегивает рубашку, запуская туда свою руку с длиннющими ногтями. Я слегка пощипываю ее за соски и понимаю, что вечер в общем-то удался. Мне хочется еще выпить перед тем, как поехать с ней трахаться. Я отрываюсь от нее и глазами ищу официанта. Сашка со второй девчонкой уже пропал.

Нам приносят еще шампанского. Мы чокаемся, и тут эта девица заводит беседу. Ей, видимо, слегка неловко, что я вот так вот без прелюдий начал ее клеить. Она запускает руку мне в волосы и начинает говорить о том, что вот мы с Сашей (которого она почему-то назвала Федей) все правильно говорили и как это ужасно, что все ее подруги стали такими «шмоточницами» (как она выразилась) и помешались на «Gucci», тогда как она совсем этого не понимает и есть еще и другие ценности (секс, например, про себя отмечаю я), и вообще ей «Gucci» не нравится, она бы вот только часики — у него там одни есть — купила бы, и все.

Я все это слушаю с улыбкой, качаю головой и, хотя мне все про нее давно понятно, все-таки чуть-чуть злюсь, слушая эти бредни.

И вдруг она резко меняет тему с «Gucci» и двигает мне такую тему:

— Слушай, поедем, наверное, да? Мы можем по пути заехать к одной моей подруге, я ей денег должна, а ей завтра кому-то нужно непременно отдать за что-то. У тебя ВЕДЬ ЕСТЬ С СОБОЙ ДВЕСТИ ДОЛЛАРОВ?

Вся эта тема настолько гнила и несвоевременна, что мне становится мерзко. Говно вопрос, с утра я бы отдал ей под тем же фуфловым предлогом эти деньги. Но сейчас, особенно после базара о «других ценностях», переход к баблу просто неуместен. И во мне что-то разом обламывается, и не хочется никуда с ней ехать, и я понимаю, что самое верное решение, несмотря на то что я уже порядком разогрет и возбужден, соскочить от нее. И как можно быстрее. Я киваю и под предлогом того, что мне нужно проститься перед уходом с Сашкой, встаю и ухожу. Она открывает сумку и начинает в ней копаться. Наверное, хочет выглядеть еще более секси, но мне это уже фиолетово.

Я иду в центральный зал, реально думая о том, что надо попрощаться с Сашкой, который так славно пытался устроить мне вечер. Еще думаю, что на дорожку можно бы и дорожку. В зале его нет, около туалетов тоже. И я иду в другие випы. Реально, как я и думал, он устроился в том, который рядом с выходом к основному бару. Сашка лежит навзничь на диване, в одной руке у него потухшая сигарета, а другой он гладит по волосам коротко стриженную девчонку, которая делает ему минет. Я под-

126

хожу ближе, даже не думая о том, что могу ему помешать (настолько я уже пьян), и жду, когда он откроет глаза.

Я сбоку осматриваю девчонку и... понимаю, что, блядь, это никакая не девчонка, а совсем даже наоборот. Это какой то молоденький педик, который сейчас сосет у моего хорошего знакомого, делая при этом такое вороватое лицо, а мой хороший знакомый еще и постанывает! Фак! Хорошенькие у меня стали знакомые. Тут Сашка открывает глаза, улыбается мне и, прикладывая два пальца к губам, посылает мне воздушный поцелуй. Этот деланный жест, подсмотренный кем-то где-то на побережье Франции, я сам частенько использую, здороваясь с телками. Но в данной ситуации он просто взрывает мне голову. Я пулей выношусь из VIPа, пробегаю мимо бара к выходу и оказываюсь на улице.

Я закуриваю и иду прочь от этого гребаного местечка. Когда я удаляюсь достаточно далеко, в мою голову приходит мысль о том, что нужно поймать такси до дома. Я поднимаю руку, и практически сразу подъезжает желтое такси. Я успеваю подумать о том, что сейчас опять нарвусь на крохобора-таксиста и что лучше бы было поймать частника, но все-таки сажусь. Называю адрес, и мы трогаемся.

По ходу движения я рассматриваю ночной город и постепенно втягиваюсь в свой алкогольный дурман, у меня мутнеет в глазах, и я начинаю чувствовать, как тяжелеют виски. Пытаясь собраться с силами, я смотрю в окно, курю и думаю о том, что, в сущности, ничего такого не произошло. В конце концов, не я же был с тем педиком. Еще я ловлю себя на мысли, что обожаю кататься по ночной Москве, рассматривать ее огни, машины, стоящих на улицах проституток. Вслед за проститутками я вспоминаю ту телку в клубе, плюю при этом в окно и подумываю, что правильно говорят, что честные московские барышни гораздо дороже путан. Ощущения у меня довольно противные. Мне мерзко и вместе с тем очень грустно.

И тут, внезапно для себя, я начинаю рыдать. Натурально, слезы текут по моему лицу, я их размазываю рукавом куртки, как размазывает дешевую растекшуюся тушь вокзальная шлюха, клокочу горлом и хлюпаю носом.

Странно, мне казалось, что я стал настолько циничен, что меня уже слишком трудно удивить. А уж довести до слез — такое может мне только присниться.

Вроде бы я уже тысячу раз видел весь этот город — Содом. С его продажными телками, готовыми отдаться тебе через пять минут в туалете или через пятнадцать минут у тебя дома — в зависимости от того, часы какой марки у тебя на руке в данный момент. С его продажными партнерами, готовыми опрокинуть любой совместный бизнес за грамм кокаина. С друзьями, предающими тебя за пару минут между двух рюмок. Со всей его моральной и физической педерастией. С людьми, больными гонореей души. Каждый раз я ожидаю от окружающих чего-то в этом духе, и каждый раз, когда что-то такое происходит, я чувствую себя полным мудаком. Вероятно, такое ощущение остается у людей, которые проигрывают крупные суммы денег в карты в поезде со случайными попутчиками. Вроде бы все знают, что играть в поезде в карты на деньги с незнакомыми людьми — вероятность кидалова 99%. Но почему-то люди не перестают играть с кидалами. А будучи кинутыми, еще долгое время ходят с ощущением того, что они полные лохи.

Я еду в такси, курю пятую сигарету, утираю слезы и думаю обо всем произошедшем. В какой-то момент мои глаза встречаются с глазами водилы в стекле заднего вида. Он меня спрашивает приторным голоском: «Что-то случилось? Может, помощь нужна?» Я прекрасно понимаю, что вопрос задан им для проформы, и отвечаю, что все нормально. Он еще пару раз делает робкую попытку пособолезновать мне, и мы наконец подъезжаем к моему дому.

Выходя из машины, я протягиваю ему 200 рублей (обычная такса из центра до моего дома), но он говорит что-то вроде «обычно триста дают». Я, пытаясь вложить в свой взгляд все презрение, которое только возможно в данной ситуации, протягиваю ему еще сотку. Подходя к своему подъезду, я еще раз мысленно аплодирую пошлости и цинизму этого города и отмечаю всю суконную хитрость везшего меня пролетария, который, наверное, довезет тебя, истекающего кровью, до самой дальней больницы за пятнадцать минут, будет тебя утешать всю дорогу и вырвет из костенеющей руки оплату своего труда по двойному тарифу.

С этими мыслями я поднимаюсь на свой этаж, захожу в квартиру, снимаю ботинки и прямо в костюме падаю лицом в подушку.

Спокойной ночи, Москва!

Духless

> Мы все здесь одни. И мы — мертвецы.
>
> *Генри Миллер. «Тропик Рака»*

Следующим утром я лежу в ванне с больной головой и мысленно прокручиваю все события вчерашнего вечера. Во рту отвратительный привкус дрожжей, обычный после таких дел, которые я вчера исполнял. Еще раз плююсь от воспоминания о вчерашней телке, а в особенности о Сашином экзерсисе. Мне настолько мерзко, что я уже несколько раз тер себя мочалкой под душем. Была бы такая мочалка, которой можно было бы оттереть всю грязь со своей души. И все время оставаться чистым. Таким, каким ты был лет двадцать назад.

Я лежу, курю сигарету и думаю о том, каким образом некогда близкие тебе люди становятся такими уродами?

Что меняет их? Что изменяет их лица, манеру поведения и сознание? Как быстро можно пройти путь от первого попадания в тусовку до полной деградации?

Вы никогда не задумывались над вопросом, отчего все те люди, которых вы видите вечерами в ресторанах, бутиках и на презентациях, очень редко встречаются вам днем? Или вообще не встречаются? Куда исчезает вся эта весело гомонящая толпа, похожая друг на друга, как сигареты из одной пачки?

Я, например, задумываюсь над этим постоянно. И, сопоставив многие факты, которые кажутся притянутыми за уши, а на самом деле лежат на поверхности, я пришел к выводу, что этих людей просто нет. Нет, безусловно, мое предположение не имеет ничего общего с «городом мертвецов». Все не так страшно. Все гораздо страшнее...

Половины этого города просто не существует. По моему мнению, пространство внутри Садового кольца вечерами превращается в некое подобие компьютерной игрушки, населенной людьми-пустышками. Когда-то они были нормальными людьми, у них были мечты, «души прекрасные порывы», проблемы и жизненные заботы. Но затем, в какой-то момент, они поняли, что легче превратиться в персонажей гламурных журналов, героев и героинь танцпола, фей подиума и ресторанных рыцарей ножа и тарелки. Превратить свою жизнь в атмосферу круглосуточной вечеринки и стать теми самыми рекламируемыми на всех углах «ночными жителями». Постоянные лучи софитов отучили их глаза воспринимать дневной свет, лампы солярия сделали невозможным нахождение на дневном солнце, тонны парфюмерии и косметики вкупе с наркотиками и диетами постепенно иссушали их тела, а актуальные журналы и развлекательное телевидение сделали то же самое с их мозгом. В конце концов они превратились в тени людей, в некое подобие невидимок, которые могут выходить из дома только в ночное время суток, когда искусственное освещение скрывает то, что под оболочкой из макияжа, платья «Prada», джинсов «Cavalli» или костюма «Brioni» — скрыта пустота. Именно поэтому вы никогда не встретите их днем на улицах Москвы. Боязнь, что кто-либо увидит, что под темными очками «Chanel» нет никаких глаз, а их лица просто нарисованы, заставляет их оставаться днем дома. День — время людей, тогда как ночь — время мумий.

Безусловно, гораздо легче замотать внутреннюю пустоту дресс-кодом и сидеть мумией в каком-нибудь кафе «Пирамида» или баре «Рамзес», разглядывая фотографии тусовщиков, чем жить жизнью человека, с его проблемами, победами и поражениями. Любой человек имеет цель в жизни. В мире мумий ее нет. Как нет, впрочем, и самой жизни. Есть только существование в атмосфере пустоты.

Сначала их были единицы. Со временем их становилось все больше и больше. Им требовались места для общения с себе подобными, для завлечения в свой круг людей и расширения своей армии. В один прекрасный момент, уж поверьте мне на слово, они заполонят собой весь город. Итак, когда масса мумий на квадратный метр полезной площади пары ресторанов и пары клубов стала критической, в городе, как мухоморы после кислотного дождя, стали появляться многочисленные бутики, салоны, клубы, рестораны и кафе. Все те места, в которых вы сейчас их можете видеть каждый вечер.

Для идентификации своих собратьев среди посетителей всех вышеперечисленных заведений (некоторое количество которых пока еще составляют люди) им требовалась своя собственная навигационная система, что-то вроде программы «свой — чужой», устанавливаемой на самолетах и кораблях. И тогда на помощь миру мумий пришел мир брэндов. Именно этим объясняется то, что все мумии одеты практически одинаково — список торговых марок из мира одежды и автомобилестроения вовсе не велик. Для знакомства друг с другом им больше не требовалось, как раньше, долго принюхиваться к собеседнику, завязывать длинные диалоги о том, «кто где одевается и куда летает отдыхать», чтобы понять, к какому миру принадлежит твой случайный знакомый. Теперь достаточно визуально считать «дресс-код» сидящих за соседним столиком персонажей, чтобы точно определить — они тоже мумии.

Вы думаете, что все эти манящие слоганы в витринах — «Новая коллекция лета 2004» и развороты глянцевых журналов с рекомендацией актуальных в этом сезоне цветов одежды и дизайнеров действительно отражают, как стремительно меняется мир моды? Что вы! На самом деле в каждом сезоне меняется тот самый «дресс-код», чтобы в их мир не затесались чужаки.

Здесь все максимально упрощено. Способы общения мумий должны быть максимально просты. Чтобы не совершать ненужные и затруднительные манипуляции мозговыми извилинами, существует набор кодовых фраз, при произнесении которых другой мумии становится понятным весь смысл этой беседы.

Например, когда встречаются две девушки-мумии и одна говорит другой, садясь за стол и целуя подругу в щечку:

— Прости, опоздала. Вот, — ставит на стол сумку, — в Третьяковке.

Подруге сразу становится понятно, что опоздавшая посещала бутики «Mercury» в Третьяковском проезде Купила там себе пару сумок, потом зашла попить кофе в «T.R.E.T.Y.A.K.O.V Lounge», потом еще посмотрела обувь в «Gucci» и вот, опоздала.

Если бы мумия вела диалог с человеком и услышала бы что-то вроде: «Ну ладно. Я поеду в Третьяковку. Картины посмотрю», — мумия бы очень удивилась. Стала бы напрягать мозги и задавать наводящие вопросы из серии «Какие? А что там за картины?».

— Там выставка итальянцев началась.

— Что, в «Prada» новые каталоги пришли?

Понятно, что о существовании Третьяковской галереи мумии не известно. И никаких других Третьяковок, кроме линии бутиков, не существует. Таким образом, через пару лет мумии вообще разучатся говорить и лишь будут демонстрировать друг другу предметы туалетов или новых любовниц, чтобы не напрягать чужие уши звуками, отличными от фоновой музыки, которую играет ресторанный диджей.

Читать они скорее всего уже разучились. Иначе как вы объясните тот факт, что многие глянцевые журналы почти сплошь состоят из фотографий с презентаций, открытий и закрытий летних веранд и прочих именин сердца? А некоторые просто представляют собой одну сплошную фотосессию с бесконечной party. Мумии сидят и разглядывают картинки. Когда они видят там себя или своих знакомых, то очень сильно волнуются, тыкают пальцами в фотографии и издают звуки «Вау! Клево! Класс!» и прочие. Я думаю, что эти условные сигналы позаимствованы ими у китов или дельфинов, которые разрывают водные толщи своими ультразвуковыми криками в поисках сородичей.

Посещая все эти склепы, надевая все эти саваны, рассматривая в журналах фотонекрологи со своими знакомыми, мумия разглядывает себя и говорит: «Я такая же, как и вы. Вы признаёте меня своей, а я вас. Мы понимаем, где мы все находимся. Все это написано, сфотографировано и построено для нас. Другого мира не существует».

Таким образом, формируется оболочка для пространства, в котором живут мумии. Компьютерная игра в режиме реального города под названием «NIGHT PEOPLE».

Попадая туда, вы всегда должны помнить, что это не ваш мир. Это не ваша party. Вы тут всего лишь лазутчик.

Partизан. И если вы не имеете целью совершить тут диверсию, пытаясь вернуть хотя бы часть мумий в человеческое племя, не стоит оставаться в нем слишком долго. Вы рискуете стать одним из них.

Здорово, да? Как это, должно быть, круто — в один прекрасный момент ощутить себя героем компьютерной игры. Игры в формате 3D.

Иного формата здесь нет. Вся жизнь мумий состоит из трех «Д»: девочки, деньги и дилеры.

Всем здесь заправляют дилеры. Конечно, они не похожи на демиургов из эпоса скандинавских стран. Они — что-то вроде регулировщиков движения. Этаких гаишников на сумрачных перекрестках этого мира мумий. Эти дилеры имеют мало общего с продавцами наркотиков (хотя без них тут редко что обходится). Основной работой дилеров является продажа удовольствий путем зомбирования тусовки мумий через журналы, рестораны, бутики, клубы, радио и телевидение.

Каждый день они говорят мумиям, что все в их мумийской жизни построено для получения качественных удовольствий. Все очень просто, главное — следовать заветам дилеров. Все мумии должны носить те вещи, которые в этом сезоне имеют красную нашивку, потому что это красиво. Покупать те журналы, которые изданы под формат актуальной сегодня дамской сумочки (где ее купить, написано в этом же журнале). Есть в тех ресторанах, названия которых пишутся в одно слово (так проще запомнить). Главное — это не выпадать из общего ритма. Быть в тусовке. Быть проще. И оставлять в голове пространство, способное вместить необходимую рекламную информацию, которую дилеры покажут вам сегодня ночью по Fashion TV. Остальные глупости можете из нее выкинуть. И тогда ваша жизнь превратится в сплошное ресторанное меню, из которого вы сможете выбирать удовольствия по своему вкусу. Меню удовольствий длиною

134

в жизнь — это ли не есть рай земной? Сможешь ли ты от него отказаться?

Такие дилеры пострашнее любой армии торговцев кокаином. На их наркотики мумии подсаживаются быстрее и больше не слезают. Даже самое недолгое выпадение из этой системы заканчивается для мумий жуткими ломками. Оставшись по какой-то причине дома на пару вечеров, мумии на следующий день бегут скупать все модные журналы и сумки, автомобили и дома, есть сразу в нескольких модных местах за ночь. Главное — не выпасть из ритма. Пока ты в тусовке — она питает тебя энергией. Смысл тусовки в ней же самой. Она — единственная система координат и компас для определения своего местоположения.

Совершенно понятно, что для мумий любая человеческая катастрофа, будь то наводнение, землетрясение или столкновение с кометой, — ничто по сравнению с тем, если бы разом исчезли все магазины, журналы, салоны и клубы. Вот что было бы истинным Потопом для них. И никакой Ной уже не помог бы. Они перестали бы понимать, где находятся. Их мир бы исчез. Растворился бы разом, подобно заменителю сахара в чашке их утреннего эспрессо. Исчезла бы та система, плоть от плоти которой они являются. Исчезла бы вся простота и удобство пространства, в котором не нужно думать. В котором тебе говорят, куда идти и что делать.

Это действительно очень просто и удобно. Мужчины-мумии каждую ночь приезжают в заведения, чтобы уехать оттуда с понравившейся девочкой-мумией. Девочки-мумии каждую ночь приезжают в заведения, чтобы уехать оттуда с мужчиной-мумией, которому она понравится. Их связующим звеном являются деньги.

Деньги, которые он потратит на дилера, продавшего ему в салоне модный автомобиль, на котором он приедет, для того чтобы произвести ошеломляющий эффект на всех находящихся там девочек-мумий. Из них он выберет одну или пару-тройку, чтобы скрасить свой сегодняшний вечер.

Деньги, которые она возьмет у него, чтобы потратить на другого дилера, который поправит завтра ее внешний вид в СПА-салоне или продаст ей новую модную сумку.

Но парадокс в том, что эти деньги уйдут и от дилеров в ту же ночь, чтобы вернуться к тем мужчинам, которые продадут им разрешение на открытие нового автосалона. Или к тем девочкам, которые продадут им свое расположение сегодня.

Система 3D представляет собой замкнутый круг из денежных потоков. Она похожа на круговорот воды в природе. Только в отличие от круговорота воды, преследующего главную цель — борьбу за жизнь, круговорот денежных потоков борется с депрессией.

Депрессия — это четвертое «Д», о котором здесь не говорят. Которого боятся и от которого бегут, не желая признаться себе в его существовании. Она здесь повсюду. В чашке кофе, в тарелке с карпаччо, в той девочке с серым лицом, в неоновой вывеске над баром, в официанте, который ходит по залу как на шарнирах, в том мужике, вышедшем из туалета и трущем нос. Она не просто витает в воздухе. Сам воздух зиждется на ней. Она есть базис всего.

Мумии стараются прогнать ее. Делают все эти немыслимые вечеринки, покупают немыслимые наряды за немыслимые же деньги (которые, как видно из вышеизложенного, не имеют покупательской способности, а скорее носят символический характер), меняются своими одинаковыми любовниками и любовницами — мумиями. Стараются сойти с ума, которого тоже почти не осталось.

Все здесь так друг другу осточертели, что и хочется бежать, да некуда. Круг перемещений ограничен зоной для мумий. Всеми этими похожими один на другой салонами, магазинами, клубами и ресторанами. Заваленными одинаковыми журналами и одинаковыми посетителями. Ты и рад бы пообщаться с людьми, но они тебя не понимают, а те, что понимают, сами почти уже мумии.

Действительно зона. Срок твоего заключения здесь не известен. Тебя сюда никто не сажал, ты просто сам выбрал свой путь. Обратного не предвидится. Осталось терпеливо ждать, когда истощится твоя физическая оболочка и все остановится. Единственный вопрос, который тебя иногда мучает: кто тот самый начальник зоны, который всем этим управляет? Кто движет процессами и выбирает героев, которым нужно подражать?

Иногда ты приходишь к выводу, что этот начальник — ты сам. Хотя правильнее было бы ответить на него по-другому: здесь каждый живет в склепе, построенном собственноручно. Каждый сам выбирает себе героев и является начальником. А все склепы и герои одинаковы для всех, потому что у мумий не может быть по-другому. Мумии объединены общим космосом. Общей религией. Имя ей — БЕЗДУХОВНОСТЬ.

Воистину, мы все здесь БЕДНЫЕ ДУХОМ.

Ты приезжаешь на презентацию новой коллекции сумок «Tod's» и видишь всех этих фурий, которые с горящими глазами мечутся, как во время пожара, разбрасывая локтями продавцов и сметая с полок все, что на них выложено. А потом, ночью, встречаешь их же в новом, только что открытом ресторане, претендующем быть на гребне волны в этом месяце. Видишь всех этих жующих и выпивающих манекенов с чувством выполненной миссии на лицах. И у тебя остается четкое ощущение, что смыслом жизни для них является потратить за один день все заработанное на еду, аксессуары и одежду. Пожалуй, они счастливы только в короткий момент оплаты за покупку. В те несколько минут, когда меняют свои деньги на плотские удовольствия. А сейчас они сидят и думают, чем бы занять завтрашний день. Каким еще образом прогнать скуку. В этот момент они похожи на нью-йоркских бездомных, которых раньше, в советские времена, показывали по телевидению. Бездомные сидели в общественных столовых, не снимая шапок, перчаток с обрезанными пальцами и табличек, висящих на груди, с надписью: «HOMELESS. WILL WORK FOR FOOD».

Глядя на бездуховные лица наших московских мумий, мне так и хочется развесить им на груди таблички со слоганом: «ДУХLESS. БУДУ РАБОТАТЬ ЗА ЕДУ (И ШМОТКИ)». А ниже логотип Dolche & Gabbana.

Катастрофа. До какой же степени должно деградировать общество за какую-то сотню лет. Если раньше люди решали глобальную задачу — состояться в этой жизни, то сегодня их прапраправнуки решают задачу, как попасть в этот клуб и состояться сегодняшним вечером. Если в начале прошлого века героем общества был мальчик, стоявший у истоков революции — Паша Корчагин, то сегодня его заменил мальчик, стоящий у входа в ночной клуб, — Пашка-фейсконтрольщик. У него берут интервью, он надувает щеки, говорит какие-то глупости и дает советы, как быстрее стать законченным идиотом. Он, Пашка-фейсконтрольщик, истинный властитель дум. Ведь именно этот ночной страж решает, попадете вы в конечном итоге в мир мумий, достаточно ли близко вы уже подошли к нему или еще нет.

Но самое ужасное заключается не в его существовании. А в существовании той аудитории, которая готова читать его бредни, принимать как руководство к действию его советы и добровольно становиться мумиями.

* * *

И вот я лежу в уже остывшей воде и думаю, насколько близко я подошел к этому склепу. В сущности, я уже давно стою там одной ногой. Я освобождаю все больше и больше времени в своем личном графике для того, чтобы занять его пустотой всех этих вечеринок, презентаций и опен-эйров. Со мной здороваются за руку все большее количество всех этих промоутеров, рестораторов, дизайнеров и дилеров. Меня втягивает. Я уже начинаю становиться тенью. Сначала я думал, что на мне так будут лучше сидеть модные вещи. Теперь я все чаще думаю о том, что я хотел стать одним из них. И все эти склепы занимают все большую часть моей жизни. Чем же я отличаюсь от этого болота? Или нет, не так. Что меня из него вытащит? Останусь ли я в этом Вавилоне или найду свой собственный град Китеж?

Я вылезаю из ванны, закутываюсь в полотенце и начинаю стучать зубами. Мне не столько холодно, сколько страшно. Где-то в комнате звонит мой мобильный телефон. Я бреду туда, нахожу его во внутреннем кармане пиджака и отвечаю. На том конце провода мой знакомый, лица которого я практически не помню, который говорит мне:

— Привет. Ну чё, как вчера потусовались?

— Нормально, — отвечаю я.

— Чё делаешь?

— Дома сижу.

— Есть чего? Ха-ха-ха.

В этот момент я запускаю телефон в стену с такой силой, что на ней, кажется, остается вмятина. Телефон отскакивает на пол, мне под ноги, у него гаснет дисплей, но микрофон почему-то еще работает.

— Але, ты там? — спрашивает абонент на том конце. — Я тебя не слышу, ты, по ходу, пропал куда-то.

Я давлю остатки телефона ногой, и он наконец замолкает.

По-моему, я действительно пропал...

Сеть

Но тогда я знаю, как их называть надо.
Это фальшивые ЭМСи.

КАСТА. «Фальшивые ЭМСи»

Воскресенье начинается для меня с веб-серфинга. Я открываю ноутбук, вхожу в Интернет и набираю в строке браузера WWW. LITPROM.RU. Экран монитора окрашивается в красно-золотые тона, этакий микст СССР, пролетариев всех стран и несбывшихся имперских притязаний. Всего того, что еще лет пятьдесят будет являться базовыми камнями российской идеологии. Всех этих визуальных фетишей, на которые любой закончивший восемь классов придурок-популист с мало-мальски подвешенным языком в течение пятнадцати минут купит пятьдесят бабушек или пэтэушников, с последующей целью сбора с них ста рублей на бутылку водки и пачку сигарет.

На главной странице этого контркультурного (как это принято называть) сайта висит слоган: «Последний оплот Духовности в Интернете». Видимо, чувак, создавший этот интернет-паноптикум, был когда-то повернут на поисках «русской национальной идеи» либо просто решил простебаться над людьми.

Основная масса посетителей ресурса — никудышные графоманы, поэты, мучительно рифмующие свои стихи в стиле «ночь — дочь» или «я чернозем — не смотри мне в глаза, казел», убивающие рабочее время клерки, наркоманы, свихнувшиеся националисты, праздношатающиеся типа меня и прочий сброд. Иногда на страницах этого ресурса попадаются действительно любопытные тексты — дети нездоровой психики здешних обитателей, частенько тут можно наблюдать словесные перепалки, де-

140

монстрирующие гроссмейстерское владение табуированной лексикой, или рассказы о тяжелой жизни населения России, сдобренные крепким колхозно-бытовым юмором. В общем, если бы такого сайта в Сети не было, его непременно стоило бы выдумать.

Здесь я временами пытаюсь расслабить свое сознание. Не секрет, что когда ты наблюдаешь чужую депрессию, сдобренную тяжелой алкогольной/наркотической зависимостью, катастрофическими бытовыми проблемами и полнейшим отсутствием перспективы, собственное положение в этой жизни, кажущееся тебе невыносимым, сразу наполняется весомостью, значимостью и пониманием того факта, что есть те, которым еще хуже.

Так вот, я загружаю главную страницу этого сайта и вижу криво слепленный баннер с текстом: «Туса Литпрома. Читатели и писатели соберутся сегодня в 18.00 в баре «Кружка» на Курской». Далее пара матерных шуток и навязшее в зубах «явка обязательна». Я кликаю на баннер и попадаю в гостевую книгу, удобренную сотней радостных комментариев, оставленных здешними обитателями в предвкушении скорой встречи с собутыльниками. Прочитав пару страниц, я искренне завидую этим людям и, поддавшись общему настрою, начинаю ощущать стойкое желание присоединиться к толпе.

Что ж, когда твое существование пусто и бестолково, сама судьба несет тебя в лоно еще более пустых и бестолковых компаний. После недолгих размышлений я решаю, что перспектива проведения вечера в компании алкоголиков, мнящих себя литераторами и бунтарями, гораздо лучше вечернего диалога со стаканом виски. Через пару часов, уже через пару часов, я погружусь в босяцкое братство. Покоящееся, как земля в представлении древних, на трех китах/черепахах: пиве, потно-пьяных мужских объятиях и слове «камрад»...

Мой роман с Интернетом начался лет пять назад. За это время я преодолел путь от робкого и несведущего пользователя программы Outlook Express до завзятого интернетчика. Вначале каждое письмо было для меня маленьким романом. А как бы так повежливее написать? А как закончить письмо и прочее. Все адресаты в моем представлении были такими же лохами, как и я, для которых отправить факс было делом простым, а написать письмо по электронной почте — этакий «подвиг разведчика». Со временем я убедился, что деловая этика почти не распространяется на электронную почту и там все гораздо проще, быстрее и короче. Без длинных предисловий и витиеватых расшаркиваний.

Все это я пишу к тому, что теперь меня раздражают люди, шлющие мне всякие там факсы, а уж придурки, которые говорят: «Я вам сейчас свою секретаршу дам, она вам адрес почты продиктует, вы и шлите туда. Она мне потом прочитает», просто ввергают меня в кому. Свой е-мейл — нечто личное, сродни мобильному телефону, и делить его с туповатой секретаршей есть не признак высокого статуса, а скорее свидетельство того, что человек живет в каменном веке и все твои будущие с ним дела принесут один только геморрой.

И вот я пришел в Интернет. В этот удивительный, волшебный мир. Мир, состоящий из порнографии, матерщины, неполиткорректных граждан и отсутствия всякой цензуры. Мир — созданный для безделья, празношатания и удовлетворения своих извращенных фантазий. Именно за этим люди и идут в Сеть. Поэтому мне очень смешны высказывания отдельно взятых лузеров, выдающих себя за «создателей российского Интернета», «автора таких-то и таких-то известнейших проектов (которые уже давно лежат в дауне)», о том, что Интернет — «не только средство коммуникаций, но и отличный сервис для покупок через Сеть, биржевых игр и быстрого поиска полезной информации».

Ага, знаем мы эту информацию, когда отобедавший клерк набирает в строке поисковика «young virgin suck big monster's cock». Или «проститутки по Интернету». И пошло-поехало. Вы знаете, какое первое слово набирает в поисковой системе человек, попавший в Сеть впервые? Ну уж никак не «биржа» или «купить цветы». Самое первое слово, начало начал, отправная точка для новичка — слово FUCK. И уж понятно, что первая же ссылка на это слово не будет содержать текст типа «Fuck! How beautiful is Shakespeare's books». В лучшем случае там будет ссылка на порносайт, на котором Роко Сифредио в фильме «Сорокашестисантиметровый Гамлет» трахает Чиччолину в роли мамочки-королевы.

Я полагаю, что с этого слова начинается интернет-путь 75 процентов новых пользователей. Другие 24,5 процента пишут нечто более специальное. Например: «Где достать трамал?» или «Познакомиться с телкой без комплексов». Оставшиеся 0,5 процента, возможно, покупают цветы, акции или еще что-то в этом роде.

Я также не стал исключением из правил. Вдоволь полазав по всяким ссылкам, где «пятнадцатилетнюю Таню лишают девственности два старшеклассника» или «учительница химии совращает десятиклассника» (причем десятикласснику на вид лет сорок). Накачав всякой там музыки и пересмотрев великое множество похабных картинок, на которых политики и звезды шоу-бизнеса вытворяют ужас что, я стал испытывать тягу к обсуждению всего этого дерьма. Когда все самые гадкие ссылки пересланы всем более-менее близким знакомым, когда все твои знакомые уже по десятому кругу отвечают тебе одно и то же, ты начинаешь искать других собеседников. И самое страшное в том, что ты их очень быстро находишь.

Реально, Сеть полна людьми, страдающими от недостатка общения/внимания. Людьми, готовыми с тобой до трех утра обсуждать проблемы «парникового эффекта» или перебрасываться матерными цитатками из творчества Сорокина. Интернет — очень притягательная штука из-за такого рода вещей. Помимо того, что он является прекрасной площадкой для общения, он открывает человеку возможность иного рода. Ту, о которой мы читали в фантастических романах. Возможность перевоплощения.

Действительно, практически полная анонимность дает возможность нищеброду стать олигархом, уроду — красавцем, замкнутому, одинокому алкашу — душой компании, мужчине — женщиной (бывает и такое) и наоборот. Мне лично известно немало случаев когда студент, живущий на стипендию где-нибудь на Урале, годами переписывался с московской красавицей, представляясь ей крупным бизнесменом (неженатым, естественно). Красавица, «лет двадцати пяти» соответственно, также оказывалась прыщавой школьницей.

Совершенной глупостью является суждение о том, что Сеть наводнена одними психически ненормальными людьми. Да, возможно, их процент там немалый. Но на самом деле нет никаких «психов из Интернета», «сексуальных маньяков Сети» и «извращенцев из киберпространства». Это не какие-то мифические мутанты. Пользователи Сети — мы с вами. Да, да, это ты пишешь в асикью девчонке, с которой познакомился пять минут назад на форуме: «Хочу отыметь тебя на грязном столе». Это твой коллега гаденько подхихикивает, оставляя свой комментарий под заботливо выложенной кем-то фотографией «Девочка и конь». Все эти авторы жутких рисунков с трупами, растерзанными людьми и порнухой с пришельцами ходят на работу, встречаются с тобой в метро и сидят за соседним столиком в кафе.

Это в реальной жизни они «ведущие менеджеры по продаже оргтехники», а в Сети они живут жизнью Билла-Трахальщика или Развратной Алены. И пишут, рисуют и говорят там такое, что, услышь ты это от них в реальной жизни, мигом бы спрыгнул с ума.

Анонимность раскрепощает до неприличия. Именно она — тот катализатор, позволяющий вырваться наружу всем бесам, прячущимся до поры в самых темных уголках твоего сознания. Ха-ха, интересно было бы увидеть твое лицо, когда, прочитав эти строки, ты подойдешь на работе к своей жирной ассистентке-«синему чулку» и увидишь, как она быстренько перебирает пальцами по клавиатуре, отписывая своему интернетному принцу что-то вроде «представь мои ноги в ажурных чулках у себя на плечах».

Вот так. А теперь представь, что весь офис в один миг наводнился олигархами, томными, похотливыми красотками, революционерами и литераторами, диджеями и крутыми гангстерами. Круто, да? Ой, чьи это ноги у тебя на плечах?

Все твои застенчивые и трудолюбивые коллеги враз скинули маски и стали теми, кто они есть. Точнее, теми, кем они хотели бы быть. Ублюдками, извращенцами, ловеласами. Недоступными красавицами, роковыми женщинами и развратными шлюхами.

Сеть затягивает очень быстро. Ты сможешь найти в ней знакомых разного рода. От сайта фанатов «Спартака» до больных на голову толкиенистов, спорящих до хрипоты, как лучше изготовить «магический жезл» из обыкновенного молотка. Геймеры, программисты, хакеры, эротоманы, геи, наркоманы, графоманы, рокеры, панки, скинхеды, гиперсионисты, фашисты, просто идиоты, любители футфетиша, домохозяйки, кулинары, автолюбители... кого здесь только нет. На любой вкус. Имей увлечение, а уж единомышленники найдутся. Все они комфортно расселись по многочисленным чатам, форумам, гостевым книгам, домашним страничкам, сайтам и сайтикам, порталам «меж-галактического общения» и «закрытым клубам сетевой эли-ты» (есть и такая).

Любителей поговорить о политике, пофилософствовать о судьбах России, маргиналов-контркультурщиков, толки-енистов, сетевых бизнесменов, увлеченно заманивающих недальновидных инвесторов инвестировать ради мифиче-ских перспектив сколотить миллионы на «быстро развива-ющемся рунете», всех их объединяет одно. Это коммьюнити лузеров. Сообщество людей, вытесненных из реального мира ввиду своей полной профессиональной непригодно-сти или невостребованности. Людей, масштабирующих друг друга, держа на плаву весь этот мыльный пузырь, именуе-мый рунетом. Одни делают это во имя того, чтобы сшибить пару тысяч с лоха, неосведомленного об их бесперспектив-ности и десятке заваленных ими проектов. Пропитых в кафе «ОГИ», прокуренных на кухнях и проспоренных в фору-мах и личных дневниках.

Другие живут в Сети, потому что им негде больше жить. Не в плане жилплощади. Они ментальные бомжи. Никому не интересные, в большинстве своем убогие, зажатые и без-дарные людишки. В реальной жизни они работают систем-ными администраторами, мелкими служащими, ничего не значащими сотрудниками рекламных агентств, веб-дизай-нерами, так и не создавшими за десять лет ни одного ше-девра, журналистами-многостаночниками (50 долларов за колонку) — в общем, всеми этими задроченными подно-счиками снарядов, озлобившимися на весь мир, который не дает им реализовать свою тягу к лидерству. Их наполеонов-ский комплекс выплескивается в Интернет, где они ходят в идейных вождях, рассыпая вокруг себя «идеологически прогрессивную» муть целыми абзацами. Мегабайты пу-стых манифестов, сдобренных сворованными речевыми оборотами, приправленных матом и заезженными лозун-гами вроде «Потребляй, работай, сдохни», «Большой Брат

146

следит за тобой» и «Я — враг государства». Естественно, что вокруг них мигом сплачиваются кружки из таких же уебанов, которые готовы до седых яиц играть в нонконформизм и контркультуру с одной лишь целью — иметь постоянных собутыльников по пятницам. Людей, которые «тебя понимают».

Со временем это приобретает клинический характер. Смешно слушать, как они напыщенно величают друг друга «главным пиарщиком рунета», «безусловно, самым талантливым сетевым журналистом/литератором», или «самым успешным интернет-бизнесменом», или (прости Господи) «сетевым идеологом», представляя друг друга людям не из сетевой тусовки. Кажется, что эти персонажи в сальных одеждах принесли с собой венецианские маски и устраивают перед тобой карнавал, выдавая себя за кого-то другого. Воистину, вся Сеть — это маска для невостребованных людей. Кому не нужна маска — не нужна Сеть.

Безусловно, среди них попадаются вменяемые, талантливые и действительно неординарные люди. Я встретил их в Интернете достаточное количество. Но исключение лишь подчеркивает правило. Соизмерив количество придурков, психопатов и дурачков с количеством нормальных интересных людей, ты сравниваешь себя с золотоискателем, перелопатившим не одну тонну породы, прежде чем найти один самородок. Впрочем, повторюсь, все как и в реальной жизни. Лишь одна из тысячи человеческих особей способна сопротивляться пошлости и уродству окружающего мира, оставаясь думающим человеком.

Единственное отличие Сети от реального мира в том, что толпа здесь ощущается гораздо яснее. Ты видишь, как кто-то один выделяется из общего числа посетителей данного сайта, и вот, один за другим, здешние обитатели начинают пинать его ногами с целью загнать в стадо. Не дать выделиться. Если в реальной жизни сказанное слово растворяется в атмосфере, то здесь напечатанные буквы остаются в Сети. Ты читаешь развитие диалога, видишь, как сначала по одному, а затем подобно лавине, один за другим, копируя друг друга, они набрасываются на кого-то, затыкают ему рот, пока наконец все поле форума или гостевой книги не заполнится их похожими друг на друга высказываниями. И любой иной, здравый голос тонет в этом море. Это похоже на то, как школьники всей толпой пинают ногами новичка. Стоило бы назвать русскую Сеть не Интернет, а Интернат. Интернат для неудачников.

Я, увлекавшийся в тот период литературой вроде Сорокина, Пелевина, Болмата, Елизарова и прочих, как-то довольно быстро примкнул в Сети к ее любителям, а затем, устав спорить и читать чужие споры о том, ел Сорокин на самом деле говно или нет, наркоман ли Пелевин или ему рассказали про ЛСД, пошел еще дальше, попав в круги людей не только обсуждающих, но и пишущих в подобном стиле. И пишущих зачастую не хуже, а то и лучше вышеназванных авторов.

О, как это все мне было тогда интересно и ново. Как свежо все это звучало. Споры о современной русской литературе, устройстве общества, борьбе с транснациональными корпорациями, массовой культурой, пути Новой России, противостояние Западу. Какими интересными и неординарными казались мне все мои новые сетевые дружки. Некоторые еще и очень талантливо писали. В каждой реплике — вызов обществу, в каждом абзаце — тоска и боль пресыщенного жизнью человека. Тексты про героиновые ломки, по сравнению с авторами которых Берроуз — школьник (если бы они еще не были с Берроуза и скопированы), тексты, полные инфернальной безысходности (написанные, как вы понимаете, сопляками, считающими главной сатаной всех времен Энтони Шандора Ла Вея). А эти интернетные девчонки? Пока

148

ты не видишь их воочию, любая кажется тебе Блаватской, или новой Цветаевой, или новой Матой Хари, или, на худой конец, агрессивной сексуальной хищницей, проглотившей не один десяток самцов и смотрящей на каждого вновь прибывшего с презрительно-оценивающей гримасой.

В какой-то момент у меня появилась полная иллюзия того, что вот оно, то, что я так долго пытался найти. Вот где они — НАСТОЯЩИЕ, проникнутые духовностью люди. Неординарные, мыслящие человеки, которые вот-вот сомкнут свои ряды и сметут с лица земли всю эту серую массу мещан, живущих во имя новой коллекции Cavalli, нового ночного клуба или новой корпоративной машины и корпоративного безлимитного телефона. Вот здесь начинается революция. Она ждет только меня, последнюю, заблудшую в мире фальши овцу, тщательно укрывающую огонь духовной свечи в складках пальто от Pal Zeleri. Казалось, еще шаг, и я отрину весь приобретенный жизненный багаж, брошу им под ноги все свои материальные и нематериальные ценности и войду нагим в это пламя бунта контркультурщиков, чтобы стать одним из его лепестков.

Признаюсь, я жил в плену этих миражей не долго. Все закончилось на первой же встрече с этими сетевыми бунтарями в реальном московском притоне «Третий Путь». Посмотрев на все это собрание, увидев всех ужасно выглядевших интернетчиков, стреляющих друг у друга на пиво, увидев этих страшных девок, заваливающих твою почту манящими и высокоинтеллектуальными письмами, всех подростков-кибердрочеров, я потерял последний бастион духовности в своей жизни. Встретившись с ними, я понял, что цели всех этих революционеров такие же примитивные, как и у многих других представителей социума. Стрельнуть денег, найти новых собутыльников (таких же лузеров), спастись от недоеба и трахнуться по пьянке с любой телкой, чуть более симпатичной, чем свинья.

Мой вам совет. Если в Интернете вы увидите интересное сообщество людей, поражающих вас глубиной философии или владением пером, ни в коем случае не ищите с ними встречи в реальности. Наслаждайтесь на расстоянии, если не хотите новых разочарований.

Увидев все это, я понял, что в таких людях, конечно же, не живут новые Берроузы, Че Гевары или Оруэллы. Слишком все плоско и примитивно. Поняв это, я начал по-другому оценивать их тексты и высказывания. И буквально через неделю пришел к выводу, что все их рассказы, «труды», лозунги и манифесты — суть компот, состоящий из компилляций прозы и стихов маргинальных литераторов современности, публицистов и политологов из телевизора, только разбавленных матерщиной. А все их высказывания не что иное, как выдаваемые за свои, переработанные цитаты разных людей. От Геббельса до Солженицына. В зависимости от того, на какой платформе стоит сетевой оратор. Фашизма или панславизма.

Интересно то, что, когда всем этим луисамкорваланам добавляют к зарплате пару сотен, весь их андеграунд заканчивается так же быстро, как и начался. И они становятся такими же рьяными клерками, какими были контркультурщиками (антиглобалистами, маргиналами, нужное подчеркнуть) еще пару дней назад. До прибавки жалованья.

То же самое происходит и с контракультурными телками, которые наконец выходят замуж. Ужас в том, что все эти новообращенные в офисную веру маргиналы становятся самыми ярыми ее защитниками, потому как очень хорошо помнят, как пили пиво «Балтика» у метро на четверых. И поэтому теперь на их хоругвях вместо Курта Кобейна/Че Гевары появляется Лавандос — бог денег. И ему они служат еще более пышные службы и совершают обильные жертвоприношения собственными коллегами, потому что туда, в мир «камарадов», «пиваса» и «тусы с бразами», ужас как не хочется. И в душе уже распустились буйным цветом кусты столь желанного (сколь и презираемого когда-то) мещанского счастья. И в этом своем ублюдском офисном рабстве они гораздо хуже мумий.

Тогда я стал воспринимать это сборище как один большой зверинец. Я стал глумиться над его обитателями, всячески издеваться и унижать их, выставляя на вид их несостоятельность в реале. Я мстил им. Да, мстил за так и не обретенный оазис другого мира. За очередную утраченную иллюзию. За новое разочарование. За весь их фальшак, в который я почти поверил и в который был готов нырнуть с головой.

Затем миновал и этот период. И я стал частенько приезжать на их сборища, чтобы послушать об их копеечных проблемах, посмотреть на новых персонажей, новых напыщенных идеологов. В общем, я погружался в иную атмосферу. В жизнь подворотен и спальных районов с их нищетой, пьянством, наркоманией, разговорами о несправедливости мира, спившимися интеллигентами, скинхедами и прочим. Для меня это стало своего рода анти-гламур-вечеринками. Та же пустота, только в иной обертке. Пустота в экономичной упаковке для дискаунтера в Жулебине мало отличается от пустоты в яркой подарочной коробке для бутика «Подиум». Уж вы мне поверьте.

Тем не менее я продолжал периодически заныривать в мир маргинальности, чтобы понять — далеко ли я ушел от его бесперспективняка и дешевого пива и вместе с тем не растерял ли я до конца те простые способности радоваться жизни, еще пребывающие в нем, в мире гламура.

И вот сегодня я надеваю потертые джинсы, выуживаю из недр платяного шкафа синий свитер «Paul & Shark», а из тумбы для обуви старые, убитые на чьей-то даче мокасины.

В целом выгляжу я достаточно нейтрально. Для человека, который собирается тусить с маргиналами, но при этом не собирается за них платить, — то, что надо.

Я выхожу на улицу, очень быстро (стало быть, сама атмосфера желает того, чтобы я сегодня быстрее напился) ловлю такси, называю адрес бара и отваливаюсь на подушке переднего сиденья. Водитель «Волги», похожий на геолога, бородатый мужик лет сорока пяти, ведет машину, намертво вцепившись в руль и вперившись глазами в дорожное полотно. Судя по тому, что он ни разу не повернул голову в мою сторону, боясь отвлечься от дороги, вождение представляет для него сплошной стресс. Но, являясь, по-видимому, основным источником его доходов, не оставляет выбора. Глядя на него, я вспоминаю старый анекдот про мужика, который вез свою жену и, так же смотря вперед и боясь отвлечься от дороги, спрашивал ее:

— Дусь, окно открыто?

— Ага.

— (Резко повернув голову налево, плюет.) Тьфу!

Я хихикаю. Водитель, превозмогая свой страх, поворачивает голову в мою сторону. Я замечаю его напряженные глаза, полные тоски и испуга.

— Это я так, — говорю я, успокаивая его, — смеюсь над тем, чего по радио сказали.

Повисает некоторая пауза. Плечи водителя несколько расслабляются, и он продолжает смотреть на дорогу. Затем в машине снова повисает напряжение.

— Так это... радио-то не включено. У меня его вообще нет, — наконец говорит он.

Повисает еще более долгая пауза. Теперь уже напрягаюсь я, раздумывая над тем, что ему ответить. Ситуация весьма комичная, если не сказать идиотская.

— Ну, типа, я думал, что оно работает, — пытаюсь я вырулить. — То есть мне показалось, что оно работает.

Слуховые галлюцинации. Знаете, еще группа есть с таким названием. Они поют чего-то типа «вечно молодой, вечно пьяный».

— Нет, — отвечает он испуганным голосом. И, как бы извиняясь, добавляет: — Я вообще музыкой современной не очень. Не интересуюсь.

— Да я, в общем, тоже. Извините.·

Я ловлю себя на мысли, что почти ежедневно говорю людям в стремлении быстрее от них отделаться полную чушь, не особенно задумываясь над смыслом сказанного, а тем более над тем, какое впечатление мои слова произведут на собеседника. Но в такие, как сейчас, напряжные ситуации я попадаю редко. Принимая во внимание факт того, что отделываюсь от людей подобным образом я довольно часто, можно прийти к двум выводам: либо меня все давно уже считают конченым идиотом, либо большая часть моих собеседников полные кретины, которым все равно, что слушать. Оба вывода херовы и не вселяют никакого позитива в окружающую меня действительность.

Дальше мы едем молча. Тишина — лучшая музыка, не правда ли? Я разглядываю носки своих мокасин и качаю головой в такт музыке, которая играет в моей голове. (А в голове у меня играет Moby — «We're all made of stars», хотя геолог этого, естественно, не знает.) Водитель, подобно сове, не моргая разглядывает попадающиеся на нашем пути светофоры. Еще он постоянно почесывает бороду и шею, наверное, от волнения. Делает он это резкими, молниеносными движениями. Подобно тому как собаки почесываются при блохах задними лапами. Меня это несколько напрягает. Так же, как и его — мое присутствие и качание головой.

По приезде, получив деньги, водитель резко срывается с места. Вероятно, он думает, что я псих. А мне кажется, что он наркоман со стажем и/или алкоголик. Хотя на самом деле все наоборот.

Бар «Кружка» представляет собой довольно омерзительное место для проведения досуга студентов, школьников старших классов, низшего звена служащих небольших коммерческих организаций, бездарных рок-музыкантов, их жутковатого вида телок и прочего сброда. Здесь отвратительное пиво (сам я пива не пью и сужу лишь по его внешнему виду), разбавленные крепкие спиртные напитки и дешевая водка. Гости сего заведения едят в основном шаурму с картошкой фри (ставшую «национальной русской едой» для такого рода публики, такой же, как суши для более обеспеченных слоев населения. Воистину шаурма — это суши для бедных. Быстро, сытно и недорого). Насколько это ужасная дыра, настолько же это выгодный бизнес для хозяев заведения. Биток здесь почти всегда. Очереди в баре, нехватка стаканов, снующие официанты, неспособные запомнить с трех раз заказ ста граммов виски. Всюду пьяные компании, горки смятых, мокрых от напитков денег на столах, бармены, не успевающие выдергивать из потных кулачков гостей сотенные купюры. В общем, все очень правильно сделано. Хочешь быть богатым — работай для бедных.

Гоп-компания интернетчиков, общим числом человек в двадцать, расселась за сдвинутыми вместе двумя длинными столами. На столах много водки, пива и мало закуски, что весьма недальновидно, но вместе с тем объяснимо отсутствием средств. Видимо, Пегас не Волшебная Лань из мультфильма, которая била копытом и вокруг сыпалось золото. Но то, что он так же умеет бить копытом, притом весьма сильно, отчетливо понимаешь, глядя на помятые лица некоторых, давно присутствующих в этом литературном андеграунде. Я прохожу к столу, жму руки тем, кого знаю в лицо, мне придвигают стул, я немедленно заказываю виски и начинаю оглядывать собравшихся.

Присутствующие на тусе девушки, числом три, начинают меня пристально рассматривать. Я всем, а особенно им, улыбаюсь как можно более простецки. Одна из девушек спрашивает меня, пойду ли я на чей-то концерт в ДК «Горбунова» на следующей неделе, я отвечаю, что пока не знаю, но очень может быть, и предлагаю ей виски. Это немедленно вызывает негативную реакцию сидящего рядом с ней парня, который уже порядком набрался и строит на нее дальнейшие планы. Сидящий рядом со мной его друг тоже начинает напрягаться, и я чувствую себя узлом противоречий, центром притяжения, яблоком раздора и как там это еще обычно называется. Напряжение усиливает тот факт, что я пью виски, что само по себе является провокацией. И девка некрасива и потасканна, посему для нее я просто принц. А учитывая то, что парни, сидящие с ними, пьяны, неплатежеспособны и синюшны лицом, я принц вдвойне, возможно, даже наследный. И у этого лажового пролетария нет по сравнению со мной ни одного шанса, впрочем, как и у этой девки... Но в целом мне очень прикольно, и ситуация скорее забавляет меня, чем напрягает. Я, стремясь разрядить обстановку и съехать с темы грядущих разборок, предлагаю вслух всем присутствующим напиться, что вызывает бурное одобрение.

Компания поделена на три лагеря. Четыре спящих в конце стола пьяных литератора, человек семь пока еще менее пьяных парней и три девки, которые громко обсуждают деятельность нацболов Лимонова, и еще шестеро парней, сгруппировавшихся вокруг полного юноши, обладателя умного лица, обрамленного круглыми очками и небольшой бородкой. Он что-то вещает, затем наливает всем из графина водки, заканчивает речь и внимательно смотрит в лицо каждому, видимо, оценивая эффект своей речи. Поскольку я сижу в центре второго лагеря, я пытаюсь прежде всего въехать в обсуждаемое этой группой.

На столе лежат распечатки с сайта НБП — тексты Лимонова с кричащей «шапкой» — «Слово Вождя» и какие-то фотографии. Один из присутствующих, бритый налысо и одетый во все черное чувак, которого зовут Иван (но представляется он исключительно как Опарыш), читает вслух:

— «Тем, кто меня считает предводителем орды непонятных юных варваров, хочу напомнить, вынужден напомнить, что я русский интеллигент революционного типа и выгляжу своим в ряду Радищева, Герцена, Бакунина, Чернышевского... Говоря иронически, я не менее "интеллигентен", чем предводитель интеллигентов Григорий Алексеевич Явлинский, думаю, что как автор 37 томов я более интеллигентен, чем он. А орда, идущая со мной, — это молодая интеллигенция России, "племя младое, незнакомое"». Лимонов — это то единственное, чего ОНИ не затоптали. Партия растет, молодежь подтягивается. Даже пресса уже не может нас игнорировать. Акции нацболов всколыхнули все это болото из журналюг. Смотрите, как они к нам бросились! Понимают, суки, что скоро мы вернем народу страну. А в регионах вообще кошмар что творится. Беспредел местных чиновников и обнищание такое, что сил терпеть уже нет. Россия беременна революцией. Нацболы дико популярны. Еще чуть-чуть, полшажка, и все. Смоет этих временщиков как селем, — резюмирует Опарыш.

Слова «Россия» и «народ» он произносит с особым придыханием. Кажется, что жонглирование ими доставляет ему удовольствие, сходное с оргазмом. Про себя я отмечаю, что один мой знакомый из тусовки с таким же придыханием говорит «малтинешнл» и «глобализация». Хотя ясно, что и Опарыш, и этот мой знакомец употребляют данные слова, подчеркивая свою принадлежность к определенной, лидирующей части своего социума. Или используют их как способ собственной идентификации в глазах окружающих, но уж никак не из-за того, что их действительно занимают проблемы народа или грядущие с глобализацией бонусы для всей планеты.

Собравшиеся многозначительно молчат. Я думаю о том, до чего же все наши доморощенные идеологи революции, вся эта левацкая часть интеллигенции всегда тяготели к таким вычурным формулировкам, как «орды», «варвары», «русский интеллигент революционного типа» (последнее звучит как легкая канонерка типа «Русич»), «Россия беременна революцией». В каждой запятой немыслимая поза, маска святой миссии, великой значимости и прочего. И за всем этим — пустота, бездействие, отсутствие каких-либо задач, идеалов и помыслов изменить все к лучшему. И самое главное, самое уебищное во всем этом — мелочность целей, типа банкета или машины, оплаченной спонсорами. И жадное желание зацепиться за это любой ценой, войти в когорту властей предержащих, а там уже вспомнить о народе только в канун следующих депутатских выборов.

И страшно представить, что будет, если эти люди каким-то образом окажутся у власти. В какой бар «Кружка» превратят они страну, прикрываясь желанием отмыть ее от скверны «прошлого преступного режима». Только зальют они ее не водкой, вот в чем проблема. Представляю, с каким наслаждением они будут вешать и выводить во внутренние дворы тюрем нас, менеджеров среднего и высшего звена. Олигархи к тому часу уже сбегут отсюда, и играть роль тиранов, выстроивших свое благополучие на крови трудового народа, а теперь представших перед его священным судом, придется тому самому пресловутому среднему классу. Никто не вспомнит имен тех, кто отжимал себе природные недра, зато всегда найдутся «народные мстители», горящие священным огнем сведения личных счетов с обладателем лучшей машины во дворе, дорогих часов и костюмов. Гораздо приятнее уничтожать тех, у кого ты стрелял полтинники и сотки, чем бороться с уехавшими миллионерами. Да, отольются тусовочной Москве ее «тодсы», «пра-ды», «гламуры» и «галереи». А потом, потом вся эта мер-зость опарышами поползет в регионы, о судьбе которых они сейчас говорят с таким пафосом. Доесть разлагаю-щийся труп России. Хотя, конечно, все это мои фанта-зии и революции закончатся, так и не начавшись, как только появится первый более-менее солидный взнос от спонсоров и будет пущен на личные нужды Вождей. Баб-ло опять победит зло и все такое.

— У меня подруга есть, Надя, так она в прошлые вы-ходные в ментовку загремела, — встревает в разговор де-вушка лет двадцати, с милым, интеллигентным лицом, неплохо одетая и весьма ухоженная. — Она с подругой и двое парней из их группы пытались ночью приклеить на дверь приемной ФСБ плакат с Фантомасом и надписью «Я Фантомас, а ты говно!». Так их тут же скрутили, от-везли в отделение, продержали там восемь часов, но по-том отпустили. Она такие ужасы рассказывала, что там творится. Их, правда, не били, но, в общем, методы у них гестаповские.

— А что же она хотела? Чтобы ей выдали орден «За заслуги перед Отечеством»? На хера она туда вообще по-перлась? — вопрошаю я. — Сидела бы лучше дома или с парнем своим трахнулась. В театр бы сходили. Зачем во-обще этот бред?

Девушка падает в замешательство. С одной стороны, все идет по плану. Она кокетничает с молодыми револю-ционерами, и разговор с ними идет на одной волне, и она наверняка знает, что ей ответит тот мальчик, кому она в целях завязки/продолжения отношений адресова-ла свой пассаж (а я думаю, что присутствие девушек в таких околополитических движухах заточено строго на поебки). И тут я ломаю ей всю матрицу, встревая со сво-им логичным в общем-то замечанием. И ее ментальные весы колеблются между здравым смыслом моей реплики

158

и стремлением выглядеть своей, левацко-бунтарской девчонкой (пусть и из хорошей семьи)

— Это не бред, — заступается за нее Ваня. — Выступать против этого фашистского режима нужно всеми доступными способами. На всех участках. Вода камень точит. Потом критическая масса нарастет и сметет это все к ебеням.

— Вань, — спрашиваю я, — а тебе лично этот преступный режим чем мешает? Ну, вот ты сидишь здесь, разглагольствуешь о каких-то там революциях, о том, что народ не имеет возможности жить хорошо, и все такое. У тебя, молодого парня, есть здоровье, годы впереди, перспективы. Ты сам пытаешься что-то сделать, чтобы соскочить из этой маргинальщины? Поработать слегка, девушку завести, свозить ее на море. Свитер себе купить без дыры на рукаве, наконец. К чему тебе вся эта атрибутика лузерства?

— Лузер? Ха-ха! — криво усмехается он. — Ты знаешь, для поэта это скорее комплимент, так что если ты меня этим задеть хотел, то мимо. Работать? Да я тут дышать не могу, а ты говоришь, что мне мешает. Если бы ты и многие такие, как ты, не рассуждали бы по-мещански, а разули бы глаза, то поняли бы, куда мы катимся.

— А ты поэт еще ко всему прочему? Издаешься? Или все больше для себя? Или режим этот преступный не издает? — продолжаю издеваться я.

— Нам с тобой не о чем говорить. Сегодня акты гражданского неповиновения, проводимые патриотами, подтачивают режим. Завтра сотни тысяч парней и девчонок в один день выйдут на улицы городов России. Мы стоим на пороге гражданской войны, и дальше все просто. Сейчас мы с тобой пьем за одним столом, но завтра мы окажемся по разные стороны баррикад, как классовые враги.

— Вань, про парней мне понятно. Я сомневаюсь в сотнях тысяч, но человек сто — двести вы соберете. Но девчонок-то, девчонок откуда вы столько возьмете?

Тут в разговор вступает та самая интеллигентного вида чувиха. Она протягивает мне несколько распечаток с того же сайта, на которых изображены девицы разных возрастов, разной степени привлекательности и одетости. Заголовок листа называется «НАШИ БОЕВЫЕ ПОДРУГИ».

— На, полюбуйся, — говорит она мне. — Или ты думаешь, что все молодые девушки только по клубам обретаются? Нас уже много. Больше, чем ты думаешь.

Опарыш вознаграждает ее одобрительным взглядом, затем начинает буровить меня исподлобья. Девушка торжественно оглядывает присутствующих, как королева этой псевдолевацкой вечеринки. Присутствующие молчат, предвкушая, как маленький идеолог и новоявленная Клара Цеткин будут рвать идеологического врага. Я внимательно разглядываю фотографии. Мой взгляд цепляется за фото, на котором две девицы (одна из которых похожа на Наталью Медведеву) позируют, обняв друг друга за бедра. На руках у обеих повязки с серпом и молотом.

— Ну что же, — уже не пытаясь сдержать смех, говорю я, — когда я был в возрасте пятнадцати лет, меня также очень притягивала нацистская символика и униформа в сочетании с гомосексуальной красотой штурмовиков СА. Как я понимаю, этим девочкам все равно, во что играть и где выкладывать свои фото в стиле ню. На сайте damocka.ru или у вас на нацболе. Я надеюсь, что девушки все же выполняют свои функции?

— В каком смысле? — настораживается она.

— Ну, в смысле... мальчики на них дрочат? Вот ты, Вань, хотел бы с ними?

— Не смешно. Ты думаешь, что ты очень умно выглядишь со своим цинизмом? — спрашивает меня Ваня.

— Да нет, Вань, я думаю о том, что будет, если вот эта милая девушка... кстати, вы там сфотографированы? —

Девушка опускает глаза и говорит: «Не важно». — Так вот, если эта девушка свяжет свою судьбу с таким милым мальчиком, как ты, перманентно качающимся между проблемой самореализации, ложными поэтическими амбициями и игрушками в революцию, то сразу возникает вопрос о тех самых судьбах России. Перспективы генофонда, ранняя алкогольная зависимость, социальная неустроенность, проблемы быта. В общем, весь букет, так важный для молодых людей с активной жизненной позицией. Будущее наших детей в нас самих... или как там?

— А не надо мерить всех по себе, — чеканит слова Ваня, — мы вместе, потому что нас не интересуют твои мещанские проблемы походов в ресторан, шмоток и новых машин. Когда ты решаешь политические проблемы страны, важно думать не о себе, а обо всех в целом. Тогда личные позиции уступают место общегражданским, тогда мещанская тяга к обустройству быта замещается духовным. Общество станет единым ради своего блага, а не ради кучки мрази, которая временно узурпировала власть и национальные ресурсы. На людей нужно смотреть не только как на возможных половых партнеров, понял, нет? Хотя нет, ничего ты никогда не поймешь. Но это уже твоя проблема. — Ваня лихо опрокидывает рюмку и торжествующе откидывается на спинку стула.

— Да, да, я понимаю. К людям надо относиться так, как ты хочешь, чтобы они относились к тебе. Ширять наркотиками до передоза, рвать бензопилами, пытать паяльниками, спаивать алкоголем и заставлять спариваться с собаками. В этом и есть позиция гражданского единения. Когда всем хочется гламура, бритых женских гениталий и вместе с тем массовых расстрелов. Я правильно понимаю?

Но ответа я уже не слышу. Я иду по направлению к туалету, оставив их праздновать победу над идеологическим врагом, лишенным, кстати сказать, всякой идеологии. И вот они сидят все вместе и обсуждают эти бредовые программы лимоновских национал-большевиков. Дети из обеспеченных семей и дети пролетариев. И кажется, что все братья, и кажется, что все здесь движимы одной общей идей всеобщего равенства и справедливости для всех. Но эта херовая иллюзия единения очень скоро развеется. Когда первые, закончив институты, вольются в когорту юристов, экономистов и банковских клерков, а вторые, как и полагается, станут водителями «Газелей», разнорабочими или низкооплачиваемыми системными администраторами. И все станет на свои места. И жизнь этих вчерашних «комарадов» продолжится параллельными курсами в разных социальных лагерях. И впоследствии одни с улыбкой будут вспоминать смешного «вождя русской революции», похожего на доктора Айболита, а другие вспоминать о том счастливом времени, когда будущее казалось таким искристым и многообещающим, когда еще был шанс что-то изменить. Но все это будет позже, когда сегодняшним детям будет лет эдак по тридцать — сорок. Если, конечно, первые не сторчатся, а вторые не сопьются раньше.

Но сегодняшним вечером никто не готов думать о будущем. И все невероятно пьяные и счастливые. И все, повторюсь, сидят вместе.

Возвратившись, я подсаживаюсь к дальнему концу стола, где сидит компания полного юноши с ником Авдей. Оглядываясь на былое идеологическое ристалище, я вижу, что поляна, как я и предполагал, превратилась в обжимушки с девочками, пьяные братания и прочее. Лимоновские распечатки валяются под столом под ногами революционеров. Некоторые из присутствующих уже спят, положив головы на стол. Для них революция на сегодня завершилась...

Авдей тем временем закончил вещать что-то монументальное и пристально смотрит на меня.

162

— Выпьешь с нами? — спрашивает он меня и встает, чтобы подсесть рядом.

— Конечно, выпью, старик, я за тем и приехал. Ну, как у вас дела в контркультуре? Когда на баррикады народ позовешь?

Народ между тем уважительно отодвигается от нас, понимая, что разговоры у лидера сайта с приходящим время от времени мажором могут быть только серьезные.

— Да растем потихоньку. Мочим противников по андеграунду, думаем выходить в офф-лайн. Развиваемся, короче. Вот думаем издать сборник лучших авторов. Серьезный проект. Да. Серьезный.

Авдей говорит, смакуя слова, с немыслимой серьезностью на лице. Понятно, что весь его речевой пафос направлен исключительно на своих слушателей.

— Это здорово. Надо делать шаги вперед и все такое, — говорю я и наливаю нам водки из стоящего на столе графина. — За такой литературой будущее. Я думаю, что если ты, Авдей, все правильно выстроишь, с твоим-то авторитетом в Сети, то начнешь зарабатывать не хуже Гельмана на художниках-говнописцах. Ну а в целом как? В личной жизни? Проблем нет?

— Я с тобой давно поговорить хотел. Ты же крутишься там, вертишься всяко. Бизнес-шмизнес. Ты меня на работу не устроишь? Я чего-то подзаебался мальца в этом Ай-ти-бизнесе, да и денег маловато.

— А Ай-ти — это что конкретно?

— Ну, я в конторке работаю маленькой. Знаешь, пять компьютеров, два человека. Сайты делаем. А конкуренция сейчас большая, сам знаешь. Заказов мало. Вам, кстати, сайт не нужен? Конторе твоей?

— Да нет вроде, у нас есть.

— Я и говорю. Заказов мало. В общем, свалить я хочу.

— А ты чего делать умеешь? Кроме сайтов своих?

— Я статьи могу писать, копирайт, пресс-релизы. Работа специалиста по пиар — это мое. Я просто чувствую.

— А ты же говоришь, что ты работаешь мало. День работаешь, три пьешь. Как ты себе представляешь работу пиар-менеджера, который две трети рабочего времени в запое?

— Да это я тут пью. Если бы бабок подкинули, я б перестал. Ну не без этого, конечно. Иногда можно. Да и писать из дома можно, если что. Интернет-то есть.

— Ну, я спрошу. Если нужен такой человек, то звякну тебе или напишу.

Видя, что предложение не родило во мне энтузиазма, но чувствуя, что мои возможности исследованы еще не до конца, он начинает, подобно бомбардировщику, заходить на второй круг бомбежки.

— Давай отсядем, я тебе еще кое-что за бизнес расскажу.

— Давай, — соглашаюсь я, понимая, что вечер постепенно закругляется и лучше провести его остаток за разговорами об очередном фантастическом проекте, чем в обсуждении революционной ситуации.

— У меня идея шоколадная. Я хочу новостной портал открыть. Типа «Ленты ру» или «Дней ру», понимаешь?

— Ага.

— Вот. Сейчас же рост Интернета необыкновенный. А продуктов для аудитории не хватает. Мы соберем по Сети всех этих лохов, — обводит он рукой зал, — они будут писать за копейки. Им главное — внушить, что они в серьезном проекте. — Авдей делает значительное лицо и поправляет очки. — Масштабировать их, чтобы они поверили, что решают. Ну и бабла подкинуть чуть-чуть. Они все схавают.

Я отмечаю, что мнение о собственной аудитории у Авдея весьма невысокое. Что вредно в бизнесе. Сотрудника нужно любить, иначе он не принесет тебе деньги. Я

представил, до какого объема разовьется Авдеева само-
оценка, если дать ему кресло и чуть больше денег.

— В общем, с контентом я решу. Наберем аудиторию,
рейтинги. Посещаемость нагоним тысяч до тридцати в
день, а там и клиенты подтянутся. Реклама, баннеры,
заказные статьи. Ты знаешь, как сейчас растет реклама в
Сети?

— Не-а, — качаю головой я, допивая кофе.

— Вот. А растет она охуительными темпами, скажу я
тебе. Потом можно будет по политике поработать. Про
партии какие-нибудь написать. Или не написать. В зависимости от того, как заплатят. У меня тут есть связи на
этом уровне. Сечешь? А? Перспектива, я тебе доложу. Ты
просто пойми. В Сети нужно общаться не со сбродом, а с
нормальными людьми. Я делал разные проекты, которые сейчас в лидерах. Я изнанку всю прорюхал. У меня
чутье, что сейчас такой проект нужен.

Он хлопает меня при этом по плечу, пристально смотрит в глаза и говорит самые важные вещи шепотом. В общем, использует весь арсенал подручных ему средств,
которыми он запутывает здешних лохов. Понимая, что
возражать человеку, оценивающему темпы роста рекламного рынка в Сети характеристиками «охуительные», бесполезно, я повторяю как попугай:

— Интересно, брат, очень интересно. А сколько денег нужно?

— Да денег-то гроши. Офис там снять, компьютеры
купить, на зарплату, на первичную раскрутку. У меня уже
и бизнес-план есть, если тебе интересно, встретимся и
обсудим на неделе. Прибыль в конце года колоссальная.

— Так сколько денег-то, браза? У меня, может, столько
нет?

— Денег... Денег двадцать тысяч. — Авдей опять смотрит мне в глаза, проверяя реакцию. — Ну в пятнадцать
можем уложиться на первом этапе. Зато прибыль потом

в районе сотки. Я не помню сейчас точно, по-моему, я так считал. Заебись, да?

— Да. Круто. — Я уже даже не пытаюсь скрыть свое безразличие к выгодному бизнес-проекту, но, понимая, что должен как-то компенсировать Авдеевы ожидания моего финансового участия, предлагаю: — Авдей, я подумаю и перезвоню. Давай я водки закажу? Выпьешь со мной?

— Подумай, — вздыхает Авдей, который также не пытается скрыть своего разочарования, — а водку буду. Давай. Я сейчас только в туалет схожу, возьми на мою долю, ладно?

— Возьму, конечно. Граммов четыреста, да? Я угощаю, старик. Давно не виделись и все такое, понимаешь?

— Угощаешь? — Глаза Авдея сверкнули огнями Валгаллы. — Ну ладно. Пить так пить. Завтра на работу, конечно, но что поделать? Мы же не каждый день встречаемся. Тогда сигарету давай. У меня кончились.

Мы оба долго смеемся, стартовое дружелюбие беседы возвращается, и мы собираемся продолжить вечер в обстановке полного доверия и взаимопонимания. Приносят водку. Под разговоры об Интернете и разные приколы из жизни контркультурщиков я постепенно напиваюсь. Заказываем еще пятьсот, и я понимаю, что сваливать отсюда нужно стремительно. Авдей тем временем начинает очередной рассказ про какого-то знакомого, владельца большого портала, торгующего компьютерами и оргтехникой в Сети.

— У них работал водителем парень, его тоже Сашей звали...

В этот момент я теряюсь в догадках, кого же еще тут зовут Сашей. Путем напряжения наиболее трезвых остатков мозга я прихожу к выводу, что Саша — это мой собеседник, так как я — точно не Саша. Но собеседник может носить другое имя и, не помня моего, допустить, что меня зовут, например, Саша. В общем, я окончательно путаюсь. Решать подобные головоломки по пьяни достаточно обломно. Посему я просто киваю. Тем более судьба водителя Саши меня совершенно не ебет.

Авдей также уже слабо себя контролирует, он говорит, подперев голову локтем, который постоянно съезжает со стола под тяжестью Авдеевой туши. Несколько раз Авдей переворачивал свой стакан, наливал новый, опять переворачивал, и вот наконец он встает, бубнит, что скоро вернется, и неуверенно, зигзагами, движется к туалету. Пользуясь случаем, я подзываю официанта, всовываю ему деньги за выпивку и встаю из-за стола. Внизу у выхода меня догоняет Опарыш.

— Слушай... это, я чё хотел. — Опарыш уже пьян в дугу (похоже, по состоянию на двадцать два часа трезвых в этом помещении не осталось), смотрит куда-то мимо меня и мучительно пытается конструировать слова в предложения. — Добей пару сотен, а то нам за стол расплатиться не хватает... Ну, увидимся в следующий раз или пересечемся на неделе, я отдам.

— Вань, я чего — Савва Морозов?

— В плане? — тупит Опарыш.

— В плане того, что я не помогаю большевикам. Ты же час назад кривлялся, что я твой классовый враг. Или брать деньги на водку у классового врага не западло?

— Слы, ну чё ты как этот, говорю ж тебе, что отдам.

— Вань, извини, у меня с собой как раз только двести рублей на такси. И доллары. Больше не выдал мне преступный режим сегодня.

— Бля... — чешет затылок Опарыш — Ну, давай доллары, я поменяю схожу, сдачу тебе верну.

— Нет, Вань, не могу. Вдруг ты в самом деле Че Геварой станешь в будущем? Я буду тогда рассказывать всем, как я с тобой водку пил. Это будет круто. А рассказывать, что ты раньше у меня на водку стрелял и в обменник бегал, — это не круто. Не поймут меня. Че Гевара не бегал в обменник, врубаешься?

— Жлоб ты, блядь! — Опарыш сплевывает себе под ноги. — Жалко тебе, да?

— Нет, Вань, не жалко. О тебе забочусь. Чтобы тебе в будущем меньше переписывать пришлось в своей автобиографии. Я ее заранее очищаю от неприятных и компрометирующих чистоту вождя деталей. Бывай, старичок. — Я хлопаю его по плечу и выхожу из «Кружки».

По приезде домой я обнаруживаю на автоответчике пять сообщений от одного из своих заместителей, Володи, отвечающего за региональную политику. Перезванивать в таком состоянии ужас как не хочется, но, отмечая количество сообщений, я понимаю, что у Вовы есть какая-то серьезная, на его взгляд, проблема.

Я набираю его номер, и после второго гудка трубка взрывается запыхавшимся Вовиным голосом:

— Але, привет. Как дела?

— Нормально.

— Слушай, хорошо, что ты перезвонил. Я тебе названивал насчет собрания. Здорово ты в пятницу по Питеру прошелся.

— Чего?

— Ну... это когда ты про проблемы питерского филиала говорил, в конце собрания...

— Я? Я про Питер ничего не говорил. Я вообще на этом собрании сказал только слово «спасибо» раза два. А про Питер... это ты путаешь, наверное.

— Да ладно. Ну ты чё, с похмелья, что ли? Все мозги по клубам оставил? Ты, когда Некер предложил всем высказываться, понес на директора филиала — нерациональное использование бюджетов и все такое.

— Вов...

— Чё?

168

— Вов... ты сейчас с кем говоришь? А?

— С кем... С тобой, ясное дело... А с кем еще?

— Вов, а я кто? Вот кем я работаю в компании?

— Коммерческим директором, а чё?

— Вова, Вовочка, включи, пожалуйста, остатки мозга, которые у тебя сохранились после посещения семейного сеанса с просмотром мультика «Шрек». Вова, бля, я не был в финале собрания. Я ушел десять минут спустя после начала второй части. Врубаешься? Я съебался, дезертировал, убежал или, как тебе еще объяснить, исчез, короче говоря. И ничего я не говорил ни про Питер, ни про Волгоград, ни про какой другой город. Понимаешь? МЕНЯ ВООБЩЕ ТАМ НЕ БЫЛО!

На том конце провода повисает неловкая пауза. Вова натужно дышит в трубку.

Я понимаю, что он сейчас принимает какое-то важное для себя решение. Собирается с духом, чтобы сказать мне что-то очень-очень важное.

— Слушай... — начинает он, — я спорить не буду... ну, может, ты ушел, конечно. Может, про Питер и кто другой говорил, я сам не очень помню. Но вот шеф просил тебе передать, что ты в среду должен в Питер отъехать. «Для претворения в свет озвученного». Вот прямо так и сказал. Цитирую, так сказать.

Теперь паузу уже беру я. Честно говоря, я даже и не знаю, как мне реагировать. С одной стороны, они все, безусловно, полные мудаки. Но сказать завтра в лицо генеральному директору представительства, что он все попутал... это как-то неразумно.

— Вова, — начинаю я, — а ты сейчас не пьян? Ну, я все понимаю, выходные там, друзья, туда-сюда.

— Я трезвый, что ты. У меня семья дома.

— А вот наркотиков не употреблял? А? Вов, ну ладно, ну скажи, нюхнул, да, кокосику, а? Ну, полез в тумбочку, часы положить или чё там, а там конвертик, да?

Случайно увидел? И главное, не ясно, кто положил, да? Разнюхался чутка, да? Хороший кокосик был, да? А? А ха-ха, старый тусовщик. Нюхнул — и решил мне позвонить. Потащило, да? Кроет тебя, Вовчи-и-ик? Ну чего там, нормально. Я понимаю. Решил, так сказать, ускорить ход времени, правильно?

— Я... я... не нюхал никогда. То есть... ну один раз, по-моему, давно уже. У меня еще голова заболела сразу. А сейчас я даже пива не пил. Семья же дома. Жена там... Понимаешь?

Тут я начинаю свирепеть. Вова меня просто начинает раздражать. Я бы с удовольствием двинул ему по роже. По его тупой роже, с уже начинающим краснеть от бытового алкоголизма носом.

— Послушай, ты, тупой бюргер! Мне по хую твое пиво, твои семейные дела. Ты скажи, вы там все уже уработались, да? Вы уже не видите, кто и чего говорит? МЕНЯ НЕ БЫЛО ПОЧТИ ВСЮ ВТОРУЮ ЧАСТЬ СОБРАНИЯ, Я УШЕЛ С НЕГО, ПОНЯТНО ТЕБЕ?

— ...Понятно... чего уж там... только шеф просил тебе передать... что ты в среду в Питер едешь. Я уже на тебя и командировочные получил. Гостиницу заказал. Чего ты ругаешься? Ну не было тебя... Ну я-то при чем тут? Тебе жалко в Питер съездить? Скажи, жалко? Ты не поедешь и меня подставишь? А я вчера на работе весь день говорил, что ты клиентов проверяешь. Работу торговых представителей контролируешь. Я-то чем виноват?

— Я понял, Вован. Я все понял. Я поеду в Питер. Не переживай. Все. Пока. Целуй жену от меня

Я сажусь на пол и закрываю лицо руками. Я сижу так пять, десять, двадцать минут. И тут у меня случается приступ смеха. Я валюсь на спину и гогочу во всю глотку. Я смеюсь так, что слезы брызжут. Я хватаю телефон и кидаю его в зеркало с диким хохотом. Я открываю платя-

170

ной шкаф и начинаю выкидывать оттуда пиджаки, рубашки и галстуки. Исполняя все это, я продолжаю давиться смехом, напевая «Поезд на Ленинград». Я захожу в ванную и кидаю оттуда на пол в кучу вещей бритву, пену для бритья, дезодорант, зубную пасту и щетку, одеколон (который попадает в шкаф и разбивается). Меня просто колотит от смеха. Затем я начинаю бесцельно бродить по комнате. Так проходит еще полчаса. Я беру в руки пульт управления музыкальным центром и нажимаю на кнопку Power On.

«Мы обязательно встретимся, слышишь меня, прости. Там, куда я ухожу, весна», — поет из динамиков Дельфин.

В понедельник в офисе немноголюдно. Я (прибывший в одиннадцать часов) оказываюсь одним из немногих выживших после выходных. Стоит отметить, что рабочий день все-таки начинается в десять утра. Вероятно, служащие коммерческих организаций после бурно проведенных выходных борются с похмельем, недосыпом или последствиями приема стимуляторов.

Сам я нахожусь в состоянии дичайшего похмелья. Сивушный перегар, красные глаза, жажда, головная боль и изжога. Право же, не стоило мне вчера пить водку. С этим напитком, со времен студенческой жизни, у меня не связано ничего приятного. Собственно говоря, после окончания института я прекратил пить водку в принципе, изменяя этому правилу только в таких вот маргинальных тусовках.

Я сижу, уставившись в монитор, пытаюсь пить кофе, который вызывает горловые спазмы, и заставляю себя включить компьютер. Сначала «залипает» пусковая клавиша, затем гаснет монитор. С третьей попытки компьютер «заводится». Я даже не пытаюсь просмотреть почту и сразу иду на новостные порталы. Я читаю что-то про

Ирак, про политические скандалы на Украине, про инициативы Грузии касательно вывода наших военных баз. Потом мой взгляд упирается в баннер, информирующий о том, что «Лимонов сомневается в режиме Путина и говорит о возможности гражданской войны». При совмещении слов «Лимонов» и «гражданской» меня начинает дико мутить. Я иду в туалет, и, даже не успев подумать о том, что шансы услышать мои эскапады в полупустом офисе велики, как никогда, я начинаю блевать. Такое впечатление, что сначала меня рвет водкой, затем желчью. Спазмы накатывают один за другим, и моему желудку уже нечего извергать, и уже кажется, что меня рвет воздухом. И когда я уже начинаю задыхаться, все утихает, и я, изрядно вспотевший, прислоняюсь спиной к стенке туалета и развязываю галстук.

После этого я долго полощу рот холодной водой, зачем-то развожу в стакане мыло, полощу этим отвратительным раствором полость рта, потом умываю лицо, смотрю на себя в зеркало, выдерживаю паузу и выхожу в коридор.

В офисе достаточно тихо. Не слышно разговоров бойцов с розницей, никто не слоняется с чашками в руках, даже телефоны не звонят. Я продолжаю путь к своему кабинету, на миг останавливаюсь и прислушиваюсь. Реально, очень тихо. Даже странно. Я набираю воздуха в легкие и отрывисто вскрикиваю: «О-о!» Сначала на мой глас никто не откликается, затем со стороны ресепшн выходит секретарша и спрашивает: «Что случилось?» Я говорю, что ничего страшного.

— А это вы кричали?

— Я не кричал, я концентрировал энергию. Горловое у-шу, знаешь такую методику?

— Нет, честно говоря.

Я вхожу обратно в свой кабинет, и уже моя секретарша спрашивает меня про крики в коридоре. Я отвечаю, что это в соседней комнате новых сотрудников посвящают в члены Дружной Команды Сейлс-Менеджеров.

— Это тренинг такой?

— Ага, что-то вроде.

Затем она дает мне кучу служебных записок на подпись, и я, сказав, что мне необходимо их изучить, выхожу из кабинета и спускаюсь этажом ниже, в отдел логистики. Я знаю, что в эти забытые чертоги остальной персонал спускается редко и там есть диван, на котором в тишине, под тихий шелест листов таможенных деклараций, я смогу поспать хотя бы час.

Открыв дверь в их кабинет, я вижу, что наши доблестные логисты Коля и Витя поспешно прячут под стол бутылку, крайне удивленные чьим-то визитом, и в особенности визитом столь ранним.

— Привет, — говорит мне Витя, встав и закрыв своей спиной стол, — случилось чего?

— Ага. Ребят, похмелье дикое. Дайте поспать часик на диване?

— А... — облегченно вздыхает он, — а мы тут тот же вопрос решаем. Тебя похмелить?

— Нет, нет, ребят не стоит. Спасибо, не могу уже. Я лягу, а?

— Ну, ложись. Мы тогда кабинет, если хочешь, изнутри закроем. Больше вроде никто не может зайти... Шеф в командировке, в Ростове, и француз с ним.

— А когда они успели слинять? — интересуюсь я.

— Да вроде в пятницу, я слышал, — говорит Коля.

— Ну, закрывайте, конечно. Я вздремну.

Я сплю на кожаном диване, как комиссары Гражданской войны, ночевавшие в своих кабинетах. Мне ничего не снится, и даже редкие телефонные звонки и разговоры про какие-то «фуры» и «терминалы» не беспокоят меня. Я пребываю в редком ощущении уюта...

Через час я поднимаюсь к себе в кабинет, основательно помятый, и застаю сидящего там нашего регионального директора Сергея Уварова. Он сидит, пьет чай, говорит по мобильному и одновременно играет в «Lines» на «Palm'e». Оглядев меня сочувственно, он интересуется:

— Много вчера принял?

— Когда любишь, не считаешь, — отмахиваюсь я. — Ты меня ждешь?

— Ага. Дело есть на сто рублей.

— Круто. Сто рублей секретарше уже передал?

— Нет пока, вот сижу, собираюсь с силами. Знаешь, расставаться с деньгами всегда не просто.

— Мы тут говорить будем, Серег, или где?

— Пойдем пообедаем? Вниз. В столовку.

— Пойдем. Я сейчас хоть сока выпью.

Мы спускаемся в лифте в столовую. Подходим к стойке с салатами, горячим и прочим. Я беру себе суп, минеральную воду и прошу еще два томатных сока.

— А томатный уже закончился, — говорит мне кассирша, — возьмите грейпфрутовый.

— И поможет?

— Всем помогает, — смеется она. Да, стало быть, не у одного меня в понедельник трагедия.

Мы садимся за стол, молча едим, выпиваем сок, потом берем кофе, и я говорю Уварову:

— Рассказывай. Чего случилось? Опять заговор? Россия собирается прирастать регионами? В плане бюджета, я имею в виду.

— Типа того, — кивает он, — ты сегодня в Питер летишь?

— Еду на поезде.

— А ты знаешь, почему ты едешь?

— Не-а. Хотел бы поинтересоваться у Богов, но те срочно отъехали в командировку. Наверное, производить

Рагнарёк* в Ростове. Вот сижу гадаю, ажно вся голова распухла, — смеюсь я.

— Ты со второй части собрания ушел, — издалека начинает Серега, — а сидели мы рядом, как ты помнишь.

— Ага. Дезертировал. А что, мой побег успели сфотографировать сотрудники нашей СБ?

— Да нет. Его, как ты понимаешь, мало кто заметил.

— И очень хорошо понимаю. Мне мой зам вчера все уши сжег, рассказывая, как я наезжал на питерский филиал. Аж самому захотелось послушать.

— Так вот послушай. Ближе к концу директор филиала, гражданин Гулякин, минуя меня и тебя, обратился к Некеру и Кондратову с просьбой обратить внимание на перспективы Северо-Западного региона. О помощи в продвижении новых линий продуктов, увеличении штата сотрудников и выделении дополнительных бюджетов. Уверенно так пиздел. С бумажками вышел, всем раздал. Графики, диаграммы. Чесал по-французски. Подготовился, одним словом, скотина. За ним все регионалы начали поднимать галдеж. Тут уж я выступил и отжег. В стиле: в то время как компания, в режиме жесткой экономии бюджетных средств и уменьшения персонала и т.д., вы, отвратительнейшие из смертных, пытаетесь... В общем прошелся по всей кассе. С упоминанием провалов Северо-Запада прошлой осенью, проблем с дистрибьюторами и всех гадостей. Завязалась нехуевая полемика. Потом все стихло, и француз предложил Кондратову своими силами уточнить ситуацию в регионе. Сделать уточняющий визит ответственных за региональную политику лиц и все такое.

— Ну и прекрасно. Только вот я-то каким образом оказался ответственным лицом?

* Рагнарёк (др.-исл. *ragnarok*) — в скандинавской мифологии гибель богов и всего мира, следующая за последней битвой богов и хтонических чудовищ.

175

— А вот тут у меня самый большой вопрос. Вероятно, Кондратов был без памяти или секретарша перепутала, но я в субботу получаю указание от секретариата приехать в понедельник и получить билеты на Ростов. А ты, как я узнал, в Питер. Я так думаю, что косяк вышел из-за того, что мы рядом сидели и Некер, плохо ориентирующийся, ткнул пальцем в наш сектор, Кондратов не стал уточнять, а секретариат взял под козырек.

— Охуительно, — только и могу вымолвить я. — Собаки цепные... думать не думают, только лают. И чего мне теперь делать? Аф-аф?

— Аф-аф! — смеется Серега.

И тут перед нашим столом возникает Гоша из отдела маркетинга.

— Здорово, мужики! — Гоша всегда жизнерадостен и простоват. Он один из немногих старожилов компании, ухитрившийся выжить после всех чисток, особенно ничего не делая, и сохранить оптимистичный настрой, что бы ни случилось. — Чё, завалили годовой план и лаете на призрачную премию? Да, мужики?

— Мужики все в тайге, лес валят, — сумрачно отвечает Уваров.

— А тебя чего, чувачок, в Сибирь переводят? Заставим таежных белок есть французскую кукурузу, или что?

— Меня переводят сразу в белки. А то в Сибири низкая покупательская активность по нашей товарной группе. Вот сижу тут, учусь лаять, чтобы волков отгонять.

— Кстати, о собаках. Вы не собаководы?

— Нет, — дружно отвечаем мы.

— Слушай, все равно. — В этот раз Гоша обращается ко мне: — Тебе собака не нужна? Модная?

— Какая еще собака? — спрашиваю я обессиленно. Понимая, что Гошу лучше выслушать, или он не уйдет никогда.

176

— Охуительная собака, кану корсо, знаешь такую породу?

— Это про которую всякие модные журналы писали «собака мафии»?

— Ага. Люди знакомые задаром отдают.

— Да ну ее. Кто с ней гулять будет — меня дома никогда не бывает. А сколько она стоит, кстати?

— Полтора косаря. А отдают просто так.

— Хорошая собака. А чего же отдают-то?

— Да понимаешь... стоит-то она полтора, но сожрала уже на восемь.

— Гы-гы-гы, а чего она жрет-то?

— Да жрет, сука такая, в основном фирменные вещи. Сумки и обувь «Tod's» и «Prada», диван какой-то модный обгрызла. Причем обувь домработницы не жрет, а хозяйские сумки, спрятанные на верхних полках шкафов, как-то умудряется доставать. Такая падла, что не надо ничего.

— Гламурная какая-то собака.

— Да уж... Ну, так у тебя знакомых нет, кому отдать? А то люди хорошие отдают, жалко их.

— Да тут не знакомые, а враги какие-нибудь нужны. Надо подумать.

— Ну, если придумаешь, свистни, о'кей?

— Ага.

— Ну, я пойду тогда. Смотрите не увлекайтесь лаем, мужики.

Мы допиваем кофе, и я пытаюсь вспомнить, на чем мы остановились. Открутив пленку разговора назад, я ловлю нить и спрашиваю Серегу:

— Серег, суть я понял. Тока ты мне скажи, чего я там делать буду? Я же в специфике ни бум-бум. Цель визита не ясна.

— На самом деле специфику я тебе объясню. Когда-то у нас с Гулякиным был базар, что все его косяки я знаю и прошу его только ничего не портить и особо не залупаться. И все это время был у нас некий пакт. А тут вышло такое дело, что я нечаянно прошерстил его основного дистрибьютора, но он весьма ловко скинул концы, на последние месяцы прошлого финансового года тормознул ему платежи по бюджетам и, ловко лизнув Гарридо, свел ситуацию на нет. А суть там была в том, что есть два дистрибьютора, с одинаковыми оборотами, но один получает маркетинговый фонд больше, чем другой (и мне понятно почему), а второй очень недоволен. А ребята они хорошие. И я чувствую, что он второго дистрибьютора просто сливает. А еще появляется новая фирма-дистрибьютор, которая тотчас же получает бюджет на развитие, согласно правилам компании, но выяснить, что они и кто они, я не могу, ибо во все мои последние вояжи в Питер со мной ездит Гарридо. А обороты, как ты знаешь, не растут. И я так понимаю, что второй дистрибьютор, чувствуя все гулякинские аферы, просто в один прекрасный момент спрыгнет от нас. Короче, ситуация с Гулякиным — как с Гошиной собакой. Стоит полтора, а портит на все восемь. Только портит он уже значительно больше.

— Серег, у вас там схемы похлеще, чем у мошенников, подделывающих кредитные карты. Я-то чем помогу тебе?

— А тем. Гарридо в Ростове, я тоже там буду. Твой визит для Гулякина — прогулка. Ты на собрании не был, не совсем в теме. Ну послали проверить, и проверишь. Он тебе поляну накроет, девок и все. Тем более, прослышав о твоих похождениях в Москве, он подумает, что ты и в Питере все дни прогуляешь. А я тебе просто даю сейчас наводку. Мешать он тебе не сможет, информированности твоей не ожидает. В общем, направление поиска у тебя есть. Если не поймаешь его, так убеди просто, чтобы регионы не баламутил своими провокациями. А то они у меня уже все быковать начинают. И если он от Москвы бюджет дополнительный откусит, то в лавке такая война народная начнется, мама дорогая!

— Спасибо тебе, друг. Только мне этот визит сейчас очень некстати. В Москве дел по горло. Кошмар, в общем. Тут твои еще с проблемами.

— Они пока мои. Проблемы. А потом и твои будут. Он очень хитрожопый товарищ. Знаешь, с такой напористостью крепостных крестьян, которые потом скотопромышленниками становились...

— Ага. Знаю. Ну ладно. Спасибо за информацию. Попытаюсь показать ему трудности зарождения капитализма в крепостной России. Благо диплом историка позволяет.

— Ты уж постарайся.

— Я уж постараюсь, swear, — я прикладываю руку к груди, — делать гадости — наша профессия!

Я поднимаюсь к себе в кабинет и нахожу на своем столе пухлый конверт. Замечаю на нем логотип сигаретной компании, с удовольствием рву бумагу, и из конверта на стол выпадают листы копии учредительных документов ЗАО «ДЖЕТ ЛОУНЖ». Я просматриваю список учредителей, вижу в нем Мишу Зеленова, его друга Сашу, своего друга Вадима и СЕБЯ. Со скромным указанием шести процентов. Я улыбаюсь и набираю номер телефона Вадима:

— Партнер?

— Партнер, партнер. Видел уже документы, что я тебе прислал? Сам копии с оригинала снял.

— Шустрый ты, однако.

— Быстрый, брат, быстрый. Обмоем сегодня?

— Я сегодня в Питер еду.

— О как! И я на неделе туда поеду. Надолго?

— На три дня почти.

— Ну, стало быть, увидимся, если ничего не изменится.

— Ага. Я тебе еще сегодня деньги отдам. Ты, кстати, им платеж перевел уже?

— В пятницу еще, а то исправили бы они документы, ага.

— О'кей. Я тогда поеду домой, заезжай ко мне часов
в шесть... Сможешь?

— За деньгами я всегда смогу, брат, за деньгами-то — да.

— Вадим, ну ты доволен?

— Ага. Я даже сегодня спал плохо от этого. А ты?

— Я тоже спал плохо, но по другим причинам. И тоже
доволен.

— В общем, увидимся.

— Пока.

Я отключаюсь, вытягиваюсь в кресле и гляжу в окно
на город. И он уже совсем не кажется мне таким сумрач-
ным...

Без пятнадцати шесть, уже у себя дома, я окончательно пакую командировочные вещи, проверяю билеты, деньги и карточки. Затем закуриваю сигарету и
иду в спальню за деньгами. Я открываю шкаф и начинаю ощупывать пространство за старыми вещами, думая о том, что пора бы наконец завести нормальный
сейф. Хотя если дело прогорит, то никакой сейф уже не
будет нужен, резонно подсказывает мне сознание. Но я
нахожу это утверждение вредным и отстойным и гоню
его прочь. И вот, одну за одной, я достаю на свет божий
пять пачек по десять тысяч долларов США. Кидаю их на
постель, закуриваю сигарету, смотрю на них так, будто я
покупаю долю в нефтяной компании, потом думаю о том,
что покупка акций нефтяных компаний в наше время —
дело не совсем верное и даже политически близору-
кое, и решаю, что пусть это будет мне казаться покупкой акций «Майкрософт».

Решая, в чем мне передать их Вадиму, я не нахожу
ничего лучшего, чем вырвать из лежащего рядом журнала «Vogue» страницы и перетянуть их резинкой. Сложив

180

пачки вместе, я заворачиваю их в журнальные страницы и перекидываю резинку. На странице журнала изображены собаки в каком-то сногсшибательном интерьере. Я вспоминаю сцену в столовой, улыбаюсь и тихо говорю: «Аф-аф!»

До поезда шесть часов. В дверь звонит Вадим. Я на всякий случай смотрю в глазок и открываю дверь. Вадим смотрит на меня, стоящего на пороге со свертком из журнальных страниц в руках, и говорит:

— Это ты так в Питер собрался? Не много тебе одному?

— В смысле? — не очень понимаю я.

— Это у тебя что в руках, в свертке?

— Деньги, Вадим, деньги.

— А-а-а... А я думал — наркотики.

— Это бьет по мозгам круче любого наркотика, брат...

Часть вторая

INSOMNIA*

> Drive boy dog boy
> Dirty numb angel boy
> In the doorway boy
> She was a lipstick boy
> She was a beautiful boy
> And tears boy
> And all in your innerspace boy
> You had
> hands girl boy
> and steel boy
> You had chemicals boy
> I've grown so close to you
> Boy and you just groan boy
> She said comeover comeover
> She smiled at you boy.
>
> *Underworld. «Born Slippy»*

Поезд

> Runaway train, never going back
> Wrong way on a one-way track
> Seems like I should be getting somewhere
> Somehow I'm neither here nor there.
>
> *Soul Asylum. «Runaway Train»*

И вот я еду в Питер. Именно еду, а не лечу бизнес-классом в самолете. Хотя корпоративные самураи всегда

---

* Бессонница (*англ.*).

182

должны передвигаться именно так. Самолеты вызывают у меня панический ужас, особенно если это самолеты внутренних российских авиалиний. Когда мне нужно быть в Париже, Милане или другом европейском городе, страсть заграничного шопинга и джет-сета перевешивает страх перелетов. Но поскольку перелет в российский город никакими такими заграничными радостями мне не светит, остается голый ужас, хандред, зе фак, персент пьюр. Я так и представляю себя лежащим посреди пластиковых обломков кресел и чемоданов «Delsey» и «Samsonite» и ошметков человеческих тел, пропитанных запахами алкоголя и экскрементов. И все из-за того, что какой-то бухолов из осмотровой группы вместо замены расшатавшихся винтов в крыльях попросту забил их обратно молотком. И пошел допивать дальше, поставив в досмотровом журнале отметку — «нарушений не выявлено». Брр!.. Конечно, никакого пейзажа я (НЕ ДАЙ БОГ!!!) не увижу и запахов тем более не ощущу. Но частенько, особенно в нетрезвом состоянии, я люблю рисовать эти ужасные картинки своим приятелям.

Короче, я еду в Питер на поезде. В СВ так называемого Николаевского экспресса. «Ультрасовременного и комфортабельного», как гласит рекламная брошюра. На самом деле поезд, конечно, полное говно. Чуваки из руководства МПС, наверное, решили, что они самые хитрые в этой стране. И что если на вороватых и неповоротливых проводников и проводниц надеть шапки с искусственным мехом, форменные пальто с медными пуговицами (подсмотренными в фильме «Сибирский цирюльник»), а наш советский поезд чуть подкрасить и развесить на окнах тамбуров таблички с литерой «Н», то получится охуительный, практически европейский экспресс. Но сколько ни говори «халва, халва» — во рту слаще не станет и говно оно и есть говно. Заходя в вагон, я раздумывал о том, сколько открутили на этой «модернизации» пройдохи из министерства и как, должно быть, они потешаются над идиотами, дающими интервью в стиле «я теперь езжу только на Николаевском!».

В СВ уже есть какой-то старпер (fuck! Я так мечтал о том, что поеду один). Несмотря на то что поезд еще стоит на перроне, чувак уже расстелил себе вагонную шконку, аккуратненько расправил простыню, пододеяльник, поправил подушку и лег читать книжку. При моем появлении он натягивает до подбородка одеяло, но я все-таки успеваю заметить, что на нем отглаженная белая майка-«алкоголичка».

Такие старперы бывают в командировках очень редко. Как правило, их посылают в самые далекие мухосрански, по какой-нибудь херовой причине вроде проведения семинаров, посвященных ознакомлению младших кассиров с новыми правилами эксплуатации кассовых аппаратов. Они готовятся к этому событию, как к восшествию на трон. Собираются три дня, несколько раз кладут в чемодан/сумку любимый исторический роман. Потом, с боязнью показаться случайным попутчикам слишком умным и получить, по пьяному делу, в бубен, они вынимают роман и заменяют его сраным детективчиком Марининой или Дашковой. Жена десять раз на дню спрашивает его, не забыл ли он положить тапочки, он начинает нервничать, поднимается давление и проч. На вокзал он выезжает за два часа до поезда (мало ли чего), обнимает и троекратно целует жену и детей, получает на прощание женино наставление «ты там не шали» (хотя, по чесноку, шалить-то ему уже нечем, если только веником) и выходит из дому.

Этому мужику очень повезло, ибо едет он не в мухосранск, а в Питер, да еще и в СВ. Вероятно, семинар будет для старших кассиров или чё там. Стопудово, этот старпер по дороге на вокзал думал о том, как удача пошлет ему еще один бонус в виде молоденькой попутчицы. Которой он будет трахать всю дорогу мозг, лезть с расспросами о жизни да еще и ляпнет что-то в стиле «да я отвернусь, не волнуйтесь», чтобы не выходить из СВ, когда ей будет нужно переодеться. А сам ведь, урод, будет украдкой втыкать на девичьи прелести.

Но в этот раз судьба-индейка посылает ему не молодую полногрудую телку, а сильно поддатого чела, меня то есть.

Кстати сказать, изрядно набраться перед поездом я успел в итальянском заведении «Траттория», что на Садово-Черногрязской, со своей уже упоминавшейся подругой Юлией. Мы с ней встретились по достаточно надуманному мной поводу: я купил ей пару книг (ха-ха-ха, самому смешно), но на самом деле просто потому, что захотел ее лишний раз увидеть. В общем, мы сидим с ней в этом кабаке, ведем умные разговоры, а я тем временем подумываю о том, как было бы распрекрасно с ней затеять секс. До поезда еще часа два, и в принципе, не будь я таким придурком, можно было бы замутить какую-то гостиницу. Но тут опять вступают в силу обстоятельства иного порядка. Дело в том, что с нормальными чувихами я давно разучился общаться. Я достаточно неплохо умею колотить пьяные понты перед тэ-тэшками, поддерживать их тупые разговоры о бутиках и спа, мутить всякий там секс в туалетах между двумя сплошными линиями кокоса и прочие мерзости. А вот охмурить понравившуюся мне девушку, которая не в тусовке, подарить, там, ей цветы, свести ресторанный разговор к постели, или еще что-то в этом роде, как делают нормальные люди, я не умею. Меня сразу охватывают такие стремаки, а уж если я и испытываю к объекту что-то, кроме банального полового влечения, тут уж хоть святых выноси. Я впадаю в такой ступор, что становлюсь похожим на Железного дровосека. Наверное, все это вращение в тусовке себе подобных мумий начисто отбило у меня способность общаться с нормальными людьми.

Чтобы скрыть свое волнение, я начинаю быстро бухать, много говорить (в основном глупости), подхихикивать, в общем, веду себя как полный мудак (да что там, я все чаще думаю, что я он и есть). Так получилось и в этот раз. Задумав взять высокий штиль, я как-то быстро стушевался, замялся и — пожалте бриться — наклюкался через сорок минут. Она была настолько любезна, что вовремя напомнила мне об отбытии поезда, отвезла меня на вокзал и уехала.

И вот я, с больной головой, пьяный и злой на себя, заваливаюсь в купе. С одной лишь мыслью рухнуть на полку и уснуть избавленным от чьих-либо разговоров. И вот нате вам:

— Добрый вечер!

Ага. Добрый, блядь, вечер. Лежит этот старпер и так вопросительно смотрит на меня поверх очков, как будто я ему должен сотку грин. Я как человек воспитанный буркаю в ответ «добрый вечер» и начинаю ставить свою чудесную, недавно купленную спортивную сумку «Fila for Ferrari» на полку для багажа, причем пьяным глазом стараюсь оценить, не слишком ли там пыльно.

Сажусь на шконку. Страпер тем временем начинает пулять в меня вводными предложениями, совершенно беспонтовыми и лишенными смысла, вроде того как «скоро уже отправимся», «вы если читать хотите или, там, есть собираетесь, вы свет можете не гасить». Ага, спросил бы я тебя, как же, даже если бы и собирался. Причем говорит он это таким нудным голосом, перемежая речь всякими сорняками типа «ага», «да вот» и прочими. И совершенно понятно, что разговаривать ему со мной не о чем, просто он, сука такая, пытается меня таким образом просканировать, а ну как во время разговора я сболтну что-то очень важное, что позволит ему определить во мне вора в законе, который сел в этот СВ с целью украсть ИМЕННО У НЕГО несчастную тысячу рублей командировочных.

Поезд наконец трогается. Я нехотя поддерживаю разговор о том, «принесут ли чай или самим идти», и прочей чепухе. Мужик заметно расслабляется и в какой-то момент говорит мне:

— А вы, стало быть, тоже в Ленинград едете?

— Нет, я еду во Владивосток, — совершенно серьезно отвечаю я, чувствуя, как едет крыша от всей тупости этого вопроса.

— Ага. — Мужик что-то пытается прикинуть в своей пустой башке. — Ну через Ленинград, да?

— Ну да, — еще раз отвечаю я, понимая, что с этим топографическим дауном, у которого на старости лет Владик и Питер находятся в одной стороне, лучше не спорить. — А как еще ездить-то?

Старпер начинает обдумывать полученную информацию. Внимательно так морщит лоб и даже откладывает книжку. Я тем временем открываю полагающуюся мне как пассажиру СВ маленькую бутылочку мерзотного коньяка «Московский» с отвратительным запахом сивухи. Открываю и отхлебываю изрядно, прямо из горла. Мой попутчик продолжает наседать на меня с идиотскими вопросами, зачем я еду, по работе или так, когда вернусь. Оглядывая его, я прихожу к выводу, что эта падла сидела лет пятнадцать назад, собирала слухи и сплетни и строчила анонимки и доносы на своих коллег по работе и соседей, про то, что они слушают «Голос Америки», имеют дома видеомагнитофоны и занимаются оральным сексом с любовницами. Разговор плавно перетекает во времена его молодости. Начинается рассказ про студенческие поездки в Ольгино, под Питером, костерочки, гитарки, водочку, комсомолок и «ну, там, сами понимаете». Я пытаюсь гипнотизировать этого болтливого каэспэшника, повторяя про себя нечто вроде мантры: «Заткнисьурод, заткнисьурод, заткнисьурод».

Любители КСП и всяких бардов с детства вызывают у меня нечеловеческую ненависть. Что-то, на мой взгляд, есть в этом уродское и извращенное. Во всех этих палатках, свитерах грубой вязки (не «Paul & Shark», конечно) на бородатых (под Хемингуэя) мужиках, широкозадых бабищах в болоньевых куртках, которые обычно сопровождают мужичков-каэспэшников. Вся эта тошнотворная нудятина, когда несколько человек сидят в обнимку у костра, один придурок играет на гитаре и поет херовым, осипшим голосом «под Володю», а остальные, дрожа от холода и раскачиваясь в такт, подвывают типа «Ах Арбат, мой Арбат» или «парррррррус, парррррррвали парррррррус» и т.д. О сексе под капающим потолком и говорить не приходится. Но, несмотря на все это, находятся еще редкие мудаки, готовые идти «в поход» по первому зову. Даже если место для похода — ближайший овраг.

Любитель Ольгина и комсомолок присел. Откинул одеяло и стал мазать себе бутерброд с красной икрой, приговаривая: «Вот икорка, вот. Хорошо». Икра, как вы понимаете, жуткая, сухая и самого низшего качества. Очевидно отношение МПС к пассажирам вагонов СВ, раз их кормят таким говном. (Хотя я допускаю, что денег МПС выделило на хорошую икру, просто местные закупщики купили самую плохую по цене самой хорошей, а разницу мандапули себе в карман.) Мажет эта бессонная гадина бутерброд и вдруг говорит мне этакое:

— Костюмчик на вас спортивный напомнил мне вот еще чго. Нам такие же, только синие, в стройотряде выдавали, на БАМе.

Нормальный ход? Я, несмотря на всю нетрезвость, сижу тут таким модником, в красном адидасовском спортивном костюме серии Vintage, а-ля «Beastie Boys» в 80-е годы, в красных же кроссовках «Fila for Ferrari» и даже где-то ловлю кайф от внутреннего диссонанса между нынешней модностью этого прикида и воспоминаниями о таком же внешнем виде бандитов в начале 90-х. Я, значит, чувствую себя этакой смесью гопника, собиравшего дань с палаток у Текстилей, и тусовщика с Ибицы, а эта гнида мне про стройотряды? Да если бы на дворе были тридцатые годы, я бы его замочил, а перед судом тройки оправдался бы, сказав, что он враг народа, ехал в Питер, чтобы убить товарища Кирова, и мешал мне спать. Выдыхая, я бормочу, что мне надо в туалет, беру сигареты и сваливаю в тамбур.

В тамбуре сквозит, отвратительно пахнет смесью холодного табачного дыма, плевками и мочой. Судя по концентрации, тамбур действительно не мыли, видимо, еще со времен царя Николая. Я закуриваю сигарету и смотрю на пролетающие мимо окна редкие деревья, постройки и проплешины полей. Вместе с ними в голове пролетают строчки Сашки Блока: «О Русь моя! Жена моя!» Хотя, учитывая окружающую темень, покосившиеся полустанки и запахи, правильнее было бы подумать: «Кому и кобыла — невеста». Хмель уже как-то отпускает, накатывают усталость и мысли о предстоящей встрече с дистрибьютором. Все эти финансовые разборки, борьба сил добра с силами разума, местная хитрожопость, предстоящий дележ рынка и проч.

В какой-то момент в тамбуре появляются еще два персонажа. Мужики лет по сорок. Первый — в джинсах и свитере, зато второй — в костюме и белых кедах. Этакий застрявший в восьмидесятых фанат брейк-данса. Я сразу окрестил его про себя брейкером. Стоят себе, курят и переговариваются полупьяными голосами. Я тоже курю сигарету за сигаретой, в голове туман, в СВ к бессонному старперу возвращаться совсем не кайфово. Чтобы разнообразить вечер, прислушиваюсь, стараясь врубиться, чего они там перетирают. Из калейдоскопа фраз «рынок», «дорого», «совсем охуели» и «не потянуть» — понимаю, что разговор, как всегда в России, когда литр уже выпит, переходит к экономике. (Следующая тема — внешняя политика и национальный/еврейский вопрос, но рядом с такими спорщиками находиться, как правило, уже опасно.)

Тут до меня долетает следующая тирада брейкера:

— Вот что интересно. У меня родня в Нижнем Новгороде. Так вот, там пиво местное стоит тринадцать рублей. А в Москве оно же уже двадцать пять.

— Ну, — отвечает второй, — это понятно почему. Доставка там, тыры-пыры, вот и стоит в Москве дороже.

— А! — радостно взвивается брейкер. — А почему тогда колбаса клинская и в Москве, и в Новгороде стоит почти одинаково? Чё, доставки нету? Или чё?

Лицо его собеседника, выхватываемое из темноты тамбура придорожными фонарями, покрывается морщинами, вызванными бешеной работой мозга в поисках решения данной экономической проблемы.

— Да... — говорит он вслух, — непонятки...

— Ага. И мне непонятно. Скорее всего мудаки они там все. Или считать не умеют, или тупые. Понятно и ежу, что скока бы ни стоила (ну в пределах там) — всяко бы покупали.

— Да... — окончательно запутавшимся голосом ответил второй. — Точняк.

Vox populum, скажу я вам, — страшная сила. Есть в ней что-то такое от гуннов. Конницей сметающее на своем пути все те ажурные замки социальных, экономических и философских схем, ежедневно (и за нехилые бабки) выстраиваемых учеными мужами. Гениями маркетинга и менеджмента. Если бы эти местные Бивис с Батхедом знали бы, какие катастрофически огромные деньги получают все эти отделы маркетинга, логистики, региональной дистрибьюции и планирования. Сколько времени тратится на расчет цены в далеком регионе, на уменьшение издержек, сокращение маржи и прочее и прочее. Чтобы там, в удаленном от Москвы регионе, какой-нибудь брейкер мог позволить себе купить под водочку колбасы, чтобы не ударило это по его облегченному покупкой водки карману. Чтоб покупал он чаще и больше. И за разумные деньги.

А тут — нате. Острый, как заточка гопника, аргумент: «Скорее всего мудаки они там все. Или считать не умеют, или тупые».

В такие моменты особенно остро чувствуешь свою удаленность от народа. Понимаешь всю никчемность своих трудов и усилий. Свою, а следовательно, и многотысячной армии менеджеров любых звеньев экономической цепи. Цепи, которая бьет тебя другим концом по голове, хотя кажется, что ты ее крепко держишь и направляешь. На самом деле — это она держит тебя.

Я иду в СВ с хмурым настроением. Только что вынуто еще несколько кирпичей из фундамента моей жизненной платформы. Еще немного — и вся моя жизненная философия рухнет, как Колосс Родосский. И вряд ли мои останки растащат на верблюдах некие условные арабские купцы. Во мне нет меди. Меня не на что переплавить...

В СВ тем временем умерло все. Надеюсь, до рассвета. Старпер храпит, посапывает и видит пятый сон. На часах два ночи. Я ложусь и стараюсь заснуть. Сплю я в поезде, который едет в Питер, традиционно плохо. Вот в обратном сплю очень хорошо. Видимо, это подсознательный страх ожидания ЧУЖОГО ГОРОДА. Или, может быть, переход опьянения в похмелье? Все равно, чем бы это ни было вызвано — сплю я отвратительно. Я ворочаюсь. Все время переворачиваю подушку. Беру шерстяное одеяло. Скидываю его. Опять беру. Борюсь то с ознобом, то с жарой. Проваливаюсь в дрему, открываю глаза, через некоторое время опять просыпаюсь. В общем, в таком состоянии я провожу какое-то количество часов и продираю свинцовые веки в шесть утра.

Мой соседушка, жаворонок этакий, уже сидит и готовится пить чай. Тут я начинаю понимать, что он наверняка заслан, чтобы отравить мой переезд своими глупостями, рассказами про КСП и молодость. Я сажусь, открываю пакет с соком и начинаю жадно всасывать в себя содержимое. Чувак тем временем разгоняет утреннюю шарманку словоблудия. Разминается, сука. Прицеливается всем этим «как спалось?» (ништяк, землячок), «скоро уже приедем», «чай надо взять». Я угукаю и делаю вид, что мне нужно что-то достать в сумке. Методично обшариваю карманы, готовлюсь слинять в тамбур и все такое. Тут мои пальцы натыкаются на какой-то комок в целлофане. Я медленно достаю его и украдкой разглядываю. Белая субстанция в целлофане.

«Что в пакете?» — спрашивает у знатоков телезритель из Тюмени.

Может быть, соль? Зачем? Что солить? Дорожную еду? Я что, курицу в поезд беру? Может, я турист, да? Догадка бритвой вспарывает мне мозг. Известно что. Порошок. Мозгоотбеливатель. «Тайд» для извилин. Одним словом, кокос.

Я поднимаю палец вверх и говорю каэспэшнику:

— Секундочку. Щас вернусь.

Хватаю узкую брошюру, рекламирующую вагон-ресторан, журнал и пулей несусь в туалет. В этот утренний, похмельный час он, к счастью, свободен. Открываю дверь, разворачиваю журнал, кладу его на раковину, высыпаю содержимое. Аккуратно раскатываю его на две дороги и быстро убираю стафф.

«Счастливого пути!» — желает мне реклама МПС на двадцать четвертой странице.

— Спасибо, — вслух отвечаю я.

Выхожу в тамбур. Минут пять туплю в окно. Просыпаюсь окончательно. Обретаю плавность в суставах, некоторую веселость. Иду в СВ.

Последний перед Питером час пребываю в хорошем настроении. Смеюсь над шутками старпера, врубаюсь во все его базары про Ольгино. Говорю, как я люблю играть на гитаре (ага, дайте струны, прямо здесь исполню). Хохочу от души и т.д.

Наконец поезд прибывает в Питер. Я беру сумку, долго раскланиваюсь с соседом, желаю хорошей командировки и говорю что-то вроде «вот хорошо бы и обратно так ехать». Давлюсь смехом и выхожу на перрон. Прохожу вдоль поезда, затем через здание вокзала, звоню встречающему меня питерскому сотруднику Леше. Говорю, что приехал. Он говорит, что подъезжает к вокзалу. Я выхожу на улицу, закуриваю сигарету, хотя курить не хочу. Делаю две затяжки и кидаю ее в Питер. Питер моментально кидает мне в лицо горсть мелкого дождя. Такая нынче погода.

Подъезжает Леша. Молодой парень, лет двадцати пяти, который все время, которое я его видел, днем и ночью ходит в темных очках. Во-первых, носить темные очки ночью — удел дилеров, сутенеров, дискотечных юнцов и сторчанных норкоманов. То есть, надевая ночью темные очки, ты либо хочешь казаться одним из вышеперечисленных субъектов, либо ты полный мудак. С утра, в дождь, носить темные очки тоже вроде как не резон. Но Леша этого не понимает. Понимал бы, не ездил бы на сраной «девятке» и жил бы в Москве. «Наверное, он наркоман», — думаю я, и меня опять начинает накрывать смех.

Садимся в машину. По радио играет какая-то чумовая, быстрая музыка. Очень громко.

— Музыка не мешает? — орет мне Леша. — Я просто люблю быструю музыку громко слушать. Бодрит.

— Нормально, — отвечаю я. В самом деле, мне такая музыка как раз в тему.

Я откидываюсь на сиденье и прошу отвезти меня в гостиницу.

— Питались уже? — спрашивает меня Леша.

— Ага, — киваю я. И добавляю уже про себя: «В основном через нос».

Мы трогаемся. Едем по Невскому. На углу, на афишном щите, реклама гастролей или концертов какого-то оперного исполнителя. «Исполнитель арии Ленского и чего-то там еще», — гласит реклама.

Ага. Именно. Что день грядущий мне готовит? Одни вопросы.

Воистину, дорога кокаина с утра — шаг в неизвестность...

Я закрываю глаза. Я в Питере.

Питер

Деревня, где скучал Евгений,
Была прелестный уголок...

А.С. Пушкин. «Евгений Онегин»

Мои отношения с Питером напоминают междинастические браки. Вероятно, так молодые принцы-престолонаследники, которых женили на страшных бабах по политическим мотивам и голубой крови, привыкали любить вопреки. Потому что хочешь не хочешь, а жить придется. Жить, трахаться и рожать новых престолонаследников. Посему заставлять себя любить, выискивая какие-то там интересные черточки в характере, манере поведения и внешнем виде, приходится. Иначе как престолонаследников-то делать? Нередко от такого «чувства вопреки» рождались не совсем нормальные дети. Дети, зачатые без любви.

Так же и у меня. Бывая в этом городе довольно часто по делам бизнеса, я вынужден был привыкать к его серому небу, переменчивой погоде, промозглому климату и желтой воде из крана. И какие такие «дети» получатся у моего с Питером романа без любви, я мог себе представить только в страшных снах.

В моменты моего первого приезда в Питер я пришел к выводу, что из-за депрессивной атмосферы здесь мож-

194

но делать только следующие вещи: просыпаться с утра, ставиться винтом и тупить; в моменты отходняка заливаться водкой и плакать; рыдать от безысходности и серого неба, свеситься из окна и смешивать свои слезы с перманентным дождем. И трахаться. Отчаянно ебаться, понимая, что из-за таких наклонностей каждый секс может быть последним.

Затем, по прошествии трех лет, я начал постепенно привыкать к Питеру. Наезжал я туда около четырех-пяти раз в год, обзавелся некоторым количеством знакомых, парой бессмысленных адюльтеров и еще большим количеством скандальных историй с хулиганством в клубе, дракой на домашней вечеринке и прочим. В эти годы я пытался притереться к городу. Войти в тусовку, перенять некоторые питерские привычки, чтобы наконец перестать испытывать здесь такую мучительную скуку и депрессию, из которой жутко тяжело выходить даже по приезде в Москву. Когда кажется, что ты привозишь с собой в дорожной сумке камни, отломленные от питерской тоски. Период этого моего заигрывания с Питером не привел ни к чему особенному. Как мне говорили до того разные люди, которые жили или родились в Питере, чтобы привыкнуть к нему, нужно научиться понимать здешних жителей. Они — особенные. Не такие чванливые мещане, как в Москве, гораздо более культурные и менее замороченные на всех этих плотских удовольствиях, чем москвичи. Безусловно, питерцы гораздо интеллигентнее, образованнее и человечнее прочих жителей России. Не зря ведь Питер считается культурной столицей. Этаким форпостом духовности.

Теперь я гораздо лучше понимаю город и его настроение. Не могу сказать, что путь к этому знанию был легок и приятен, скорее наоборот. А уж открывшиеся мне истины достойны того, чтобы не тратить время на их обретение. Здесь гораздо лучше быть беззаботным командированным и не обременять себя всеми этими фуфельными знаниями. Тем более что обладание ими вам ничем не поможет.

Основная тема высокодуховных жителей Питера — это зацикленность на собственной значимости и особенности. Все разговоры с москвичами в конечном счете сводятся к двум темам: «Европейский Питер vs московская Рязань» и «Дай сотку до завтра». Кажется, что надо всем городом тяготеет проклятие «бывшей столицы». Даже люди, приехавшие в Питер из губерний, сразу заражаются этим вирусом. И так же начинают вести все эти глупые разговоры про культурную столицу: «У вас там толпы на улицах», «Все деньги в Москву уходят» и т.д. Они моментально выучивают историю Питера, все его исторические памятники и знаковые места (что само по себе великолепно), но иногда попадают в своем желании казаться «истинными петербуржцами» в достаточно комичные ситуации.

Однажды я прогуливался по улицам города с питерским знакомым, который с увлечением доказывал мне, как здесь хорошо, «а там у вас в Москве жуть одна». Про то, как ему здесь комфортно и как он мне не завидует. Походя он рассказывал мне истории некоторых памятников истории, а дойдя до какой-то улицы, сказал, что «вот здесь была очень опасная сторона при артобстрелах во время войны». Затем он поведал мне еще что-то об ужасах блокады Ленинграда, я очень уважительно его выслушал и вежливо поинтересовался, погиб ли у него кто-то во время блокады. Он, как бы между делом, совершенно цинично заметил:

— Да нет, ты что! Я ж сюда из-под Мурманска приехал три года назад, — сказал он и продолжил свое увлекательное повествование о тяготах блокадного времени.

Чем обеспечил мне пищу для размышлений и этого сатирического очерка.

Корни всей этой «значимости», безусловно, растут из малого масштаба всего, что происходит в городе. Любому мало-мальски выдающемуся из общего ритма города событию придается колоссальное значение. Будь то показ коллекции какого-то бутика (по пятому разу) или посещение питерским диджеем Ибицы. В последнем случае все главные питерские журналы (числом в два) пестрят заголовками «Наши на Ибице!» или «Питер задает толк» (будто бы этот диджей не сиротливо жался к стене, а реально был хедлайнером всех шоу сезона на острове).

В городе по большому счету ничего не происходит. Все варятся в собственном соку, высасывают из пальца поводы, чтобы еще раз собраться и перетереть по сорок восьмому заходу одни и те же сплетни, позлословить по поводу Москвы и, упившись халявным виски на презентации, в очередной раз рассказать знакомым, что ты днями уезжаешь в Москву. Насовсем. К уже готовому и высокодоходному бизнесу. И как ты через год вернешься, а «вы так и будете торчать в своем болоте». Понятно, что никто никуда не уедет и все эти пьяные истории повторятся на следующей неделе.

Таким образом, становится понятно все презрение к Москве со стороны нашей европейской столицы. Во-первых, из-за замкнутости собственного мирка и отсутствия в европейском городе событий европейского же масштаба. Во-вторых, из-за подражательства. Вся питерская тусовка, все события, клубы и рестораны напоминают уменьшенную в размерах Москву пяти-шестилетней давности. Все сводится к противопоставлениям двух городов. Вот у нас здесь интеллигенты, а у вас барыги, у нас правильно говорят «поребрик», а у вас, лохов, почему-то говорят «бордюр». Мы окружены здесь памятниками истории (которые любим до такой степени, что готовы будем до хрипоты противиться сдаче их в аренду коммерческим структурам до тех пор, пока они окончательно не развалятся), а вы окружены клубами и т.д. Как известно, больше всего мы ненавидим то, к чему тянемся, что мы так тщательно копируем, чему завидуем и чем хотим обладать. Одним словом, «объект желания». А зависть почти всегда маскируется снисходительным презрением.

Еще одна питерская проблема — отсутствие денег. В общегородском масштабе. Нет, конечно же, здесь есть богатые и очень богатые люди. Но в большинстве своем люди здесь бедны. Ниже зарплаты, меньше возможностей, но самое главное — это отсутствие желания работать. Вкалывать, ишачить или как там еще это называется. И эту врожденную лень, медлительность, боязнь надорваться не компенсируешь никакими «у вас там, в Москве, все деньги, у вас там правительство, банки, у вас там наш Путин». Москвичи, имеющие часть бизнеса в Питере, полагаю, меня поддержат.

Посему в Питере модно жить в долг. Ты здесь должен две сотни другу, этот друг должен две сотни своему другу, а тот, в свою очередь, должен тебе. И эта круговая порука является базисом многих отношений. В какой-то момент все дружно всем прощают, чтобы через пару недель восстановить этот долговой статус-кво.

Эта самая бедность аудитории, притом самой активной ее части, молодых людей от двадцати до тридцати лет, очень сильно жахает по бизнесу. Согласитесь, довольно сложно, например, содержать ресторан, если каждую пятницу у тебя двадцать два посетителя, из которых двое платят за четверых, а еще восемь человек пришли с теми, за кого платят, и прихватили с собой своих подруг.

Когда ты въезжаешь в здешний стиль жизни, то становится совершенно понятно, что жители Северной Пальмиры ничем не отличаются от жителей Москвы. Они такие же мещане, тусовщики, клерки и просто бездельники, как и в Москве. В городе просто меньше денег, а отсюда — больше проблем. И гирей, пудовой гирей нависает над городом комплекс былой столичности, который не выветрился за прошлые десятилетия. Он витает здесь в воздухе, бьет по мозгам жителей, подобно прибою о набережные Невы. И с каждым его ударом отчетливее становится ясно, что при всех попытках быть столицей Питер все более и более становится провинцией.

Почему не исчез этот комплекс, мне совершенно не понятно — всем живущим здесь от этого только хуже. Это похоже на разорившееся дворянство, с прежними амбициями и полной невозможностью их достижения. И от этого люди ненавидят себя, а еще больше город, в котором живут. И город им отвечает тем же. Мстит за то, что его построили на костях, за нелюбовь и стремление сбежать отсюда.

Город, построенный другими людьми. Для того чтобы в нем жили другие люди. Люди, которые поддерживали в должном состоянии всю эту красоту и великолепие. Все его дворцы и потрясающие особняки. Все его каналы и набережные. Сады и скверы. Которые совершали выезды, заполняли вечерами театры, оперы и рестрации. И с достоинством входили в парадные, в роскошные деревянные двери пятиметровой высоты, нынче замененные на эти уродливые железные, с ржавыми кнопками кодовых замков. И город светился, наполненный чувством собственного достоинства.

А потом эти люди вымерли, а город заселили свинотараканами со всех возможных устыпиздюйсков, которым это великолепие на хуй не нужно. Им нужно, чтобы низкие потолки, чтобы темно и мокровато. И чтобы никто не видел, как они пожирают ночами останки чужого для них города, рыгают, пьют пиво и медленно превращают окружающее пространство в село Среднерусской возвышенности. Которое не режет глаз мрамором особняков и в котором они чувствуют себя столь аутентично. Безусловно, таким не нужны пятиметровые потолки с лепниной. Свиньи ведь не смотрят вверх, туда, где небо, — у них просто нет шеи...

И вот я снова в Питере. Я лежу на кровати в номере гостиницы «Невский Палас» и пытаюсь заставить себя встать, принять душ и переодеться. Перещелкав все каналы телевизора по четыре раза, просмотрев мини-гид по ресторанам отеля, «этого рая для гурманов», есть в котором, впрочем, невозможно, я встаю и походкой загнанного на мельнице осла иду в ванную комнату. Перед тем как раздеться, набираю мобильный директора представительства, Володи (который настолько обурел на своем питерском «кормлении», что не удосужился встретить меня, просто послав сотрудника) и прошу его собрать через четыре-пять часов всех наших питерских дистрибьюторов для обсуждения нашего положения на рынке и совместной работы. Я вешаю трубку и про себя желаю ему провести остаток времени до моего приезда в адских мучениях.

Затем я открываю оба крана, и ванна медленно начинает наполняться водой цвета большинства фасадов Питера. То есть, попросту говоря, ржавой. Память тут же великодушно подсказывает строчки из отельной брошюры — «"Невский Палас" — отель высшей категории, место, которое, без сомнения, можно рекомендовать гостям Северной столицы». Я беру с полки над раковиной все тюбики с шампунем, гелем и жидким мылом и выливаю их содержимое в ванну. Возникающая пенная шапка постепенно накрывает собой ржавую воду. Я снимаю одежду и ложусь. На ум приходит параллель между пеной и торжествами по случаю трехсотлетия Питера. Действительно, если разобраться, выходит одно и то же. Отремонтированные фасады домов на Невском закрывают собой обшарпанное убожество внутренних домов, рассыпающихся подъездов и квартир с лопающимися трубами. Точь-в-точь как эта пена. Реально, если можно отремонтировать пару домов и покрасить несколько дворцов, продав все это федеральному бюджету за 700 миллионов долларов, то что мешает навесить на ржавые коммуникации новую сантехнику и продавать потом «гостям Северной столицы» номер за 15 тысяч 35 рублей в сутки?

Тем не менее теплая вода способствует релаксации и очищению мозгов от последствий утреннего «ускорения». Я провожу в ванной около часа, тщательно бреюсь, затем выхожу в комнату, разбираю сумку и начинаю переодеваться в костюм. В целом настроение улучшается. Еще через полчаса я допиваю свой кофе в холле отеля, звоню любителю громкой танцевальной музыки Леше и выхожу из гостиницы.

Наш питерский офис находится в милом особнячке, построенном в середине девятнадцатого века. Несмотря на более чем скромный штат в восемь человек, он занимает пространство в сто квадратных метров, что объясняется соображениями экономии или чего-то подобного. От хитросплетений стоимости арендной платы я всегда был слишком далек.

Штат представительства в Питере состоит из директора Володи Гулякина, его секретарши, менеджера по маркетингу, водителя, трех сейлсов (Даши, Маши и, по-моему, Наташи) и девушки Полины, исполняющей неизвестные функции, но носящей гордое звание офис-менеджера (с первого взгляда на нее у меня закрадывается подозрение, что исполняет она в основном амурные функции). Прямыми продажами представительство не занимается, а только контролирует работу наших дистрибьюторов, маркетинговые бюджеты и промоушн-акции. Коллектив напоминает колхоз военного времени, в котором всю мужскую работу выполняют жены ушедших на фронт под управлением хитрого председателя, не взятого в армию по болезни. Офисное пространство хитрым образом поделено на кельи различного объема, в которых эти женщины и помещаются со всем своим обширным скарбом. Целый день они гоняют чаи и кофеи, изредка отвлекаясь на звонки в Москву или клиентам. Помимо ассоциаций с колхозом, питерское представительство напоминает мне уездную больницу. Даже местные женщины ввиду своей рутинной и неспешной работы похожи на старушек нянечек, чей возраст неопределим. То ли тридцать два, то ли пятьдесят четыре.

Реально все выглядит как больница с несложными пациентами, в которой пахнет чистотой, старостью, бинтами и воровством. Да, да, воровство также имеет свой запах. Ты начинаешь ощущать это, когда попадаешь в коллектив мелких жуликов. Вероятно, поры их тела выделяют особый гормон, пахнущий застенчивым стыдом, жульничеством и страхом. В свете последней идеи перехода в режим прямых продаж настроение у директора нашей питерской богадельни, надо понимать, не совсем хорошее. С одной стороны, увеличение штата и маркетингового бюджета, с другой стороны, неминуемая личная ответственность за планы продаж, которые уже нельзя будет списать на нерасторопность дистрибьюторов.

Я пересекаю порог офиса, обуреваемый жаждой деятельности. Странно, но здешняя атмосфера неторопливого безделья всегда вызывает во мне обратные желания. Вероятно, из чувства противоречия. Я здороваюсь с персоналом, пребывающим сегодня в полном составе и толпящимся в холле. Я жму руку каждой девушке, согласно американским корпоративным правилам, хотя мог бы и расцеловаться в щечки, как принято у слащавых французов или вечно похотливых итальяшек. Но, если честно, меня совсем не греет перспектива расцеловывания с этими жабами, посему я выбираю подчеркнуто деловой, англосаксонский стиль.

И все очень радостны, и каждая говорит мне что-то вроде «С приездом!», или «Как доехали?», или «Как вам Питер?», или прочую, приличествующую моменту, ахинею того же сорта. И у всех на лице написаны разные реплики/комментарии к сценке типа «Ничего, симпатичный мужик», или «Придурок столичный», или «Спросить его, что ли, заплатят ли декретные в случае чего?». И у всех вдоль лбов, словно начертанный красным маркером, пульсирует единственный объединяющий их вопрос: «ЗА ЧТО?»

Володя, источая гостеприимство, выходит ко мне навстречу и долго жмет руку. Здесь проявляется очень тонкий момент. Если бы он встретил меня со всеми вместе, в холле, он показал бы своим сотрудникам, что он также очень взволнован появлением московского визитера и спешит первым принести присягу на верность. Такое подобострастие могло бы поколебать его статус местного боярина в глазах челяди и означало бы его полный переход под мою юрисдикцию на время визита. С другой стороны, оставшись у себя в кабинете, он выказал бы полное неуважение ко мне, что не осталось бы безнаказанным. Встретив же меня на полпути, подобно хозяину дома, Вова остался целиком в рамках кодекса чести корпоративного самурая. У которого полный порядок в хозяйстве и полное понимание процедуры высказывания делового респекта.

— С приездом в город-герой Санкт-Петербург, — улыбается Вова.

— Спасибо. Как жизнь? Конкуренты еще не одолели?

— Да вроде нет, пока все тип-топ! — Одна из немногих англосаксонских фразочек, наряду с «оки-доки» вызывающая у меня рвотные позывы. — Кофе попьем?

— Попьем, Вова, конечно, попьем. Ты сходняк дистрибьюторов на сколько назначил?

— На два часа дня. Все уже обзвонились, спрашивают, чего москвичи удумали.

— Да брось ты, — настраиваюсь я на предложенную им шутливую волну, — чего мы там у себя придумаем? Так, пару часов без толку поговорим о природе и погоде и разойдемся.

— Ну, может, кофе попьем и пообедать успеем съездить?

— Да нет, Вов, завтра пообедаем. Ты лучше поручи своему секретарю подготовить мне цифры оборотов по клиентам, дебиторскую задолженность, рекламные бюджеты, ну ты сам знаешь. И попроси персонал не расходиться.

— Да у нас уже готово все, — отвечает Вова обиженным тоном. — Вчера еще сделали.

— Да у тебя, я вижу, дисциплина прямо армейская. Ну, тогда дай мне часик, я с бумагами покопаюсь, а потом с сотрудниками поговорю, а там и дистрибьюторов твоих начнем допрашивать.

Гулякин если и ожидал от меня некоего рвения, то уж явно не такого. По имеющейся у него обо мне информации, ждал его визит отъявленного раздолбая, любителя веселого досуга и ночной жизни. Что же, лучше один раз увидеть и все такое. Воистину, картинки обманчивы.

Еще час я провожу с бумагами, переписываю себе годовые обороты клиентов, соотношу их с количеством обслуживаемых и с бюджетами, делаю пометки в блокноте и просматриваю почту. Затем вызываю по одному сейлс-менеджеров, осведомляюсь об их достижениях и спрашиваю их мнение насчет открытия собственных, прямых продаж. Все как один утверждают, что затраты на этот переход не сопоставимы с результатами, рассказывают о неготовности рынка к большим объемам и тяготам неплатежей со стороны клиентов, которые сейчас расхлебывают дистрибьюторы. Я отмечаю, что подготовительная работа проведена Гулякиным на «отлично». Барина, сумевшего убедить персонал, что все будет только хуже, здесь чтут и боятся.

Периодически в переговорную, ставшую на время моим кабинетом, заглядывает Гулякин, осведомляется, «все ли в порядке», и подгоняет свою секретаршу с кофе.

В какой-то момент у меня звонит мобильный и говорит голосом моего питерского интернет-приятеля Миши:

— Зиг хайль! — Миша повернут на истории Третьего рейха, он даже как-то давно продавал мне легенду о том, что его дед — немец, взятый в плен во время блокады Ленинграда, осевший здесь, родивший детей и передавший по наследству Мишке арийскую суровость и штык-нож времен Второй мировой. Поскольку данных, опровергающих это, я не имею, мне остается только верить на слово.

— Воистину зиг хайль, — отвечаю я.

— Ты в Рязани еще или уже у нас, в столице?

— В столице, в столице. В Питере.

— Ну чё, какие планы?

— Планы по «плану», Миша. У тебя настрой имеется? Все в силе?

— У меня, как у подводных лодок «кригсмарин», есть цель, есть дистанция. Остальное — детали.

— Во сколько торпедируем?

— Ну, часов в девять подгребай, успеешь?

— Яволь!

— Ну и давай тогда, пока, а то у меня на телефоне денег мало.

Это значит, что сегодняшний вечер будет посвящен духовности. И это добавляет мне оптимизма, нехватку которого я так ощущал этим утром.

Далее я пью кофе, договариваюсь с сейлс-менеджером Машей о совместной поездке во второй половине дня по торговым точкам, затем делаю несколько телефонных звонков, захожу в туалет, где пытаюсь смыть с себя сонное состояние холодной водой, затем еще минут двадцать, зевая, слоняюсь по офису.

В комнате, где сидит секретарша Гулякина, стоит радио, из которого звучит «Hunting high and Low», одна из моих любимейших у «A-HA». И я сажусь на стул для посетителей, глупо улыбаюсь и даже вполголоса подпеваю. На меня опускается какая-то удивительная истома, и мне хочется положить кому-нибудь голову на плечо и, возможно, даже заплакать. И на какое-то время мне становится хорошо и спокойно. И мне совсем не хочется двигаться, и кажется, что все вокруг также замерло. И я пребываю в этом чудесном состоянии невесомости рассудка некото-

~ое время, пока реальность голосом Гулякина не сообщает мне о том, что дистрибьюторы уже в переговорной. И я вскакиваю, будто бы кто-то нажал у меня на спине на кнопку с надписью «ненависть».

Дистрибьюторы — самые отвратительные из всех звеньев цепи купли-продажи. Ни один дистрибьютор в России, отвечающий за продажи в собственном регионе, не заботится о продвижении вашей торговой марки. Как правило, его ассортимент наполнен всевозможными продуктами данной товарной группы, нередко конкурирующими друг с другом. Такое изобилие дистрибьютор всегда объяснит потребностями рынка, который выбирает поставщика в зависимости от широты предлагаемого ассортимента. Какие бы тренинги вы ни проводили, какие бы рекламные бюджеты вы ни предлагали (безусловно, речь не идет о гигантах типа «Бакарди-Мартини» или «Филип Моррис»), ничто не заставит его свернуть с пути валовых продаж в сторону наибольшего акцента на вашей марке. Никакого дистрибьютора невозможно заразить философией вашего продукта и страстью любимого дела. Вся идеология дистрибьютора — это сиюминутное извлечение прибыли и присвоение себе наибольшей части полученного бюджета на коротком временном промежутке. Очевидно, что все долгосрочные проекты, связанные с дистрибьютором, построения «прочного партнерства с прицелом на будущее», совместное освоение рынка — суть полная утопия. Ваше будущее может закончиться с появлением более выгодного продукта, аналогичного вашему по групе (пусть даже во много раз худшему по качеству). Или в случае окончания постройки владельцем дистрибьютора домика на побережье Испании и последующей продажи/ роспуска компании. Один из немногих способов — это наличие небольшого собственного штата в регионе, который общается с клиентами напрямую, подгоняя дистрибьютора быстрее доставлять товар и проводя за него работу по

206

увеличению продаж в конкретной точке. Также можно коррумпировать некоторых сотрудников дистрибьютора в целях повышения ваших продаж, но нет никакой гарантии, что эти сотрудники не работают по такой же схеме со всеми поставщиками, так же как и их хозяева.

Дистрибьюторы, подобно саранче, жрут урожай, возросший на поле, удобренном твоими бюджетами, и всегда готовы взмахнуть крыльями и улететь на другую поляну, жужжа об изменениях на рынке. Они во многом похожи на дорожных шлюх, с которыми никогда не знаешь, получишь ли ты некоторое удовольствие за свои бабки или схватишь какую-нибудь неведомую венерическую болезнь. В памятке, посвященной работе с дистрибьютором, в первых строках должно быть написано следующее: «Входя на новый рынок через дистрибьютора, вы всегда должны понимать, что все ваши действия носят временный характер. Они сопряжены с затратами и риском потерять все из-за проституирующей политики вашего дистрибьютора. Начиная работу с дистрибьютором, вы должны четко понимать, как скоро вы ее закончите, чтобы открыть собственные продажи». В целом вся схема с двух сторон заточена под кидалово. Все зависит от того, кто окажется хитрей и проворней. И сумеешь ли ты быстро открыться сам до того, как дистрибьютор высосет из тебя бюджеты и бонусы. Откроешься ли без потери клиентской базы и огромного количества времени.

И вот они сидят в переговорной, в количестве десяти человек, по двое от каждой компании. Мы обмениваемся визитками, Вова по ходу дела обсуждает какие-то вопросы с некоторыми из них. Атмосфера, надо заметить, весьма напряженная. Расслабленными тут выглядят только трое персонажей: коммерческий директор компании «Импульс», его начальник отдела маркетинга и я. Со мной все ясно, а эти двое — представители самого большого нашего дистрибьютора. Представителей такого дистрибьютора видно в любой переговорной. Самодовольные и уверенные ублюдки в дешевых костюмах и галстуках с непременными заколками, всем своим видом показывающие, насколько ты от них зависишь.

С краю стола сиротливо примостились посланцы двух самых маленьких компаний. Они нервно пьют кофе и с завистью посматривают на своих коллег-конкурентов. Они понимают, что все сказанное тут коснется их в меньшей степени. И никакие новые блага не польются на их головы (дай Бог, чтобы не лишили прежних). И пригласили их скорее из вежливости, чтобы отдать моральную дань тем, кто собирает крохи с земли. У них очень грустные глаза, они сидят рядом, все вчетвером, обсуждая свои маленькие проблемки вполголоса, тогда как крупные рыбы уверенно басят и раскатисто смеются. Но жалости они во мне, безусловно, не вызывают. Подобострастные взгляды, которые они мечут в меня, желая доказать, с каким усердием работают с нашим продуктом, еще больше уверяют меня в мысли о том, что если когда-то все изменится и они поменяются за столом с теми, кто сейчас играет первую скрипку в этом пуле, то хамить они будут еще больше и раздувать щеки еще объемнее, в жажде мщения за все времена, проведенные ими в качестве воробьев на столе уличного кафе.

И повторюсь, мне их совсем не жалко, и я желаю им скорейшего банкротства, впрочем, как и всем остальным присутствующим.

Тем не менее я начинаю разговор об итогах прошлого финансового года, глядя на них, и отмечаю работу всего региона в целом так, как будто это только их заслуги. В самой высшей точке этой моей хвалебной оды, когда их плечи почти расправились и недоуменные взгляды присутствующих заставляют их почти почувствовать себя значимыми, я заканчиваю эмоциональную часть и поворачиваю голову в сторону Больших Парней этого стола, многие из которых

208

уже постукивают пальцами по поверхности стола. Я говорю о предстоящих конкурентных битвах, особо отмечаю роль в них двух самых крупных наших партнеров и не забываю упомянуть о перспективах нашего нового дистрибьютора, представители которого кивают и что-то помечают в блокнотах.

Затем Гулякин рассказывает о концепции работы с новыми линиями продуктов, рисует на доске графики роста потребительского спроса, говорит о конкурентных преимуществах нового продукта, в общем, делает все, чтобы многие (и я в том числе) начали зевать.

В финале совещания я предлагаю присутствующим задавать вопросы. Безусловно, самым животрепещущим вопросом является выделение дополнительных бюджетов под продвижение нашей новой линии. Один из представителей компаний-мальков пытается заикнуться о проблемах логистики и дебиторской задолженности магазинов малых форматов, но его быстренько затыкают остальные присутствующие. Проблемы аутсайдеров, равно как и характеристики нового продукта, тут никого не интересуют.

Услышав от меня, что дополнительные бюджеты, конечно же, будут и распределять их будет наше питерское представительство, коммерческий директор «Импульса» успокаивается, смеясь, брякает что-то из разряда «с этого бы и начинали», Гулякин пытается также поднять волну юмора туповатой фразой «оставили в конец, на сладкое», и митинг трудящихся оптовой торговли благополучно подходит к концу. Представители «Импульса», сославшись на переговоры с какой-то сетью, откланиваются, чуть позже мальки встают из-за стола с обреченными лицами, а я выхожу в коридор, предварительно попросив остаться посланцев второго по величине дистрибьютора, сидевших всю встречу с неудовлетворенными и слегка злыми лицами.

Я иду в туалет, пять минут плещу себе в лицо холодной водой, чтобы сбить нахлынувшую усталость, заторможенность и желание выспаться. По возвращении в холле я встречаю делегата от группы мальков, который вежливо останавливает меня, говорит какие-то проникновенные слова о нашей совместной работе и приглашает меня на «партнерский ужин». Я ссылаюсь на дела и отказываюсь, оставляя его в одиночестве провожающим меня взглядом побитой собаки.

Затем я провожу еще минут тридцать с представителями компании (она называется «Трест-М», и на ум приходит название рассказа О'Генри «Трест, который лопнул»), спрашиваю их про трудности в работе, про ожидания от новой линейки продуктов, про маркетинговую политику в отношении их славной компании и про проблемы дистрибьюции. Мы расстаемся весьма довольными друг другом (в особенности после моего обещания пересмотреть в Москве выделяемые им бюджеты), жмем руки, обмениваемся мобильными телефонами и наконец расстаемся. Один из них на прощание передает мне сложенный вдвое листок бумаги и говорит: «Это вам, в качестве резюме беседы». Я удивленно смотрю на него, потом кладу бумагу во внутренний карман.

Перед моим отъездом мы мельком видимся с Гулякиным, который справляется, как у меня впечатления, и предлагает поужинать. Но, предвкушая сегодняшний вечер длиною в молодость, я переношу нашу с ним встречу (а ее по сценарию не избежать) на завтрашний обед и отбываю «в поля».

Остаток дня я провожу в разъездах по розничным торговым точкам. Всем этим «Лентам», «Метро» и «Рамсторам», напоминающим мне восточные рабовладельческие базары или разграбленные кочевниками города Римской империи. То же бессистемное брожение сотен людей, с отсутствующими лицами тащащих перед собой тележки, доверху набитые различным барахлом. Всеобщий гомон, оглушающая музыка по радио, часто прерываемая гавкающими объявлениями по громкой связи, семейки, выбравшиеся в гипермаркет, как в музей изящных искусств, очереди в кассу и всеобщее помешательство.

И антуражем этого варварского безумия вместо крепостных стен с безжизненно свесившимися городскими флагами — бетонные стены коробки гипермаркета с лентами рекламных постеров.

ЛУЧШАЯ ЦЕНА В ГОРОДЕ...

Показав три капища, посвященных богам глобальной торговли, менеджер Маша, сказавшая за время нашей четырехчасовой беседы не более тысячи двухсот слов (в предыдущем абзаце их шестьсот пятьдесят пять, не считая «выкладка», «супервайзинг» и «конкретно»), везет меня обратно в «Невский Палас», где я и сворачиваю в рулон влажную простыню этого дня.

Сильные духом

Попробуй морфий — он сегодня отменный!

Ну, мозги чувака — они, типа,
                        сделаны для всяких
сложных вещей, там, типа науки.

Ну, или считать банки пива, или
экспериментировать на червяках и все такое.

Из высказываний героев м/ф «Бивис и Батхед»

Мы сидим у Мишки, на его холостяцкой кухне. Занавески на окне плотно задернуты, зеленый абажур льет на середину кухни приглушенный столб света, на плите кипит чайник — в целом обстановка достаточно комфортная и уютная. Мишка нарезал лимон, неловко вывалил

211

его на блюдце, чертыхнулся и пошел в комнату. Возвратился он с квадратиком из газетной бумаги в руках, сел напротив меня и начал медленно его разворачивать.

— Миш, — говорю я, — ты похож на сапера, который боится ошибиться.

— Ага, а ты на грифа, который ждет добычу, — сказал он, сопя, и, аккуратно разворачивая «фитюлю», добавил: — Не бойся, не ошибусь.

Он взял со стола «беломорину», смешал на руке табак и траву и четкими движениями, не глядя на ладонь, начал забивать первый косяк.

Совместное курение марихуаны с Мишкой стало моей доброй питерской традицией. Познакомились мы с ним на просторах русского Интернета года три тому назад, встречаемся раз в полгода, практически не созваниваемся, предпочитая электронную переписку. Мишка работает в какой-то конторе, занимающейся связью, тестирует телефонные линии, серверы и прочую железную лабуду, в которой я ничего не понимаю. Пожалуй, он единственный из моих знакомых, общение с которым не строится вокруг обсуждения денег, баб, тусовки и бизнеса и лежит в плоскости духовных диалогов. Мне нравятся наши нечастые встречи, разговоры о глобальных проблемах человечества, исторических уроках, судьбах Родины, народа и всего такого, о чем можно говорить только с людьми, не стоящими насмерть на баррикадах своего материального благополучия. После подобных вечеров я несколько недель хожу с совершенно ясной головой. Будто верховный Системный Администратор очистил жесткий диск в моей голове от накопившегося там спама. Дурацких текстов, заметок, порнушных картинок и MP3-файлов с попсовой музыкой. И такая метаморфоза происходит со мной именно после посиделок с Мишкой. Если же я курю с другими знакомыми, то на следующее утро, кроме тумана и тупости, в сознании ничего не остается. Возможно, трава открывает духовные тоннели в моем мозге только в присутствии правильных людей, возможно, всему виной питерская атмосфера, но факт остается фактом: с Мишкой очень приятно общаться в таком состоянии.

— Ну что, Мишка, как жизнь твоя проистекает на Комариных болотах?

— Нормально проистекает. Как вода в Неве. Не хуже, чем у тебя в Рязани.

Мишка раскуривает косяк, и огонек «беломорины» скачет веселенькими бликами по стеклам его очков.

— Миш, ну почему ты Москву называешь Рязанью? Ты не любишь столицу нашей Родины?

— Не-а, не люблю. — И, сделав первый напас, передает мне папиросу. — А Рязань и есть. Девяносто процентов населения приехали из колхозов и перемешались с остатками ваших мещан. Получилась Большая Рязань. Вместо коров на улицах — стада джипов с быками внутри, в ресторанах — пастбища гламурных коз. В головах — деньги да карьеры. Странно, как вы еще церкви под клубы не используете. Там же акустика хорошая.

— Миш, ну чё ты такой злой, у тебя случилось чего? Ой, травища у тебя замечательная какая. Класс просто!

— Из дедушкиного сада. Как там в этой рекламе? Ты когда-нибудь видел, внучок, чтобы я свою траву гадостью поливал? Хе-хе-хе. Устал я что-то сегодня. Начальник заставил выехать на один объект. В фирму, где даже не знают, как телефон в розетку вставить. Я там у них целый день Сеть тестировал. Мрак!

— Да, тебе не позавидуешь, пашешь как конь, — смеюсь я, затягиваясь, и передаю косяк обратно.

— Ясный фиг, это не твоя работа. — Михаил ловким, отточенным годами движением подлечивает криво пошедший огонек. — Тусы да клубы одни. Странно, что в Москве за это еще и деньги платят.

— Миш, поверь мне, в Москве только за это и платят...

Мне уже хорошо, первая волна кайфа начала холодить мне лицо.

— Слушай, а мы сегодня нормально засели, у тебя завтра чего по расписанию?

— Да ничего особенного. Халтурка одна. — Мишка подснял с папиросы гильзу и скрутил кончик наподобие «козьей ножки». — Ко мне завтра матросы придут. Ну, из Нахимовского, я их так называю для простоты. — Он затянулся, сдул пепел и передал мне «пяточку». — Сервер чинить им буду. День проваландаюсь, получу пять копеек свои — и домой, к книжкам, — говорит Мишка.

— А зачем целый день-то тратить? — Я скуриваю остаток, и мне уже совсем хорошо, нега расплывается по всему телу, я потягиваюсь и проваливаюсь в глубину кресла... — Почини еще пару серверов, заработаешь еще пару копеек, в чем проблема-то?

— Да тут одна проблема, — машет он безнадежно рукой. — Денег нигде не платят. Приходишь на работу и понимаешь, что ишачить без толку, все равно много не заплатят. А они (начальники то есть) тоже понимают, что, сколько тебе ни заплати, ты все равно будешь работать через пень-колоду. И платят копейки поэтому.

Мишку, видно, тоже зацепило уже первой волной, его очки даже стали как-то больше блестеть, он наклонился чуть вперед.

— Но парадокс-то в том, что они-то не знают, что я знаю, что они не заплатят. Они думают, что я просто лентяй. А вот если бы они знали, что я про них знаю, то, может быть, и заплатили. — Глаза под его очками заискрились. — Сказали бы, мол, Михаил, мы вас понимаем, мы не такие, мы вас готовы ценить — вы только работайте. Вот тогда бы я подумал. Сечешь?

То ли трава взяла свое, то ли за те встречи с Мишкой я научился четко выделять из всего его словесного винегрета основную мысль, но просветление мгновенной вспышкой озарило мое сознание:

— Ага. Я понял, Миш. У вас тут у всех стандартная проблема. Прыщи — потому что не ебут. А не ебут, потому что прыщи. Замкнутый круг какой-то. Да?

— Ну, типа того, — согласно кивнул Мишка, но тут же поднял взгляд: — Ну что, после первой до второй перерывчик небольшой?!

— Да вообще никакого не должно быть. — Я с трудом вылез из глубин кресла. — Мишка, кстати, а почему ты в Москву не переезжаешь?

— Бездуховно там у вас, — сказал он, выдувая табак из папиросы. — Тут у нас Васильевский остров, Нева, духовность. А в Москве? Одни бутики да кабаки. И храм Христа Спасителя, похожий на силиконовый имплантат, который себе старухи миллионерши ставят в надежде лучше выглядеть. Но это им не помогает.

— Не понимаю я чего-то. Неужели все так плохо? — Я представил себе девицу в красном сарафане, с высоким кокошником на золотистых волосах и двумя храмами Спасителя вместо грудей. Красавица Москва постояла немного, смотря на меня как-то оценивающе, потом укоризненно отвернулась, уставившись, на витрину какого-то модного магазинчика. — А у вас чего, бутиков мало? Или кабаков?

— Ну... — вздыхает Мишка, выпуская клубы дыма, который мне почему-то кажется зеленым. — У нас места мало, — продолжает он свою мысль, — тут у нас на каждом доме мемориальная доска, и подпирает она собой некую высшую духовность. — Он затянулся еще раз, задержал дым, поднял руку с папиросой вверх и торжественно произнес: — Здесь жил Чайковский, тут писал «Хованщину» Мусоргский! — И выдохнув еще более зеленый клуб дыма, продолжая свою мысль, передал мне нашу «эстафетную палочку». — И следовательно, когда я стою у дома, где на первом этаже бутик, я думаю не о модных в этом году тряпках, а о ней, о духовности... — Он сделал многозначительную паузу и произнес: — Которую оставили этому дому в наследство его прежние жители.

— Ага, я знаю этот приемчик. — Я решил поддержать Мишкину глумливую нотку. — Им ваши риэлторы очень здорово пользуются. Например, когда они хотят продать тебе за триста тысяч гринов квартиру с ржавыми трубами и протекающими потолками. Только они, гады, ни о чем таком в объявлении не пишут. Зато жирным шрифтом выделяют, что в этой квартире жил Блок. Заманивают нас, простачков-москвичей. Это, Михаил, ловля щуки на живца называется, в виде исторического персонажа. Ты об этом? Это называется у вас духовностью?

Дым приятно щекотал гортань, в полумраке комнаты все мне казалось каким-то зыбким, и мне уже не требовалось усилий, чтобы мысль разговора не петляла и не цеплялась за параллельные темы.

— Ни хера ты, братан, не понимаешь. Но не расстраивайся, так устроен мировой порядок на этом уровне. — И, хитро подмигнув, добавил: — Легче протащить «гелендваген» через игольное ушко, чем москвича в духовность.

Мы оба рассмеялись, на этот раз я снял «пяточку» и подлечил огонек, затянулся и передал собеседнику эстафету:

— Слушай, ну что ты все время про эту духовность талдычишь? Ты хотя бы можешь вразумительно объяснить, что в твоем понимании эта самая духовность? Добивай, а то я что-то еле фокусируюсь...

Я протягиваю Мишке косяк, он двумя затяжками приканчивает его. Лицо Мишки еще больше светлеет, он встает, наливает мне и себе чаю, поправляет очки и смотрит на меня взглядом человека, объясняющего туземцу, что книги созданы не для того, чтобы ими разжигать огонь, и произносит:

— Это нельзя объяснить, это можно только ощущать на уровне высоких материй. Это должно просто быть или не быть...

— А по-моему, Миша, это такая смысловая связка у питерской интеллигенции. Ну, знаешь, как у алкашей во дворе связка «бля». Я, бля, пошел, бля, в магазин, бля, там, бля, очередь такая, нах, ну, бля, ваще. А вы вместо «бля» подставляете «духовность», что в сути контекста просто одно и то же... Практически это уже слово-паразит. Вместо него можно использовать украинское «нэзалежность». Тоже в русском языке ни о чем не говорит, но красиво.

— Э-э-э, бразар, не надо все в один компот, не так все упрощенно, ты, кстати, кроме своих книжек по рекламе, читал что-нибудь еще? Русскую классику, например? Или встречаешь рассвет хотя бы иногда??? Хотя бы стоя на балконе... Ты стихи хоть иногда читаешь??? Прочитай, может, поймешь.

— Вот особенно здорово звучат эти отсылы к классике и лирике. Кого ни возьми, любого «героя нашего времени» — Чацкого, Онегина, Печорина, — все персонажи вели абсолютно бесцельное существование, искали смысл жизни, духовные очаги и т.д. И поиски «духовности», даже просто послушав тебя, продолжаются так уже века три. А воз, Миша, и ныне там.

— Сложно с тобой. Ты не хочешь просто понимать, тебе так проще, а на самом деле именно в этих поисках и шлифовалась русская общественная мысль. — На сей раз Михаил выглядел уже серьезно. — Потому и людьми были, а не хомо брэндикусами. Пойми, когда люди проводят жизнь в поисках смысла человеческого существования, в поисках очищения души от материальной скверны, их жизнь озаряется невидимым простому человеку духовным светом. А вам хоть освещение целого стадиона «Петровский» включи прямо над вашими головами, вы все равно будете ходить как слепые котята, натыкаясь друг на друга, сталкиваясь лбами и спрашивая: «Ой, что это? А это чего на тебе?» — Мишка сидел, как обличающий судия, прямо, сверля меня взглядом из-под очков...

— Уф-ф-ф, Мишаня, мне чего-то не хочется опять уходить в эти дебри. Давай о более понятных вещах поговорим, а? Я все равно не врубаюсь в твою ебаторию, а то будет как в прошлый раз. До утра ведь глотки драли.

— А чё ты тогда в японистику полез? Сам, кроме слов «тойота» и «Мураками», ничего не знает, а меня обвинил в суконном мышлении европейского бюргера.

— Я?.. Ладно, Миш, забыли. Ну чё? Еще забьем и по политике пройдемся? Ну ее на хуй эту духовность...

— Давай.

Пока я забиваю третий косяк, Мишка режет докторскую колбасу и черный хлеб. Я отмечаю, про себя, что каждый раз по обкурке в нем просыпается домовитость в стиле «любая бы замуж пошла». Раскурив папиросу, я беру с подоконника газету, где мое внимание привлекает заголовок «В какой стране будут жить наши дети?», рядом портрет Михаила Ходорковского, сидящего за решеткой.

— Слушай, чего пишут, — говорю я Мишке. — «Наша страна похожа на расселенную коммунальную квартиру, в которую въехали новые хозяева и пытаются ее обустроить. В каждой комнате свой, отдельно взятый, бардак. Пока новоселы меняют плиту, у них лопаются краны в ванной...» Как тебе такой пассаж?

— Бред полный. Мне лично наша страна напоминает пятикомнатную квартиру в центре Москвы, которая совершенно случайно досталась по наследству от троюродной тети молодому распиздяю, страдающему бездельем и алкоголизмом. Квартира огромная и набитая всяким антиквариатом, который этот чувак распродает, проматывая деньги по кабакам и бабам.

— А потом чего будет?

— Когда потом?

— Ну, когда весь антиквариат закончится?

— Обычно в жизни происходит следующее. Когда антиквариат заканчивается, продают квартиру. — Он воткнул нож в деревянную доску, на которой только что резал колбасу. — Или еще того хуже. Приедут несколько претендентов на наследство тетеньки, и выяснится, что она вообще проживала тут незаконно, и если разобраться, то и старушки-то никакой не было и т.д.

— Страшная теория у тебя, Мишка. Ужас какой-то.

— Ужас не в этом, мой друг, ужас в том, что мы начинаем выдумывать эту дурацкую смешанную модель новой квартиры: американская казарменная демократия плюс традиционная европейская тяга к левизне, помноженная на русское распиздяйство. Мне наш следующий президент видится смесью Лимонова и Буша с лицом батьки Махно. Такой грозящий буржуям ракетами чувак, в пиджаке штандартенфюрера СС, юбке и кружевных чулочках, но с огромной лохматой бородищей. А судя по тому, как мы вырываем столетние дубы нашей истории и щедро удобряем новые грядки в ожидании всхода новой либеральной тыквы, так оно и будет.

— Нет, Мишка, тут я не согласен. Ничего мы сами не выращиваем. Никаких либеральных тыкв. Все гораздо проще, нас просто развели втемную.

— Это как же?

— А вот так. У меня знакомый есть, Эдик. — Мишка поудобнее устроился в своем кресле. — Так вот, этот Эдик лепил бабки на том, что продавал всяким лохам поддельные часы известных марок. Но копии очень качественные, даже механизм хороший. И вот однажды познакомился этот Эдик с каким-то полковником ментовским. Ну, этот полковник недавно еще в майорах ходил, а тут решил, что вместе с погонами надо еще и имидж менять. Эдик ему имидж и поменял. — Мишка потянулся за зажигалкой. — Продал ему пару котлов «Патек Филип» и «Франк Мюллер», что уж мелочиться-то? С обычной в таких случаях легендой: таможенный конфискат, эксклюзив, эта партия шла специально для топ-менеджеров ЮКОСа. Ну, такие классические брэнд-легенды в духе времени. Полкан, естественно, повелся. Прикинь, как ему по кайфу было вместе с часами самому измениться? Он, наверное, когда «Патек» надевал, представлял, что это он сам замочил весь этот ЮКОС и теперь стал и полковником — защитником страны от олигархов, и топ-менеджером ЮКОСа. И все в одном флаконе. Круто, да?

— Круто. И чё? Ну, развел его Эдик, и какое это отношение к политике имеет?

Упоминание часовых брэндов ставит Мишку в тупик. Играть на этом поле ему явно не хочется. Он отворачивается к окну, чуя подвох.

— Ты слушай дальше, Миша, слушай. Полковник этот ходил-ходил в этих часах, не чуя подвоха, а потом вдруг решил в «Меркьюри» пойти и проверить их на подлинность. А я думаю, что на самом деле он хотел проверить себя. Стал ли он и тем и другим в одном флаконе или только так кажется ему? Там ему быстро объяснили, что часы фейковые.

— И какое это отношение к нашему теперешнему положению имеет?

— А самое прямое. Все те так называемые либеральные ценности, которые мы у Запада купили за несусветные бабки, за нефть и тому подобное, оказались полным фальшаком. Побрякушками для вождей индейских племен. Демократия, либерализм, рынок, конституция, свободные выборы и прочее. Когда мы эти фейки на себя нацепляем, то такие же лохи, Польша, там, Украина или Грузия на них ведутся и в общем и целом нам завидуют. Америкосы, те тоже говорят нам в лицо: «О, какие у вас

220

ценности охуительные, прямо как у нас. Вам еще несколько нужно прикупить, и тогда вы станете совсем как мы. И все вас еще больше зауважают». А сами, суки, за спиной над нами смеются. Оно и понятно, они же нам их продали сами. И хотят продать еще. А вот когда мы на серьезном уровне начинаем выступать, в ООН пиздячим об стол фальшивыми «Картье», то там нам сразу основные игроки говорят: «Ребят, вы чё, из колхоза? Зачем левыми часами лупите по дорогому столу? Можете же поцарапать, потом не расплатитесь». Мы от этого охуеваем и сразу начинаем припрягать американцев, у которых этот фальшак купили. А те нам в этот момент и говорят, типа, ребята, relax, take it easy, boys. Ну, согласны, ну, развели. Только минуточку, пока это знаем мы и еще пара статусных держав. Если вы залупаться не будете, мы при всех будем вам хлопать, умиляться вашим новым побрякушкам и делать вид, что они настоящие. И другие, такие же лохи, как вы, будут вам очень завидовать, и вы у них будете в некотором авторитете. Только не забывайте, кто тут старшие. А со временем, когда подниметесь, вы тоже сможете купить себе настоящие ценности, а лохам впарить свои побрякушки. Все, что для этого нужно, — это не бычить на нас, старших пацанов, по основным вопросам. И все у вас тогда будет просто заебись.

— Занятно... — только и молвит Мишка.

На кухне повисает молчание. Трава взяла нас достаточно крепко, и если посмотреть на наши лица со стороны, станет очевидным, что в головах у нас мощным потоком бегут разные мысли. Они разветвляются на многочисленные ручейки, затем снова смыкаются. Иные ручейки иссякают, так и не вернувшись обратно, в лоно породившего их потока. Это похоже на весеннее таяние снега, когда мутные талые воды бегут вдоль бордюра (или, как красиво сказали бы в Питере, вдоль поребрика) в канализационные стоки. Иногда наши лица озаряются вспышками просветления, когда кажется, что человек скажет сейчас что-то очень важное, но потом вспышка угасает, ибо мысли в таком состоянии появляются и исчезают очень быстро. Настолько быстро, что ты не успеваешь поймать их за хвост. Не ясно, сколько мы просидели в таком состоянии. Полчаса? Час? Первым оживает Мишка:

— Вот я и говорю. Понимаешь, нам сейчас очень нужна национальная идея. Ну, как «самодержавие — православие — народность» или, более позднее, «Сталин — Берия — Гулаг». В общем, такая конкретная идея, чтобы всем была понятна. От олигархов в вашей Москве до оленеводов Крайнего Севера.

То, каким образом он успел ухватить конец предыдущей темы, остается для меня загадкой. Я проникаюсь еще большим уважением к Мишке и вслед за ним оживаю сам:

— Я что-то не знаю, как такую идею родить. Слишком разные социальные слои. Нет, я согласен. Если эта национальная идея хороша для олигарха, то для чукчи, выпасающего своих оленей на бескрайних нефтяных полях Крайнего Севера, она, ясен пень, тоже хороша. Работа, зарплата плюс английский футбол по ящику в виде бонуса. Но есть ведь еще и другие слои населения. Или ты все опять к нефти хочешь свести?

— Бескрайнего... Крайнего... чего-то ты меня запутал вконец. — Мишка вырывает у меня пачку «Беломорканала». — Да не части ты, я тебе говорю. Привыкли в своей рязанской Москве гадость эту нюхать. Бум-бум, удар в мозг, быстро шарики за ролики закатило, и думать не надо, кто ты теперь, Миша или Маша. Отвыкай. Ты ж в Питере, в гостях у инженера. Телок нет, про гламур я только по радио слышал, куда торопиться-то?

— Ну ладно, ладно. Извини, извини. Знаешь, у нас в мегаполисе все быстро. Кто успел, тот и съел.

— Съел? Ну, ты даешь, старик. Ты чё, эту гадость жрать еще стал? Я тебе всегда говорил — надо употреблять только продукты, отмеченные знаком «грюнепункт». Экология — важнейшая вещь. Посему — только натур-продукты.

— С ума сошел?! Это же поговорка такая. Нечего я не жру. Ладно, на чем мы остановились? А, вот. На нефти. В общем, нефть — это не идея. Идея в том, чтобы люди различного достатка чувствовали умиротворение и отсутствие социальной напряженности, вот. Ну, на пальцах если объяснять, чтобы каждый мог по своему достатку выбирать. Пойти в ресторан «Марио» со счетом в двести гринов на человека или пойти в бар «Марик» со счетом двадцать долларов. И при этом не чувствовать себя ущербным. В общем, если четче говорить, право выбора, подкрепленное чувством общественной справедливости. Ясно?

— Ага. Ясно. Только ты учти, это у тебя в Москве люди выбирают между «Мариком» и... как ты это назвал-то?

— «Марио».

— Ага, вот именно. Выбирают между кабаком и кабаком покруче или выбирают между Машке один раз или Петьке два раза, а в провинции все жестче. Кто-то выбирает между «Балтикой» номер шесть и «Балтикой» номер девять, а кто-то между молоком и хлебом. Понял, нет?

— И что это меняет? Я и говорю, дать всем возможности для достижения социальных благ, популярных в его среде или хотя бы доступных... И сделать так, чтобы поездка в Сочи выглядела не менее круто, чем покупка «Майбаха». Просто не то начинать пиарить надо. Расселить всех сообразно достатку, чтобы никто друг другу в карман не глядел. Тогда и социальная напряженность снимется. Как в Америке. Есть белые районы, есть черные и т.д. Понимаешь? Справедливость, как она есть...

Мишка задумался.

— Вот видишь, ты опять все свел к материальным ценностям, — сказал на этот раз он серьезно. — Не просекаешь ты, что России прежде всего нужна духовность. Чтобы «не

223

хлебом единым», но вместе с тем «все, как один, единым фронтом» и прочее.

— Это как же?

— А так. Как в Средние века. Вся страна в опорках да рванье, а в церковь в воскресенье всем миром и на юбилей монаршей семьи в белых рубашках все с утра. И чтобы руководство страны наряду с имперским пафосом выглядело в глазах народа единственной инстанцией, которая знает, во имя чего мы все движемся. Куда — это не важно, его можно от поколения к поколению все дальше отодвигать. Главное — во имя чего.

— И во имя чего же?

— ВО ИМЯ ВЫСШЕЙ СПРАВЕДЛИВОСТИ. — Мишка сделал проникновенное лицо и, раскурив очередной косяк, передал его мне.

— Это как же понимать?

— А так. Чтобы образ президента, например, выражал вселенское Добро, Милосердие и Близость к тебе. Знаешь, такой всеобъемлющий персонаж, вечно сражающийся со злом. Как Бэтмен в Штатах. Чтобы каждый отдельно взятый алкоголик был уверен, что если у него бутылки не примут или еще как обидят — прилетит Бэтмен и накажет всех злодеев. И чтобы Бэтмен этот был глубоко народный персонаж. Чтобы в баню ходил, косяки имел с любовницами, мог с мужиками выпить запросто. В общем, такой Бэтыч с соседнего двора, который вдруг стал начальником ДЭЗа. Но и самое главное — при всей этой народности чтобы каждый знал, что Бэтыча по хуйне дергать нельзя. У него дела очень серьезные, и если он к каждому начнет спускаться с небес (при этом делается акцент, что спускаться ему, в принципе, не западло), то начнется окончательный и бесповоротный пиздец. Как в кризис, только хуже. Я бы вообще не показывал президента по телевизору без маски Бэтмена, отменил бы все выборы и по старости менял президен-

224

тов на более молодых, незаметно для народа. Вот тогда общество и поверит в то, что где-то есть Сила, всегда творящая Добро, заботящаяся о всеобщем Благе и готовая каждому прийти на помощь. Вот в таком ключе и надо пиарить национальную идею. И появится то, во имя чего стоит жить и рожать детей. И прекратить писать в интернетах и показывать в газетах про то, как олигархи страну разворовывают. Только Бэт-выпуски новостей и хорошие, правильные фильмы про войну. Где наши всегда побеждают. И тогда каждый оленевод, колхозник и инженер поймет, что в стране нет НЕ НАШИХ, а есть только НАШИ. И эта духовность крепко войдет в людские сердца, и «Балтика» с «Марио», Петей, Машей и молоком плавно отъедет на второй план.

— Милосердие, доброта... это чё, Будда, что ли, выходит?

— Сам ты Будда... Ну возможно, ты и прав, для калмыцкого телевидения надо сделать визуальный образ Буддамена.

— Нет, там Кирсан, там такое не прокатит.

— Ты это, слышишь, Кирсана тока не трогай, умоляю. У него там бесплатное образование, медицина, у каждого по верблюду, и никому не западло, что он на «роллс-ройсе» по степи ездит. Наоборот, все думают, как это неудобно, по таким-то дорогам. А все оттого, что он всех верблюдов населению раздал. Вот и мучается за народ теперь. И еще он шахматы поднял. Ты вот не играешь, а я очень уважаю. И нет у него там никаких нефтяных королей, только шахматные. И журналисты, которые про воров-олигархов писали, теперь уже не пишут про них. И не ворует никто. А все потому, что народ в своего президента верит! Он для них Бэтыч!

— То есть если олигархов прекратить показывать по телевизору, то они вроде как воровать перестанут автоматически? Ты думаешь, что говоришь? Что изменится?

— Ничего не изменится, конечно. Здесь всегда так и будет. В каком-нибудь семнадцатом веке челядь сидела и судачила про тогдашних нуворишей: «Ну вот, еще лет пятьдесят осталось. Пеньку продадут, лес продадут и больше у Рассеи ничегошеньки не останется. И как только наши дети жить будут?» Потом здесь оказались огромные залежи нефти, которой мы все сейчас и живем. И так же, как и наши прапрадеды, разглагольствуем о том, какой случится ужас, когда она закончится. А на самом деле ничего не случится. Кончится нефть, найдутся другие полезные ископаемые. Ну, скажем, найдут какой-нибудь «энергиум», который будет круче всякой нефти. И Россия, без шума и пыли, протянет на нем еще лет триста. То есть исторически предопределено, что предназначение данной территории в разведывании природных ресурсов с целью последующей перепродажи их в другие страны. Через хитрые надстройки, способствующие обогащению узкого круга властной верхушки. Поэтому нам и нужна четкая национальная идея, чтобы народ понимал: все, что происходит в верхушке, делается во благо... «во благо Франции и с разрешения Кардинала», как писал Дюма-отэц.

— Ну, в общем, это многое решает. Такая территория огромная. Представляешь, что было бы, если б все население жило здесь ХОРОШО? Да мы расплодились бы хлеще китайцев, а с нашими вечными поисками внешних врагов вели бы перманентные войны, в которых всегда побеждали бы ввиду постоянного восполнения людских ресурсов. Таким образом, в конце концов Россия бы завоевала весь мир.

— Ой, вот только про войну не надо, ладно? Сейчас мы опять скатимся ко Второй мировой, а у меня уже аллергия на эту тему. Какую программу ни включи, везде Сталин, Черчилль и Гитлер. Герои того времени. Надоело.

— Так нынешние-то герои мелковаты. Вот и остается выуживать мелкие детали из жизни титанов прошлого. Ладно, Бог с ними. Ты мне лучше скажи, Михаил, только без «бэтманов» своих, а нельзя ли тут такую идею сделать, чтобы «верхушка» жила в согласии и некотором респекте с простым народом, а? Ну, опять же твой любимый девятнадцатый век. Например, крестьяне ждут, когда летом в имение вернется «добрый барин», питерские простолюдины закидывают камнями царские войска во время восстания декабристов, декабристы мечтают о свободном народе. Всех объединяет любовь к Родине и помыслы о ее будущем...

— Это ты о чем? Какое, к черту, единение, какие декабристы? Они о жизни простого народа из французской беллетристики того времени узнавали. Декабрист Бестужев в тюрьме учил русский язык, чтобы со следователем общаться. Не было тут, к сожалению, никогда единения и не будет. И народ ничего никогда не менял, даже в 1917-м. Он просто иногда был наблюдателем событий, а иногда их участником. Все просто.

— Мишка, а как бы так в эту верхушку-то попасть? Ты понимаешь, меня преобразования не особо мучают, я не декабрист и готов тебя при случае сделать главным гуру по духовности. Ты только скажи, есть ли исторический рецепт попадания в верхушку? Кроме рождения от правильных родителей? Очень, понимаешь, хочется прислониться к военному эшелону или пристроиться на склад теплой одежды...

Я представил себя этаким защищенным от всего на свете, с теплой буржуйкой и стаканом горячего чая в руке, властелином склада, мне стало тепло от такой мысли. Мишка, будто прочитав все это на моем лице, сказал:

— Можно. Главное — понять систему. Те невидимые человеческому глазу маршруты, по которым люди движутся к успеху.

— Это ты что имеешь в виду? — отбросил я негу и сосредоточился на впитывание Мишкиной мудрости...

— Хорошо. — Мишка прикурил уже погасшую папиросу и передал ее мне. — Ну, вот, скажем... Звонит тебе приятель и говорит: «Слы, мы тут у меня дома зависли с девками, водкой и т.д. Приходи, будем пить, есть и танцы танцевать». Ты приходишь к его дому, а квартира, нужная тебе, находится на сорок пятом, предположим, этаже. А то, что в доме имеется лифт, которым люди пользуются для быстрого подъема на высокие этажи, ты не знаешь, потому как сам всю жизнь прожил в пятиэтажке. И вот ты пыхтишь, поднимаешься по лестнице, через час приходишь в квартиру, а там только мухи летают над пустыми стаканами. Все ушли на дискотеку. А знал бы ты, как лифтом пользоваться, давно бы уже вместе со всеми отжигал. Таким образом, главное в жизни — понять, где лифт, и научиться им пользоваться. Такая вот простая формула успеха, братан.

— Постой, постой. А вот что-то у тебя не складывается. Взять, к примеру, Ходорковского. Он же быстро прорюхал, что есть лифт. Научился кнопки правильные нажимать, быстро попадать на нужные этажи. И чем все закончилось?

— Правильно. Кнопки-то он научился нажимать. И быстро попадать на нужные этажи тоже. Только вот в чем проблемка. Он же не один стал ездить. Он же, сука такая, стал с собой еще и людей возить. А самое главное, что в какой-то момент он вообще себя вообразил лифтером. А это в корне неправильно. Ибо лифтер может быть только один. Все другие — либо обслуживающий персонал, либо пассажиры. В общем, Ходор жал себе и дальше на кнопки, улыбался, в кабине радостные пассажиры, «Хава нагила» играет и все прелести жизни. И в один не особенно прекрасный для него момент лифт привез его не совсем на тот этаж, куда он хотел. А на том этаже, куда он его привез, сидит лифтер с охраной и по-человечески его спрашивает: «Товарищ Ходорковский, что же вы, батенька, в лифте-то государственном хулиганите? Еще и пассажиры, ваши друзья, в кабине накурили. Ну нехорошо же так...» И все, и не ездит больше Миша на лифте, хотя и лифт тот есть и исправно функционирует...

— Да...

Снова виснет пауза. Я сижу и смотрю, как Мишка покачивается на стуле из стороны в сторону. Разглядывание этого человека-метронома усыпляет меня. Я думаю про Ходорковского, Бестужева и русский народ. И часы показывают половину четвертого утра, и где-то на задворках моего сознания начинает играть диск «The Cure» — «Disintegration». И я тупо пялюсь, как Мишка пытается уменьшить/увеличить звук магнитофона и путается в кнопках и рычажках. И я вижу, как он задевает боком чашку с чаем и она медленно падает со стола, разбивается и окрашивает валяющуюся на полу газету в коричневые тона. Пока жидкость медленно, подобно сгущенному молоку, растекается по бумаге, я успеваю отметить, что чай превратил Ходорковского в негра и он стал очень похож на Нельсона Манделу, борца с апартеидом в ЮАР. И мой мозг раскалывается от осознания того факта, что его необходимо выпустить из тюрьмы как можно быстрее, иначе хитренькие олигархи сделают из него борца с режимом, будут собирать от его имени подписи/бюджеты в фонд освобождения страны от преступного режима апартеида, угнетающего российских предпринимателей. Еще я думаю, что это все было изначально ими подстроено, чтобы иметь в обойме лидера с репутацией «политзаключенного» с прицелом на новые выборы. Тут же логическая пирамида достраивается в моем сознании до того момента, как эта «партия узников совести» приходит к власти и начинает обживать новую квартиру, совсем не считаясь с интересами прежних жильцов. И такое яркое понимание всего этого хитрого замута приводит меня в состояние нокдауна. Я поднимаю с пола газету и, тыкая пальцем в Ходорковского, хочу рассказать Мишке про все это, но из моего пересохшего горла вылетает только нечленораздельное: «ЫЫЫЫЫ, Манделлааааа!»

Мишка поднимает на меня сузившиеся от страха глаза и шепчет: «Коммуналки... хитро, блядь...» И мы смотрим друг на друга с ужасом от того, что мы читаем мысли друг друга на расстоянии, а следовательно, обкурка вошла в свою финальную фазу. И я понимаю, что Мишке страшно, потому что те вещи, которые мы поняли, понимать нам совсем не стоило. Ужас гонит Мишку в комнаты, где он пулей расстилает обе кровати, влетает обратно и говорит мне, сбиваясь:

— Так... это... быстро спать. На хер эту политику, завтра на работу, время пять утра. Все, договорились до негров, идиоты. Все, пока, спокойной ночи.

Мишка гасит свет на кухне, в коридоре, и я в полной темноте бреду в дальнюю комнату и падаю на кровать. Я лежу и смотрю, как свет фар въезжающего во двор автомобиля оставляет на потолке комнаты причудливые узоры. Меня «вертолетит» и хочется продолжения разговора.

— Миш, а Миш, — громко говорю я.

— Ну, чего тебе, угомонись наконец.

— Скажи, а здесь когда-нибудь хорошо будет? — Я спрашиваю его и жду какого-нибудь теплого и мудрого напутствия на ночь...

— Ага, — слышу я приглушенный голос. — Вот завтра придут матросы, и всем будет хорошо.

— Мишка, вот за что я тебя люблю, так это за точность формулировок!

Я лежу и думаю: «Действительно, при таком похуизме скоро придут матросы, и всем будет хорошо. Точно придут. Не факт, что они будут подпоясаны портупеями с деревянными коробами «парабеллумов», но вооружены они будут точно. Словом и делом. Они придут и принесут нам жизнеутверждающую систему координат: земля — крестьянам, фабрики — рабочим, лагеря — интеллиген-

230

ции... Они же принесут и правильные понятия — наказания без вины не бывает! Ничего страшного в этом, по сути, нет, зато желудочные колики от пережоров в дорогих кабаках пройдут. Перловка еще никому не вредила. Так же, как и работа на свежем воздухе...»

— Да, Миш? — только и могу вымолвить я.

Но Мишка уже храпит и не слышит моего почти немого вопроса. А мне так хочется поделиться с ним своими размышлениями о завтрашнем дне страны. Я лежу и вонзаю в вязкую темень комнаты свои безапелляционные, отточенные формулировки четким, хорошо поставленным голосом. Хотя, с другой стороны, мне понятно, что под воздействием марихуаны из меня извергаются звуки, похожие на испорченную магнитофонную пленку, со всеми присущими подобному состоянию «храоуууууу ыиэээ ффсзззз». И скорее всего я уже тоже сплю и все это мне снится. Я проваливаюсь все глубже между диванных подушек, и меня, словно камень, тянет вниз чувство ужасной недосказанности. Последнее и самое горькое, что мне приходит в голову, — это то, что матросы уже приходили в 1917-м, и лучше от этого мало кому стало. И посему наш диалог снова загоняется в тупик. И мне так хочется сказать это Мишке, и мне так интересно, что он ответит (а он обязательно придумает что-то). Но я так и не успеваю ему ничего больше сказать и окончательно засыпаю. Наверное, ответ на этот вопрос я получу когда-нибудь потом...

...Я спал, и мне снился президент Владимир Владимирович Путин, который летел над страной и закрывал ее своими неестественно огромными перепончатыми каучуковыми крыльями, защищал ее от всех бед, невзгод, козней опальных олигархов, мирового терроризма и понижения цен на нефть. Он парил высоко в небе и подставлял свою круглую голову в маске летучей мыши палящим лучам утреннего солнца, восходящего где-то там, далеко, над Японией. Его крылья простирались над всей Россией, от Мурманска до Владивостока. Растянутые на десятки тысяч километров, они напоминали мантию, ниспадавшую вдоль государственных границ. Я стоял на балконе Мишкиной квартиры, такой маленький по сравнению с президентом, и восхищенно наблюдал за его полетом, задрав голову. Так получилось, что в этот предрассветный час я и только я один видел, как президент оберегает нашу Родину. Нас было двое этим утром. Я и президент Путин.

И я ощущал такую сопричастность этому действу, что всю мою душу наполняла трепетная дымка духовности. Последним взмахом крыла он укрыл Курильские острова, и мне стало удивительно спокойно и уютно. И мне нестерпимо захотелось чем-то, пусть самым малым, помочь президенту. И я закричал с балкона в небо:

— Господин президент! Владимир Владимирович! Вы меня слышите? Я очень хочу вам помочь в вашем труде. Как мне это сделать?

Путин затормозил в небе и медленно обернулся. Его лицо, несмотря на все расстояние между нами, было видно до мельчайших черточек. Оно выражало изумление. Президент был очень удивлен, что кто-то не спит, когда он работает, оберегая сон страны.

— Помочь? — Он пожал плечами. — А чем ты мне хочешь помочь?

— Ну, я не знаю... Например, врагам вашим навредить каким-нибудь образом. Давайте... Давайте я в Лимонова кину пакетиком кетчупа? Нет, тремя!.. Или хотите... я скину его портрет из окна Государственной думы?

— Спасибо, конечно. Только продукты переводить не надо, сейчас не время. Вот удвоим ВВП... — многозначительно добавил он.

— Да.... Жалко... А я хотел...

— Ты вот что, — Путин нахмурил брови, — заканчивай анашу курить. Понял, нет? Да еще в Санкт-Петербурге. Нет бы в Эрмитаж сходить или там, я не знаю, в Кунсткамеру.

Город-то красивейший. Потрясающий город-то какой. Мы его отремонтировали на трехсотлетие, чтобы такие, как ты, приезжали и любовались красотами. А ты вместо этого приезжаешь и убиваешься, как полено. Ты хоть знаешь, что ты делаешь, когда куришь анашу?

— Нет, не знаю, а чего я такого делаю? — говорю я испуганным голосом.

— Куря анашу, ты помогаешь мировым террористам, которые ее выращивают специально, чтобы на вырученные от ее продажи деньги устраивать всякие террористические акты. Нефть нашу поджигают или, например, устраивают атаки на Останкинскую башню... тьфу, то есть я хотел сказать, атаки на башни Всемирного торгового центра в Нью-Йорке. А ты ее покупаешь, даешь им такую возможность, а сам ходишь потом с затуманенными мозгами, притупленной бдительностью и говоришь глупости.

— Ой... я даже и не знал, что все так сложно. Я же в политике-то ни бум-бум, Владимир Владимирович. Я больше теперь не буду курить анашу, обещаю. Никогда в жизни. Правда. Я раньше не понимал, а теперь понимаю. Я не буду больше, Владимир Владимирович, поверьте мне, пожалуйста! — Я даже готов был расплакаться от того, что лезу к президенту со своими глупостями в то время, когда он работает.

— Ладно, ладно. Верю.

— Спасибо вам, Владимир Владимирович!

— Не за что. Заботиться о гражданах — мой долг. Да, и вот еще что. Ты машину свою больше так не бросай посреди двора, а то «скорая помощь» к подъезду не проедет, если чего случится, понял?

— Ага. Понял.

— Ну, бывай, — сказал Путин и полетел дальше. На прощание он махнул мне крылом. Или мне это показалось? В любом случае мне бы очень хотелось, чтобы он махнул мне на прощание крылом...

СССР

Работников советской торговли отличает кристальная честность и высокая культура обслуживания населения.

Цитата из прошлого

В одиннадцать часов утра следующего дня мой мобильный делает последнюю попытку разбудить меня чьим-то звонком и окончательно разряжается. Тем не менее я улавливаю каким-то удивительным образом его жужжание на тумбочке и разлепляю глаза. Естественно, что пробуждение в чужой квартире — это некоторое повреждение вашей пространственно-временно́й ориентации. В особенности если вчера вы выкурили на двоих достаточное количество «травы». Поэтому первые несколько минут уходят у меня на самоидентификацию в пространстве.

Я встаю с постели, бреду на кухню, в углах которой висит самый отвратительный в мире запах — запах холодного табачного дыма, включаю чайник и отправляюсь в ванную. Несмотря на вчерашнее употребление каннабиатов, самочувствие в целом неплохое. Если не думать о том, что я снова не выспался и, похоже, это состояние становится хроническим, то можно даже улыбнуться самому себе в зеркало. Что, собственно, я и делаю. Умывшись, я возвращаюсь на кухню, наливаю в кружку кипяток, завариваю в нем пакетик чая, разбавляю этот стафф холодной водой из стоящего на столе графина и делаю пару глотков. Пить эту гадость мне совершенно не хочется, посему я просто полощу чаем рот, выплевываю все в раковину, ставлю туда кружку и собираюсь выйти вон. Оглядевшись по сторонам и оценив засохший на столе хлеб, пару тарелок в раковине, рассыпанный по полу табак и прочую атрибутику разгрома на

234

Мишкиной кухне, я забираю чашку из раковины, тщательно ее мою, вытираю бумажным полотенцем и ставлю обратно в шкаф. С чувством сотрудника зондеркоманды, аккуратно затаптывающего окурок в землю посреди горящей польской деревни, я удовлетворенно хмыкаю и иду в комнату и начинаю одеваться.

На свете есть не много вещей, способных по своей мерзости сравниться с ощущением на своем теле вчерашней одежды, насквозь пропитанной табачно-марихуановым дымом, потом ночного диспута, притом измятой и бесформенной. Я с отвращением надеваю мятую рубашку, брюки, сворачиваю и кладу во внутренний карман пиджака галстук, оглядываю себя в зеркало и открываю входную дверь. Стремление побыстрее сбежать на свежий воздух просто-таки дикое.

Выходя из квартиры, я ощущаю себя Одиссеем, привязавшим себя к брюху барана в пещере Полифема. Запах и отвращение, надо полагать, сходные. Стараясь думать о том, как скоро я доеду до гостиницы и ванна в номере примет меня в объятия ржавых пен своих, я спускаюсь на первый этаж, бросаю ключи от квартиры (предусмотрительно положенные Мишкой в мой ботинок) в почтовый ящик и выхожу на улицу.

Такси ловится очень быстро, и вот уже пятнадцать минут спустя понурый водила-кавказец на дребезжащей «Волге», чей салон наполнен суфийской музыкой, подвозит меня к гостинице. Я протягиваю ему пятидесятирублевую купюру, он кладет ее на панель и говорит, не вынимая изо рта сигарету:

— Штоби ти был здароф!

Я благодарю его, он в ответ прикладывает четыре пальца к виску, салютует мне и трогается прочь, оставив мне клуб едкого сизого дыма. Пока я поднимаюсь в номер, меня занимают мысли о разнице отечественного и европейского бензина, запахах на улице и проблемах экологии. Не то чтобы меня волновали проблемы мирового «зеленого» движения, просто к вискам начинает подступать головная боль. А эта проблема, скажу я вам, куда серьезнее мирового парникового эффекта.

В номере я звоню Володе, договариваюсь встретиться с ним в три часа дня, затем втыкаю телефон заряжаться и быстренько сматываюсь в ванную. Лежа в ванне, я набираю полный рот воды, плююсь ею в противоположную стену, потом рассматриваю свои ногти, потом пялюсь на гостиничный халат, висящий на крючке, потом размышляю о том, что только идиоты воруют гостиничные халаты. Потому что, во-первых, даже если ты его купил, все всё равно будут думать, что ты его спиздил, а во-вторых, ходить у себя дома в халате с эмблемой «Невского Паласа» или «Хилтона» — это полный отстой. К чему эти размышления привели меня, я не помню, потому что отрубился, убаюканный теплой водой.

В два часа дня я вскакиваю из остывшей воды и несусь в комнату, к мобильнику:

— Але?

— Брат... — Это Вадим.

— Да, брат.

— Ты в Питере?

— Ага.

— Чего делаешь?

— Спать хочу.

— А чего ты делаешь для того, чтобы не хотеть?

— Забиваю стрелки с директором нашего филиала на три часа дня.

— Брат, это полный отстой, брат.

— Я в курсе, брат, но у меня нет выбора, брат. Я только исполняю приказы и все такое. Я сам не хотел вырывать у евреев коронки и реквизировать их имущество. Я всего лишь исполнял приказы, брат.

— Короче. Я тоже в Питере.

— Ха-ха-ха. Не расстаться нам вовек, да? Ты следишь за мной? Скажи, чувак, я тебе нравлюсь?

— Я с ума схожу и все такое, — говорит голосом Бивиса.

— А ты чего в Питере делаешь?

— Сижу на каком-то отстойном семинаре, посвященном рознице. Старые журналистские телки, несвежие бутерброды и херовый кофе. В общем, жизнь удалась!

— И чего мы вечером будем делать?

— Я не знаю даже. Во сколько Эрмитаж закрывается? Ха-ха-ха.

И мы оба смеемся довольно продолжительно, и мне становится очень весело, и уходит недосып, и кажется, что я вовсе не уезжал из Москвы.

— Вадим, ты, кстати, где остановился?

— В «Невском», а ты?

— Я тоже.

— Нам повезло?

— Ага. Слушай, давай в восемь в гостинице?

— Давай в девять? Мне нужно тут еще кое-чего сделать.

— Ну, сделаешь в гостинице, ха-ха-ха.

— Придурок. Ну в девять, о'кей?

— О'кей. Компьютер.

— У тебя какие-то отстойные гранджевые шуточки. Понабрался тут от питерских, да?

— Я легковосприимчив к среде обитания. А почему гранджевые?

— Лучше бы ты спросил — «почему отстойные?».

— Я не врубился, но думаю, что ты имеешь в виду что-то очень смешное. Я погнал, в общем. До встречи.

— Давай.

Я переодеваюсь уже совсем с другим настроением, спускаюсь на лифте, выхожу из отеля, ловлю такси и пару эсэмэс от Вадима — с вопросами «Есть чего?» и «Сколько пива брать?». Я отвечаю «Дайте две» и приезжаю к месту назначения.

Кафе «СССР» на Невском проспекте суть продолжение традиций, заложенных московским рестораном «Жигули», только преломленных в сторону гламура. Если «Жигули» созданы для людей тридцати — сорока лет и далее, приходящих сюда ностальгировать под песни ВИА 70-х — 80-х годов, вспоминать пивбар «Жигули» и умиляться на фото Брежнева за охотой, то «СССР» создан для их детей. Для тех, кто не помнит 80-е, но врубается, что стиль того времени — это модно, носит олимпийки и кроссовки «Адидас», слушает музыку в стиле диско и думает, что в 1982 году все именно так и выглядело. Такой бар выглядел бы очень «по-советски» в Нью-Йорке или Лондоне. Красные неоновые буквы, красные водолазки официантов, красные рисунки из комиксов на стенах, vodka «Smirnoff» или «Absolut» в баре и притягательность названий — «USSR», «K.G.B.» или «Red Army». Такой гламурный совок с персоналом, одетым под кагэбэшников.

Здесь милые девушки-официантки, хорошая диджейская музыка, никакая кухня (но мне почему-то нравятся эти пельмени — домашние котлеты — привет «Vogue Cafe») и много симпатичных девушек. Последние по вечерам или в уик-энды. Единственное, что портит весь антураж, — это висящая рядом с баром фанерная доска почета с фотографиями с вечеринок. Если уж делать гламурный совок, то доска почета непременно должна быть жидкокристаллической. В обед посетителей мало. Создается впечатление, что питерцы вообще не обедают.

Или обедают дома. Или в бесчисленных забегаловках со средней суммой счета в сто пятьдесят рублей на нос. В любом случае не здесь, что, в принципе, фиолетово мне лично. Я живу в другом городе.

Гулякин уже сидит за столом у окна. На столе перед ним стоит бутылка коньяка «Hennessy VSOP» (я отмечаю про себя его сегодняшнюю расточительность), два стакана для виски и нарезанный лимон на тарелке (я отмечаю также его дурновкусие).

— Привет, — говорю я, — стараясь казаться искренне веселым. Что, в общем, не сложно, учитывая мое состояние предвкушения сегодняшнего вечера.

— Здорово!

— Ты давно сидишь?

— Уже минут пятнадцать, — отвечает Вова извиняющимся тоном, вместе с тем давая мне понять, что сегодняшняя встреча для него важна и он приехал заблаговременно.

— А я чего-то в отеле закопался, потом еще не сразу сообразил, в какую сторону Невского ехать.

— Ну, ничего. Ты же гость.

Нам приносят меню, я заказываю салат из овощей, грибной суп и домашние котлеты. Володя заказывает салат «с курой», борщ и какое-то мясо. Мы сидим, смотрим друг на друга, курим и не знаем, с чего начать разговор. Точнее, мне его не с чего начинать, а Володе нужно начать его как можно более естественно, чтобы потом плавно вырулить на тему моей оценки его деятельности.

— О! — вдруг начинает Вова. — Смотри! Вон парень пошел, мы с ним в институте учились. А его отец работал в Германии вместе с Путиным.

Реально, после того как Владимир Путин стал президентом России, Питер охватил синдром «магнита», как я его называю. Почти каждый питерец старается притянуть себя (прямо или косвенно, через город) к Путину. В практическом плане это значит, что у любого питерца есть в кармане «история для москвича». В момент разговора с тобой питерец держит ее в кармане, как кастет. Например, заходит разговор о спорте. Начинается обсуждение футбола, потом хоккея, потом «Формулы-1». Питерец (с готовой историей) даже не ждет перехода беседы к борьбе. В какой-то момент он просто вытаскивает свою историю-кастет и начинает: «А вот, кстати, о футболе. Я ходил в спортивный зал на такой-то улице, так вот там Путин в детстве занимался борьбой...»

С иностранными языками еще проще. Каждый интеллигентный питерец всегда скажет, что он ходил на курсы английского языка в ту же школу, что и Владимир Владимирович.

Есть и совсем несчастные питерцы, которые не жили напротив детского сада, куда ОН ходил, не занимались борьбой и английским и школу заканчивали где-нибудь под Питером. Но и они нашли, как притянуть себя за уши. Идешь ты с таким питерцем по городу, и он тебе говорит:

— Видишь вон тот подъезд? Там в 1984 году я бухал портвейн с чуваком, у которого была сестра, а у сестры был хахаль. Так вот. Тот хахаль дружил с еще одним чуваком, который учился в школе с парнем, который потом поступил в институт, в одну группу с другим парнем, который в пионерском лагере играл в шахматы с Путиным.

Когда этот же питерец сильно пьян, то середина сего замысловатого спича опускается, и он просто говорит: «Вон в том подъезде я играл с Путиным в шахматы».

Абзац. Фантазеры, точка, СПБ, точка, ру.

— Здорово, — отвечаю я, — чего, на самом деле с Путиным работал?

— Ага. Только недолго. Месяца два, по-моему. Я точно не помню.

— Ты бы поздоровался с ним, что ли.

— Да ладно, он, наверное, и не вспомнит меня, я с ним особо не дружил.

— Но ты-то вспомнил его.

— У меня просто память хорошая. Мама говорит — наследственная.

— Что, у тебя родители в разведке работали? Тоже вместе с Путиным?

— Почему в разведке? — искренне удивляется Вова.

— Ну, типа, у всех разведчиков хорошая память. Ты сказал, что у тебя она наследственная. Дальше продолжать?

— А... Ха-ха-ха, — смеется Вова, — нет. У меня родители в торговле работали. Папа в мебельном, а мама в продуктовом.

— То есть для тебя розничная торговля, как бы сказать, продолжение родительского пути, цеховая наследственность и т.д., да?

— В каком-то смысле. Я как-то и не задумывался об этом. Ха! А ведь ты прав. Надо дома пошутить на этот счет.

— Тебя, наверное, с детства обучали всяким приемчикам. Как лучше с клиентами говорить. Как больше продавать. Такой тренинг на дому, да? — мило смеюсь я. — Передача опыта подрастающему поколению.

Тем временем нам приносят салаты. Володя с жадностью набрасывается на свой, я туплю и сыплю в салат вместо соли много перца. Глядя на Вову, уплетающего за обе щеки, я думаю о том, что, следуя народной мудрости, про него можно сказать: «Наверное, работает хорошо».

— Да учили иногда. Вот папаня недавно рассказывал, как к нему один обэхээсэс молодой ходить повадился.

«Хорошенькое вступление, — отмечаю я. — Как же далеко мы продвинемся в эндшпиле с таким-то дебютом?»

— И чего, посадил?

— Сипун себе на ежик. — Вова отрывается от салата и говорит с набитым ртом, отчего некоторые буквы звучат по-другому.

— Да ладно, Вов, я прикалываюсь. И чего этот молодой?

— Да ничего. Ходил, ходил. Следил за ним. Всякие провокации устраивал. А через год пришел к нему в кабинет, денежку принял, и все стало хорошо. Даже сейчас общаются.

«Ух, как интересно, — думаю я, — через год, значит, денежку взял? Ты-то меня рассчитываешь уломать часа за три. Ну и в баню потом, естественно».

— Интересная жизнь была у людей. Наполненная высокими отношениями, — резюмирую я и, откидываясь на спинку стула, смотрю в окно.

Володя, видимо, просекая, что взял не совсем удачную, а главное, преждевременную параллель, резко меняет тему?

— Ну, как тебе дистрибьюторы наши? — издалека начинает разговор Вова, разливая коньяк. — Общее впечатление составить успел?

— Дистрибьюторы как дистрибьюторы. Обыкновенные крысы, пытающиеся отожрать как можно больше сала с приманки, пока собственные продажи компании не перешибут им шейные позвонки. Жестче с ними надо. Жестче. Чтобы понимали, почем халва.

— Жестче... Жестче — это да. Я стараюсь. Ты понимаешь, мне твоей московской школы не хватает. Вот это очень хорошо, что ты приехал... то есть тебя направили. Нам такие переговоры, как сегодня, лучше всякого тренинга. Чаще бы приезжали, мы бы тут такое развернули.

«Не пизди ты, Володя, ничего бы мы тут не развернули. Только деньги бы запалили корпоративные. Всего тут тебе хватает. И откатов от режима наибольшего благоприятствования для некоторых дистрибьюторов, и рекламного бюджета, и раболепия небольшого штата бездельников, которым ты внушил, что своим безбедным существованием они обязаны тебе, а не компании. И открытие прямых продаж в городе будет для тебя похлеще Хиросимы и Нагасаки. Враз взорвет весь этот уютный, заботливо выстроенный твоими потными ручонками мирок. Выгнать бы тебя на хер. Тогда еще были бы шансы», — думаю я, но вслух говорю совершенно другое:

— Тут ты прав, Вовка. Да не получается чаще. У самого дел в Москве по горло. Мечешься, как сраный веник, а работы все равно не уменьшается. Надо мне с генеральным

242

потрещать, чтобы назначили в Москве отдельного человека для помощи филиалу твоему. Ну, что-то вроде консультанта и внешнего аудитора, что ли... — Мне кажется, что при этих словах мизинец на левой руке Вовы дернулся. — А что я? Ну, приехал, посмотрел, напишу отчет. А вам же постоянно помогать надо.

При волшебном слове «отчет» Вова весь прямо-таки подобрался. Наконец-то беседа завернула в русло наиболее заботящего его вопроса.

— Кстати, по поводу отчетов. — Вова снова опрокидывает бутылку, при этом в мой стакан попадает несколько больше. — Ты посмотрел торговые точки? Что скажешь про выкладку? Вот мне кажется, что наши мерчандайзеры не совсем успевают в больших форматах. Ну, в «Метро» или в «Ленте». В средних супермаркетах выкладка тебе понравилась? Мне кажется, мы достойным числом фейсингов представлены на полках. А в Москве у тебя как? Намного лучше, наверное? Я, помню, видел пару точек, так вы там практически монопольно на полке представлены. Да, вы, конечно, большие молодцы!

— Да брось ты, Вов. У нас проблем в точках не меньше ваших. Дыры на полках есть, и мерчандайзеры недорабатывают. Полевые продавцы забивают. Обычная рутинная работа. В больших форматах, пожалуй, получше, но там такая зондеркоманда с нашей стороны работает.

— А сколько там у вас сотрудников решают проблему выкладки?

— Дай подумать... На каждый гипермаркет свой мерчандайзер, его контролирует сейлс, а сейлса — начальник сектора. Последнего, в свою очередь, дополнительно трахает начальник офф-трейда.

— Сколько же у вас народу-то задействовано. А я пишу, пишу в Москву, чтобы мне количество мерчандайзеров увеличили, так все без толку. Может, ты там, у себя, замолвишь словечко? — Коньяк снова разливается по бокалам, на сей раз прямо-таки лошадиными дозами.

— Вован! — Я прямо-таки по-гусарски, залпом выпиваю коньяк, и мне становится отчаянно весело. — Вот ты мне тут поешь про расширение штата мерчандайзеров. А вернемся к тому, с чего начали. Вот тебе дистрибьюторы зачем нужны? Они же прямо заинтересованы в продажах нашего товара, или нет? Они же с этого имеют прибыль, распределение рекламного бюджета, чего же ты их не подключаешь? Ты же им скидки даешь, годовые бонусы за выполнение плана продаж, рычаг давления-то не хуевый, я так понимаю?

— Ну... это, конечно, да, — Вова начинает ерзать на стуле, — но ты же понимаешь, они скоты полные, эти дистрибьюторы. Как проститутки. Сегодня нас продают, завтра конкурентов. Да и скидка, ты понимаешь, не всегда хороший инструмент давления. Она же их заработок в большей части формирует. Не могу же я некоторых за плохую работу совсем скидок лишить, они тогда вовсе продавать нас перестанут. Вот взять, к примеру...

— Да, Вова, вот взять, к примеру, компанию «Трест-М». Во время переговоров с ее коммерческим директором мне было сообщено, что рекламные бюджеты, выделенные этой компании нами, составили пятьдесят тысяч долларов...

— Правильно. Согласно обслуживаемому ими количеству клиентов.

— Согласен. А вот компании «Левко» и «Сонар» не получили в прошлом году ни хера.

— А они... они работают с гастрономами и мини-маркетами. В таких форматах у нас рекламные акции на усмотрение руководства филиала. А я считаю, что работали они плохо и...

— Да, да, Вова, все верно. И полагающиеся им двадцать пять тысяч ушли в компанию «Вектра»...

244

— Для стимулирования нового дистрибьютора, — радостно подсказывает мне Вова и улыбается, понимая, что, кажется, проскочил.

— И тут у меня возникает вопрос. Почему наш дистрибьютор «Импульс», который всего на десять процентов выше по оборотам, чем «Трест-М», проводивший рекламные акции в тех же форматах торговых точек, получает за прошлый год семьдесят тысяч бюджета и еще десятку в этом году, согласно «промоушн-плану новых продуктов», как это у тебя в отчете написано? Он один промоутирует новые продукты? Остальные дистрибьюторы с новыми линиями не работают? А в Москву приехала бумага, гласящая, что бюджет на продвижение новых линий равномерно распределен между игроками рынка. Как же такая хуйня получилась, а, Володя?

Теперь коньяк разливаю я.

— Ну, во-первых, «Импульс» — наш лучший дистрибьютор, а во-вторых... — Вова тщательно подбирает слова, — а во-вторых...

— А во-вторых, Вова, «Вектра» — это его дочерняя компания. — Информацию об этом мне милостиво слили представители «Треста» во время общения один на один. — Таким образом, получаем лишние пятьдесят тысяч, слитые в одну корзину. Принимая во внимание тот факт, что скидка у твоих чижиков из «Импульса» больше, чем у других, на пять процентов, получается совсем уж некрасивая ебатория. Ты мне скажи, ты полтос с ними поровну поделил или как честный человек ограничился десяткой? Ты пей, Вова, пей, стынет, — резюмирую я и этак по-ленински, с прищуром, смотрю на него.

Самое интересное в данной ситуации — это Вовина реакция на мои слова. Я ожидал, что, получив такой пендель с оттяжкой, этот крепко сбитый (а по-другому и не скажешь) хозяйственник, думающий, что своей мужицкой хитрецой он всех очень ловко наебал, начнет рассыпаться прямо за столом. Но нет, ничего подобного. Он не сучит ручонками, не комкает бумажную салфетку, не краснеет, не бледнеет. Может быть, чуть-чуть потух молодецкий румянец на его щеках. Вероятно, многолетний опыт общения Вовиных родителей с органами ОБХСС в советском прошлом передался с молоком матери. Выдержка почти железная, чему можно только позавидовать. Вся эта сцена начинает меня занимать все больше и больше. Я реально чувствую себя ревизором из Москвы, из бесподобного фильма «Кодекс бесчестья», в исполнении Вячеслава Тихонова, который приехал проверять проворовавшихся Куравлева с Щербаковым. У меня появляется азарт охотника (практически триста граммов коньяка делают свою работу), желание задавать наиболее въедливые вопросы (природная желчность) и алчное ожидание развязки, в которой, как полагается, мне нужно будет произнести хорошо поставленным голосом: «Я не пью, не курю, девушками не интересуюсь. И инфарктами не страдаю». Только вот мы не в Цюрихе, к сожалению. Да и масштабы хищений (а следовательно, и размер предполагаемой взятки) мелковаты.

Тем временем Вова аккуратно выпивает коньяк, закусывает его лимоном и достает из пачки сигарету. Всю красоту этой театральной паузы и выхода из нее несколько нарушает его попытка прикурить сигарету. Он несколько раз щелкает колесиком «Крикета» (я в этот момент думаю, что даже если бы он был партийным банкиром в Цюрихе, он все равно не завел бы себе «Dupont»), чертыхается и просит официанта принести спички. Закурив сигарету, он проникновенно смотрит на меня и, чуть склонив голову, отвечает:

— Послушай. Ну, в общем, такая фигня получилась... Я сразу понял, что ты все просек. Да и, честно говоря, не особо хотел тут концы прятать. — Ага. Не научился еще, думаю я. — Я думал, ты приедешь, мы сядем, выпьем, я тебе все объясню. А ты наскоком все эти встречи с дистрибьюторами затеял. Неловко как-то вышло, одним словом...

— Да просто ужас как неловко, Вова. Я даже не знаю, как так получилось, — ерничаю я.

— Я чего, собственно, хочу сказать... Мы все в одной упряжке. Вроде как одно дело делаем, да? Хорошие люди должны друг другу помогать, правда? Сегодня у одного осложнения, потом у другого, ты же понимаешь. Кто здесь без греха, тот пусть первым кинет в меня стакан! — Тут Вова мерзенько подхихикивает. — В нашем деле по-другому нельзя, тут же людей нормальных мало, согласен?

— Ой, согласен, Вова. Не окружение, а сборище аферистов и уродов. И каждый норовит тебя наебать, да, Вов?

— Ага, ага. — Вова согласно кивает, чувствуя, что разговор продолжается по его сценарию. — В общем и целом я имею сказать следующее... Давай еще по одной? Главное, чтобы всем было интересно. И хорошо. И чтобы нормальные, вменяемые мужики не теряли друг друга по жизни, согласен? — Я чувствую, что наконец-то Володя вводит в действие и основные козыри. — Ну, давай за нас. За нормальных мужиков.

С этими словами Вова отрывает от поверхности стола кожаную папку меню, и под ней обнаруживается аккуратный белый конверт с логотипом нашей компании. Интересно, в какой момент он туда его зарядил? Когда про родителей рассказывал или во время моего спича про дистрибьюторов? Вова смотрит на конверт несколько мгновений и передвигает его ближе к середине стола, так чтобы большая часть была все же на моей стороне. Какое-то время мы сидим со стаканами в руках и смотрим на конверт. На Вовином лице отразилась вся семидесятилетняя печаль тяжких трудовых будней работников советской торговли. Вот так же, вероятно, сидел Вовин батя или маманя пред светлыми очами борца с хищениями социалистической собственности. Когда страх пульсирует внизу живота, в левом и в правом паху. Причем в левом он смешан с ожиданием счастливого финала, когда можно будет еще какое-то время (до перехода коррумпированного обэхээсэсника на другой пост) продолжать развеселое существование. И в левом паху кровь пульсирует словами: «Березка», «Розенлев», мясорубки «Мулинекс», шуба, ковер на стену и кирпич на дачу. А в правом свинцом стучат: «понятые», «взятка», «хищение социалистической собственности», «конфискация», «по приговору суда», постепенно уступающие место стуку колес поезда, уносящегося в северные районы нашей необъятной Родины.

Я выпиваю эту тягостную для Вовы паузу по капле, затем беру конверт со стола. Вова немедленно выпивает коньяк. Тут я ставлю свой стакан на стол и начинаю изучать содержимое конверта. В нем оказывается три тысячи долларов США. Я поднимаю глаза на Вову и читаю у него на лице: «Неужели мало дал?» Я кладу конверт обратно на стол и спрашиваю:

— А в баню мы сегодня поедем? Водка там, девочки местные. Все как положено. Да?

— Обижаешь, командир, уже все заряжено. Девки уже, можно сказать, копытами стучат. — Наконец-то Вова переходит в привычное для себя панибратское русло.

— Умеешь ты, Вовка, встречать гостей Северной столицы, как я посмотрю.

— Ну, опыт имеется. — Он самодовольно разводит руками, и на его щеках снова появляется молодецкий румянец.

— У меня, дорогой, только один вопрос. Ты мой бонус в трешку зелени как определил? Это, надо понимать, ты спиздил тридцатку и мне вроде как десять процентов прислал?

— А тебе мало, что ли? — Вова прищурился, отчего стал похожим на монгола. Все-таки жадность в этом человеке доминирует над трусостью, отмечаю я.

— А ты, Вова, не выебывайся. И не забывайся. Ты не с гаишником разговариваешь и не со своими подельниками-дистрибьюторами. Конверт-то на столе лежит, а не у меня в кармане. Или ты глаза залил до такой степени, что не видишь?

Наконец-то в глазах Вовы появляется испуг. Он смотрит то на меня, то на конверт. И не понимает, что будет происходить дальше.

— Мне этой трешки даже на костюм новый не хватит. Раз пятнадцать в ресторан сходить только если. Или ты думаешь, что я буду раз в месяц сидеть в ресторане и вспоминать, кому я обязан своим сегодняшним ризотто? Можно, конечно, в Париж смотаться, чтобы скопом все просрать, только еще своих добавить придется. Такие дела, Вова.

— Так сколько ты хочешь? — Вова сглатывает. — Ты скажи как есть.

— Хочу... — Я в задумчивости кручу в пальцах сигарету и смотрю на официантку, стоящую за барной стойкой. На ней надета обтягивающая красная водолазка, подчеркивающая большую грудь. Это красное пятно кажется мне этаким центром заведения, вокруг которого крутятся в центробежном потоке подносы, гости, кассовые чеки, мы с Вовой, белый конверт и прочее. Я думаю о том, что неплохо было бы с ней познакомиться. А еще я думаю о том, что весь этот балаган нужно заканчивать. — Хочу я, Вова, пятнашку. Пятнадцать тысяч долларов США. Ты же тридцатку скрысил, на мой взгляд? Вот половину и зашлешь. Это будет справедливо. Я так думаю.

Вова продолжительно буравит меня своими свинячьими глазками, затем, практически не разжимая губ, цедит по слогам:

— Ты ничего никому не докажешь.

— Я? На раз! — Я щелкаю пальцами и заливаюсь смехом.

— Полная хуйня. Максимум — это премии лишат. Я же не знал, что «Вектра» — их дочка. А распределение бюджетов неравномерное, так это по недомыслию и неверной оценке рыночной ситуации.

Глаза моего собеседника от злости и коньяка постепенно наливаются кровью. Еще мне кажется, что под столом он роет паркет ботинком. Во всяком случае, это было очень сообразно обстоятельствам.

— Вован, ты не быкуй. — Услышав знакомое и до сих пор значимое в городе бандитское выражение, Вова несколько стухает. — Тут доказывать никому не придется. Если придать информации нужный импульс, тебя твой «Импульс» сдаст на раз. Неплохой каламбур получился, да, Вов?

— Ага. Смешной. — Вова все еще бычит, но чувствуется, что не до конца врубается, куда я клоню.

— Так вот, дорогой мой. После того как им подтвердят суммы прошлогодних бюджетов в этом году, в обмен на некоторую информацию, они тебя быстренько сольют. У себя найдут сотрудничка, который в связке с тобой деньги крысил, уволят его фиктивно. Или, может быть, даже не фиктивно. Скажут, что сами не были в курсе и, кроме причитающегося им полтинника, ничего не видели. И сдадут тебя, милый мой. Несмотря на ваши с ними совместные пьянки, поебки, братание или, может быть, даже содомию. Я тут не очень уверен. И все. Служба собственной безопасности. Слыхал про такую? Доказательства, «Встать, суд идет!» и все наследственные страхи предков. Усекаешь?

— Усекаю...

Вова думает. Довольно долго прикидывает мои и свои возможности. Весь процесс размышлений отражается складками на его лбу и желваками на скулах. Вове очень не хочется отдавать пятнадцать тысяч. Еще больше Вове не хочется вылететь с кожаного кресла директора филиала и сесть на кожаный член наших эсбэшников. Вова думает так долго, что я успеваю выкурить сигарету, доесть котлеты и заказать кофе. Наконец он выдавливает из себя:

— У меня сейчас нет пятнадцати тысяч. Есть три и еще пять. Ну, две займу как-нибудь... — Вова начинает вращать глазами, размышляя, где бы достать деньги. То, что он попал, для него наконец-то очевидно. — В общем, пятерку еще должен буду. Других вариантов у меня нет. — Голос его неожиданно звучит твердо.

И я понимаю, что это финал. Чуть менее трагичный, чем я ожидал, но все-таки финал. И у меня где-то в глубине души брезжит осознание того факта, что Гулякин не сломался, не упал в сопли и причитания. Не вспомнил беременную жену или больную маму. И просто принял мои условия. И еще я понимаю, что издевательства теперь уже точно пора заканчивать, и говорю ему:

— Ладно, Вова, проехали.

— То есть... как?

— То есть ни хуя мне от тебя не нужно. Никаких денег. Ты просто теперь знай, что есть человек, которому ты должен. Не денег, а отношения, понимаешь? Ну, или некоторую сумму денег, которая может быть потом трансформирована в эквивалент услуги или отношений, если тебе так понятнее. В общем, закрыли тему.

Вова молчит и непонимающе смотрит куда-то в точку моего «третьего глаза».

— Ты только, сука, если еще раз сравнишь на годовом собрании бонусы или бюджеты московского филиала с питерским или, например, кулуарно начнешь намекать руководству, от кого в пользу кого чего можно отрезать... — Вова делает вопросительные глаза. — Да, да, Вов, мне тебя Наташа из Ростова сдала еще год назад. Я с ней раньше спал и все такое. Она мне рассказывала, как ты по пьяной лавочке бахвалился, что устроишь москвичам секвестр бюджета в пользу регионов, через Гарридо. У тебя же французский хороший, да, Володя? Короче, вот эти все перечисленные тобой вещи более делать не стоит, о'кей? Спалю тебя тогда в пять секунд.

— Не понял? То есть ты хочешь сказать, что ты сейчас от меня не возьмешь никаких денег?

— Вова, у тебя диктофон с собой? Ты меня на взятке хочешь сдать? Такие приемчики ментовские знакомые.

— Нет, нет, что ты, я просто... ну, мы с тобой тут два часа сидели, и теперь ты...

Гулякин в полном ступоре. У него в голове не укладывается, как человек, расколовший его под орех, говоривший о таких астрономических, на его взгляд, суммах, НИЧЕГО теперь не просит. И непонятно, как я буду действовать дальше. Сдам я его? И непонятно, почему я вдруг отказался от денег. И очень страшно. А главное, Вова очень зол. Зол, потому что произошедшее совсем не укладывается в его привычную схему человеческих отношений. Спалили — предложил — мало — нагнули на все — не взяли ничего. Ужас неизвестности и злость от невозможности влиять на события и прогнозировать их ход. А я, в свою очередь, сижу и думаю о том, что я полный мудак. Что из хама не сделаешь пана, что яблоко от яблоньки и т.д. И что никого уже не переделать. И никаких выводов о том, что деньги надо зарабатывать, а не пиздить, Вова не сделает. И дальше будет крысить, только еще более аккуратно и, возможно, в меньших объемах. И единственное, чего я добился этим своим спектаклем, — это боязнь. И я успокаиваю себя тем, что с ним нельзя по-другому. Такие люди не бывают преданы или обязаны. Они могут быть должны или унижены страхом. И еще они очень злопамятны и будут точить на тебя нож до самой смерти. И главное тут не сидеть спиной ко входу...

252

— Вова, я предлагаю наше собрание работников советской торговли на этом закончить, закрыть счет и свалить до новых встреч, так сказать. А остатки допить.

Вова разливает остатки коньяка, выпивает свой стакан, не дожидаясь меня, и говорит несколько хриплым голосом:

— Гад ты. Или сволочь. Не понимаю я тебя. Почему нельзя по-человечески, по-русски? Нет, ты сначала всю кровь выпьешь, поглумишься, да? Тебе нравится над людьми издеваться, да? Твоя же Наташка...

— Она не моя.

— Не важно. Она про тебя говорила, что ты пластмассовый. Не от мира сего. Странный, понимаешь? Ненормальный, что ли? — Вова крутит пальцем у виска. — Да здесь принято так. Сечешь? Люди поколениями так живут: ты мне — я тебе. И не надо лицо кривить. Здесь всегда так было. Мои родители так жили, ихние родители так же жили.

— Их, Вова, их, а не ихние. Нет такого слова в русском языке.

— Вот видишь. Ты же не можешь по-нормальному.

— А по-нормальному — это как? — Разговор начинает меня все больше и больше напрягать.

— С людьми надо по-людски. Вот как. Без вывертов. Я всю жизнь общался нормально со всеми. И когда ларек свой был. И с бандитами, и с СЭС, и с торговой инспекцией. И никогда проблем не было. И не выебывался никогда. А ты не можешь как все, да? Тебе человека обязательно задеть надо, поерзать по нему... — Я представил, как я ерзаю по Вове, и меня начало подташнивать. — Я, честно говоря, другого и не ждал. Я тебя сразу просек, как только первый раз увидел. Вот ты мне скажи, ты нормально не хочешь жить или не умеешь? Не хочешь, да? А почему?

И наконец я не выдерживаю:

— Почему? Да потому, что, когда ты в девяносто пятом торговал пивом в палатке, я уже врубался в окололе-гальное перемещение грузов через российскую таможню. Потому, что, когда ты по пятницам несся с работы на дачу, чтобы бухнуть с батяней на природе и все такое, я жрал МДМА в «Птюче» и перся под «Born Slippy» Underworld. Потому что я не могу позволить себе, чтобы в моей машине на заднем сиденье валялась книга с названием «Комбат атакует» или «Спецназ выходит на связь». Мы очень разные, ты вруба-ешься? Я не смотрю «Бригаду», не люблю русский рок, у меня нет компакт-диска Сереги с «Черным бумером». Я читаю Уэльбека, Эллиса, смотрю старое кино с Марлен Дитрих и охуеваю от итальянских дизайнеров. И свои пер-вые деньги я потратил не на «бэху» четырехлетнюю, как у пацанов, а на поездку в Париж. И это у тебя никогда не уло-жится в голове, потому что ты живешь, как жили твои ро-дители и родители твоих родителей. Чтобы жена, чтобы дети, чтобы все как у людей. По воскресеньям в гости к со-седям, по понедельникам с похмелья на работу, по суббо-там в торговый центр, как в Лувр, со всей семьей да на целый день. У ВАС так принято. И мне этого никогда не понять и не принять, как шуток из программы «Аншлаг». То есть что-бы тебе было понятно — это вообще за гранью моего пони-мания, как для тебя осознание факта того, что короткие носки у мужчины — смертный грех.

— Что ж ты здесь делаешь-то в таком случае? — озло-бившись, шипит он. — Здесь полстраны таких. И НАС, как ты говоришь, больше, чем ВАС.

— Я здесь что делаю? Я здесь живу, я здесь работаю, я здесь люблю женщин, я здесь развлекаюсь. И самое глав-ное, я очень хочу, чтобы здесь все изменилось. Чтобы га-ишнику не нужно было давать денег, чтобы хорошие дороги, чтобы таможенники на прилете из Милана не выворачива-ли чемоданы, чтобы чиновник не ассоциировался с вором, чтобы приход пожарника в офис не означал бы «бутылку коньяка и соточку зелени». Чтобы лицом русской моды был Том Форд, а не Зайцев, чтобы нашу музыку ассоциировали не с Пугачевой, а с «И-2», чтобы все угорали не над шутками Галкина или Коклюшкина, а над юмором Монти Пайтона. И всем от этого будет только лучше, поверь мне. А пока я провожу время с такими вот жуликами, как ты, даю взятки закупщикам торговых Сетей, приглашаю на обеды чиновников, хожу в «Галерею», хотя хочу ходить в «Costes», я смотрю матч «Спартак» — «Терек», хотя с удовольствием посмотрел бы дерби «Интер» — «Милан». И я не хочу никуда уезжать, я хочу, чтобы все это было здесь, в России. Понимаешь? И я допускаю, что большей части населения все это на хуй не нужно и им весьма комфортно жить с теми персонажами, теми явлениями и социальными факторами, которые я не хотел бы видеть ни в каком временном или географическом пространстве. Я не призываю ВАС в мой мир, оставайтесь в своем, только не надо туда заманивать меня и мне подобных, а тем более говорить, что это единственно верная и веками сформированная система жизненного уклада. Я не хочу жить в мире, где все происходит «потому, что так положено». И я не хочу быть таким, как ты. Или чтобы дети мои были такими, как ты.

— Сильно не нравлюсь? Во мне-то что не так? Не самый плохой вариант, кстати. Некоторые от наркотиков или от синьки кони двигают, не дожив до тридцати лет. Так что у меня-то как раз все в порядке.

— Добротно и надежно, как в холодильнике «ЗИЛ». Ты сидишь тут, всячески демонстрируя, что «ты мужчина солидный», да? Что жизнь у тебя удалась? В чем, блядь, она удалась? В том, что ты «форд-фокус» купил? Что директором стал? Трахаешь офис-менеджера, получаешь зарплату, страховку и по тридцаточке еще в год пиздишь? На даче баню построил и нарастил жира на сто двадцать килограмм? Или что тебе на тридцать четвертом году жизни рассказали, что секс втроем действительно бывает в реальной жизни, а не только в немецкой порнухе, про которую тебе в восьмом классе рассказывали? Или что тебя поймали, как пацана, на краже пепси-колы из магазина? Тебя же нельзя изменить. Твое сознание, оно по объему как этот конверт с трешкой, который ты мне тут заслать пытался. ВАС же нельзя изменить, ВАС можно только поменять или держать в страхе и заставлять работать, а не пиздить, под управлением более умных людей. Короче, Вова, наш разговор зашел в тупик. Скушай «Сникерс» или «Твикс». Без толку перед тобой тут бисер метать.

— А хорошо, что ВАС меньше, сильно хорошо... — встает из-за стола Вова.

— Сильно хорошо не бывает Вован, за сильно хорошо сильно много платить потом приходится. Ты, кстати, куда намылился? Счет закрой. Начинай отрабатывать пятнаху. Счет из нее можешь вычесть. Да, кстати... Вот тебе в качестве бонуса записка от «Треста-М», с описанием ситуации вокруг «Вектры» и бюджетов «Импульса». Считай это жестом доброй воли с моей стороны. — Я протягиваю ему копию записки, переданной мне «трестовцами» в офисе.

— Чего это еще?

— Это, Вован, «того». Того самого. Это значит, что игры с «Вектрой» закончились, а бюджет этого года надо будет делить не «по-человечески» и «не по-русски» и даже не «по-нормальному». А поровну. То есть по шестьдесят тысяч. И пятерочку им еще не забудь прислать за новые продукты.

Вова снова садится и тупо смотрит то на меня, то на записку.

— Ладно, Вован, будешь в Москве — звони. В пятницу мне бюджетный план в копии зашли, о'кей? Да, и еще, Вов. Записка, как ты понимаешь, копия. Так, на всякий случай.

Я выхожу из «СССР», и мне очень хочется тщательно вымыть руки. Или надеть перчатки и идти, не касаясь земли. Последнее, впрочем, конечно же, от алкоголя.

Онегин

Мы с Вадимом заходим в клуб, подходим к барной стойке, и все присутствующие рядом девушки начинают таращиться в нашу сторону. Нет, вы не подумайте, у нас нет никаких особенных, выпирающих из штанов, первичных половых признаков. Мы не суперкрасавцы Аполлоны. Зато у нас есть другое, неоспоримое, преимущество. Мы — москвичи, обладатели корпоративных кредитных карточек, а следовательно, можем тут напоить и разнюхать понравившихся нам девушек. Поверьте, в Питере гораздо предпочтительнее быть богатым москвичом, чем Аполлоном.

Мы заказываем по двойному «Chivas Regal» со льдом, закуриваем и поворачиваемся лицом к залу. Народу довольно много, но набор очень стандартный. Пара десятков клерков, кривляющихся перед девчонками. У клерков больше похоти, чем денег, и они из кожи вон лезут, чтобы доказать окружающим, что они молодые олигархи. Пара олигархов, у которых денег больше, чем похоти, и они стараются казаться этакими богемными тусовщиками (тертые джинсы, майки и все такое). Человек десять богемных тусовщиков, таких реальных

---

* Я предложил Оксане лучший вариант для пятницы: она, Дима и я едем в «Кабаре», берем экстази, танцуем и под утро валим в ко мне в Жуковку, в сауну (*англ.*).

модников, у которых, правда, нет ни похоти, ни денег. Человек десять представителей золотой молодежи, у которых денег больше, чем у модников, но меньше, чем у клерков (вероятно, эти олигархи — их родители). Несколько москвичей со своими девчонками и много, много педиков. Девчонок, надо сказать, почти столько же.

— Поляна весьма уныла, — констатирует Вадим, — чё-то все какие-то лоховатые и смешные. Да и музыка говно.

— Ну, старик, чего же ты хотел? Не у каждого же есть возможность мотаться в Милан за счет конторы и одеваться там на сейлах прошлогодних новинок.

— Не надо грязи, please. Я тарюсь исключительно на Via Montenapoleone, — смеется он.

— Во-о-он там девушек видишь? Вот им и расскажешь позже, — говорю я. — Давай пройдемся, модник?

Выглядим мы и вправду круто. Вадим в истертых джинсах и выцветшей футболке, на ногах у него джинсовые лоуферы «Patric Cox». Я соответственно в красных «Tod's», рваных джинсах и красной же футболке «Mochino». То ли два гомика, то ли диджеи, то ли все, вместе взятое. Мы пялимся по сторонам и отпускаем в сторону окружающих гаденькие замечания:

— Смотри, смотри, вон та телка, вот сельпо, курит сигарету с мундштуком, а держать-то его и не умеет.

— А вон на диване два придурка разливают «Советское шампанское», а нюхают бокалы, как будто там «Crystal Roederer».

— А вон реальный «Crystal» хуячат тем не менее. Может, тоже купим? Заколотим нереального понта.

— У тебя девять сотен лишние? Отдай мне, я найду им лучшее применение.

— Пойдем еще к бару, виски возьмем?

Мы подходим к бару, и я, уже достаточно развеселившись, ставлю стакан на стойку и говорю бармену:

— Еще бокалов жажда просит, залить горячий жир котлет.

— Что, простите?

— Ничё. Классику надо читать. Вы же «Онегин» называетесь или «Печорин»?

— «Онегин»... — Бармен весь в непонятках. — Вам виски еще?

— Да не парься, приятель, — встревает Вадим. — Ну Пушкина помнишь? Ну, роман у него был в стихах. «Евгений Онегин». Ну, про чувака одного, про его тусовки...

— ...Про телок, про клубы, — давясь хохотом, подсказываю я.

— А-а... помню, конечно, — говорит бармен, — так бы сразу и сказали.

С бокалами в руках мы какое-то время стоим и курим. Я достаю конверт и передаю его Вадиму. Мы по очереди ходим в туалет.

Затем, уже пританцовывающие и весьма довольные собой, продолжаем издеваться над окружающими. Мой пытливый взгляд упирается в угол зала. Там на диванах сидит довольно странная пара для сего заведения. Он — в темном костюме, лакированных ботинках, рубашке с галстуком и очках, похожий на актера, игравшего роль Клима Самгина. Она — в юбке, дешевых сапогах и чем-то неярком сверху, с темными волосами и очень правильными чертами лица. Он застенчиво обнимает ее, что-то шепчет на ухо и пьет кофе. Она слушает его, пьет (по-моему, вино) и смотрит на окружающих глазами испуганной лани (или как в таких случаях говорится?).

— Во! — говорю я. — Смотри, какие экземпляры. Как они здесь оказались-то? Он, наверное, профорг в институте. Ныкнул стипендию группы и решил тусануть чувиху в модном клубе, да?

— Это любоффь, ну что ты пошлишь! — ржет Вадим. — Он наверняка получил премию за разработку в

области химии, как молодой специалист. И вывел девушку в свет. Так гранты встречаются с гламуром.

— Это любовь, тадан-тан, но не ко мне, па-а-а-верь.
Это любовь, тадан-тан, не закрывай грудью дверь, — пою
я. — А грудь у нее ничаво, ничаво. Химик он, говоришь?
Интересно, чой-то он там насинтезировал-то? Что ему
ажно на «Онегин» хватило?

— Ну не знаю. Раз кофе пьет, уж точно не новый сти-
мулятор.

— Нет, их, наверное, родители после школы сюда
привели, на продленку. А сами в туалете хуячат.

Тут девушка замечает, что мы пялимся на них, и смущенно краснеет, одновременно что-то говоря парню. Мы
смеемся и ведем себя совершенно неприлично.

— Она ему, наверное, говорит, что хочет тебя. «Ми-
и-иш, смотри, какой мальчик симпатичный», — против-
ным тонким голоском изображает Вадим.

— Ну и отлично. А то он какой-то заторможенный
очень.

— Давай его разнюхаем, будет быстрый! — продолжает гоготать Вадим.

Тут юноша зовет официанта, и ему очень быстро
(сумма счета столь мала, что официант торопится по-
садить на их место кого-то более платежеспособного)
приносят счет. Пара встает и идет к выходу. Мальчик
бросает на нас скорбный и довольно презрительный
взгляд, а девушка быстро исчезает из зала. У меня тут
же почему-то ёкает в груди. Я начинаю думать о том,
что, в сущности, нет ничего более отвратительного, чем
издевательства над чужими чувствами. Мы настолько
старательно это делаем, потому что у нас нет ничего
похожего. И судя по стилю жизни, и не будет. И вот
мы гадничаем, высмеиваем их, хотя приключись это с
тобой — вмиг изойдешь розовыми соплями и станешь
омерзительно сентиментальным. Вот тогда будешь от-

личным объектом для насмешек друзей. При мысли о розовых соплях у меня проходит устойчивый ассоциативный ряд, и я снова иду в туалет.

В туалете, после осуществления очередного снифа, мне становится настолько тошно, тоскливо и одиноко, что я, даже не посмотрев на часы, набираю номер Юли. Проходит первый звонок, затем второй, третий, четвертый... Юля, Юлечка, девочка моя, ну вспомни, что у тебя есть мобильный, на который названивает одинокий психопат, который окончательно теряет равновесие и гибнет от яда из собственной пошлости, цинизма и равнодушия. Просто нажми на кнопку и скажи, что ты спишь, это убедит меня в том, что в этом мире еще живут ЛЮДИ.

— Але, привет, — раздается на том конце.

— Привет, — говорю я сдавленным голосом, — я тебя не разбудил?

— Нет, нет, я на дне рождения у подруги. Что у тебя с голосом?

— Тоска, понимаешь, тоска. Меня этот город окончательно раздавил, хотя много ли мне надо?

— Ты в Питере? Опять не спишь?

— Нет... Я хотел развеяться, встретил своего московского приятеля и пошел в клуб. Лучше бы пошел спать, а завтра сходил бы в зоопарк. Эффект тот же.

— Мальчик мой, ты себя загнать хочешь?

— Да брось ты... Как там у тебя на дне рождения? Подруги веселят?

— Да, в общем, ничего, как обычно. Ну что ты, ну что опять происходит? Ты себя специально раскачиваешь?

— Ладно, повеселись там за меня, о'кей? Мне что-то совсем смурно. Поеду я спать.

— Езжай спать, пожалуйста, хорошо? Выспись. Ну не стоит так себя вести. Поезжай. Я тебя прошу.

— Юля... ты знаешь, я себя сейчас чувствую как маленький мальчик. Хочется поехать в гостиницу и спать в обнимку с телефоном. С твоими эсэмэсами, с твоим голосом... Юленька... Я скучаю по тебе...

— Мальчик мой! Тебе выспаться нужно. Ты спи, а я завтра тебе позвоню, и все будет совсем по-другому. Солнечно. Хочешь солнца? Ты ведь его так любишь...

Я слушаю ее голос и почти не разбираю слова. После того как она мне говорит по телефону все эти удивительные вещи, у меня на душе становится тепло и маслено. И я понимаю, что я не один и все такое.

— Юль, я действительно поеду спать. Спасибо, что ты со мной поговорила.

— Слушай, ну что ты такое говоришь?

Я слышу, как у нее фоном звучат какие-то голоса, и мне на секунду кажется, что некоторые голоса мужские. И что-то такое царапает мне грудь изнутри. И единственное, о чем я думаю, — это как бы на самом деле отчетливо не услышать мужской голос. И я говорю ей: «Спокойной ночи!» Мы мило прощаемся. И я на самом деле стараюсь успокоиться. Но бикфордов шнур ревности уже запален, и от ощущения факта того, с КАКИМИ на самом деле подругами она там тусуется, мне становится горячо в горле. И я понимаю, что больше всего на свете я хочу оказаться ТАМ, рядом с ней. Километры — лучшие афродизиаки, не правда ли?

Умирающая ночь дает о себе знать. Остатки питерских клабберов слоняются по клубу, иногда ныряют в туалет, в надежде застать там знакомого, который случайно «с этим», но быстро выходят обратно с разочарованными лицами. Музыка играет тише, танцпол пустеет. Девушки, не нашедшие себе за ночь партнеров, распластаны по углам, подобно ночным светлячкам, готовящимся встретить первые лучи солнца. Их лица уже основательно посерели. Постепенно проявляются синяки под глазами и обтянутые кожей скулы, до сих пор умело ретушированные косметикой. И тут меня осеняет:

— Эй, ты посмотри, да красавицы тают на глазах, постепенно превращаясь в работниц метро после ночной смены. Еще полчаса, и они из принцесс превратятся в золушек, а то и вообще пропадут. Прикинь, через час вместо них только неряшливые стопки мятой одежды. Круто?

— Ага. А «мерседесы» на клубной парковке превратятся в тыквы. Здорово!

— Нет, ну прекрати, тут и так полгорода ездят на тыквах. Скорее всего «мерседесы» по мановению волшебной палочки превратятся в куски дорог, покрашенные дома, новые трубы отопления и отремонтированные дворцы. Не исключено также, что некоторые из них останутся лежать на дороге кучей долларовых пачек с аккуратными записками — «пенсии» или «субсидии».

— Опять ты со своим вечным социалом. Старик, все будет проще. Некоторые «мерсы» превратятся в кучи кокаина или герыча, иные в штабели оружия. А пара-тройка в зеленые леса. Корабельные, например. И наступит вселенская справедливость, и последние станут первыми и еще что-то там в этом духе.

— Послушай, пока мы тут упражняемся в остроумии, наши прекрасные незнакомки растворятся в диванных подушках. Давай подойдем, мы еще успеем их спасти.

Я решительно делаю шаг, подхожу к девкам и говорю следующее:

— Здравствуйте, девушки. Скажите, а вы в Питере проживаете?

— Да... — робко отвечает одна из них. — А в чем, собственно?..

— Не пугайтесь. Дело в том, что я и мой друг (вон там покачивается, он просто застенчивый очень), мы сами люди приезжие. Из Москвы. И понимаете ли, какое дело, мы тут заблудились и не знаем, как нам найти дорогу в гостиницу.

При слове «Москва» девушки оживляются, на их щеках откуда ни возьмись вновь появляется румянец. Глаза искрятся. Но вторая подруга предпочитает уточнить, чтобы уж наверняка:

— А как ваша гостиница называется, мальчики?

— Ну, этот, — я делаю вид полного идиота, роюсь по карманам и достаю магнитный ключ номера, — как его? Вот тут написано — «Невский Палас». Это на Невском где-то?

— На Невском, на Невском, — дружно тараторят они, чувствуя, что караси (мы то есть) те самые.

— Ну, мальчики, мы, конечно, не гиды-экскурсоводы, но так и быть, — начинает самая бойкая из них, — проводим. Не дадим пропасть столице, правда, Олька?

— Угу, — кивает Олька. — А у вас, мальчики, в гостинице что-то бодрящее имеется?

— Кофе есть, — не в кассу шутит мой товарищ.

— Кофе? — переспрашивает она, прищуриваясь.

— Колумбийский, растворимый. Не волнуйтесь, девушки, — выправляю я ситуацию, — я насыплю так, что не уснете.

— Ха-ха-ха-ха! — заливисто хохочут они, вызывая у меня приятную волну похоти в области живота. — Ну едем тогда уже. Вот тут только надо за шампанское рассчитаться.

— Нет проблем, девчонки. — Вадим ловко достает из кошелька кредитку. — Идите пока к выходу с гражданином, а я решу!.. — В этот момент он похож на иллюзиониста Кио, только вот глаза у него подозрительно блестят, и, сдается мне, это единственный фокус, доступный ему.

На улице мы останавливаем такси, которое повезет нас в гостиницу. Вадим садится между девушками, обнимает их за плечи и говорит что-то про арабских шейхов, гаремы и прочую атрибутику нефтяного Востока. Я думаю о том, что мы, безусловно, никакие не шейхи, а халифы на час. Ну, или на три, это в зависимости от того, как долго продержит. И девушки это также понимают и стараются максимально соответствовать образу Шахерезады на ночь. Смеются нашим шуткам, позволяют Вадиму тискать их обеих, лезут ему под футболку, целуют его, в общем, стараются выглядеть не хуже иных порнозвезд.

Мы подъезжаем к «Невскому Паласу», выходим из такси и останавливаемся перед входом в гостиницу. На тротуаре стоит маленький рекламный щит с фотографией четы молодоженов: он — в смокинге, она — в умопомрачительном белом платье. Вадим берет под руку одну из девушек, Татьяну, и встает с ней спиной к щиту.

— Мы похожи на молодоженов? А? Нет, скажите? По-моему, вылитые. Как там это говорится: «Till death do us Apart», — говорит Вадим торжественным голосом.

Хотя правильнее было бы сказать: «Till morning do us Apart...» Но к чему здесь цинизм, когда впереди маячит романтика случайных связей?

В гостинице Вадим широким жестом приглашает всех в свой номер. Поднявшись, мы попадаем в двухкомнатные апартаменты, говорящие о том, что продажи у табачных магнатов в России умопомрачительные. Если директора компании по маркетингу останавливаются в таких номерах, что же делают их боссы? Не иначе как покупают весь город на время своей командировки.

Вадим приносит шампанское, разливает его всем присутствующим, я высыпаю на журнальный столик остатки порошка, кидаю сверху свернутую купюру и карточку, девушки жеманно нюхают, и Татьяна шепчет:

— Класс. Московский?

— Ага.

— Да, сразу чувствуется, не то что наш аспирин.

— Ну, в смысле, у Московского вокзала брали, — смеюсь я.

— Да какая разница, девушки, — встревает Вадим, — московский, ленинградский?.. Главное, чтобы компания была хорошая, правда?

Все дружно смеются, чокаются бокалами, и наступает тот момент, когда прелюдию перед надвигающимся свальным грехом нужно заполнить. Всем совершенно понятен дальнейший сценарий, но, в самом деле, не можем же мы раздеться и прямо с порога броситься на кровать? Мы же интеллигентные люди, находящиеся на гастролях в культурной столице. И вот поэтому ближайшие двадцать минут мы будем заполнять вакуум своими банальностями.

— Вадик, какие у тебя интересные мокасины, — начинает кокетничать Лена.

— О да, я за них весь год умирал на стройках капитализма, — рисуется Вадим.

— Ага, точнее, сотни работников потогонных предприятий умирали целый год за зарплату в восемнадцать долларов, чтобы ты мог здесь собирать комплименты авоськами, — замечаю я.

— Каких предприятий? — переспрашивает Татьяна.

И в этот момент меня начинает нести. Я рассказываю о формировании цены на изделия рынка luxury, нечеловеческих условиях на фабриках по производству этого дерьма в Юго-Восточной Азии (так живописно, будто бы сам там когда-то был), о том, что все это глобальное наебалово и новая рабовладельческая система

266

формируются и процветают с нашего с ними молчаливого согласия. О толпах идиотов, считающих целью своей жизни получение всех возможных клубных карточек или всех наибольших дисконтов в бутиках обеих столиц. Я предлагаю всем задуматься о том, что нынешние бизнес-системы уже давно переплюнули нацистские и если мы пойдем по этому пути до конца, то наши дети проклянут нас, если вообще успеют родиться. Я рассуждаю про дороги, которые мы выбираем в двадцать первом веке, а в этот момент Вадим убирает очередную «дорогу» со стола. Я стараюсь увести моих не особенно внимательных слушателей в сторону размышлений о том, что нынешние демократические режимы мало чем отличаются от коммунистических, а Вадим уже уводит Татьяну в соседнюю комнату. Я нахожусь в состоянии шаманского транса, моя мысль опережает мой речевой аппарат. Я пытаюсь говорить о любви, о простых и таких важных человеческих чувствах, о геополитике, брэндинге на крови...

Я все это довольно долго излагаю, с актерскими паузами, отчаянной жестикуляцией, правильными смысловыми интонациями. И заканчиваю монолог фразой:

— Вы понимаете, куда мы тут все катимся?

И в этот момент, после того как я произнес такую охуительную речь, сногсшибательную такую речь, речь, полную гениальных параллелей и ответов на загадки мирового масштаба, контркультурную такую речь, из тех речей, что случаются один раз, в состоянии алкогольного или другого опьянения, ближе к четырем утра... В этот самый fuckin' момент Лена (сука тупая, эта Лена) поднимает на меня свои поросячьи глаза и (блаженны нищие духом) так тихонько интересуется:

— А КОКАИН ЕЩЕ ОСТАЛСЯ???

Я молча сдергиваю с себя футболку и закрываю дверь, разделяющую комнаты...

В шесть утра я захожу в ванную. Моя сегодняшняя подруга уже спит. Я минут десять держу голову под холодной водой, вытираю лицо пушистым махровым полотенцем, которые еще встречаются в российских гостиницах. Затем я вижу на полу свои джинсы, вытаскиваю из них телефон и вижу непрочитанное эсэмэс. Я закуриваю и читаю текст на дисплее: «Мальчик мой, — пишет Юля, — мне так хочется погладить тебя по твоей безумной голове. В волосы тебе зарыться. Спи спокойно. До завтра».

И, несмотря на мутную голову, во мне просыпается стыд. От того, как мерзко я ныл ей по телефону, от того, как я провел эту ночь, а главное, от того, что я на долю секунды допустил, что она пропитана всем этим лицемерием и враньем, как и я. И я посылаю ей еще более трогательное эсэмэс, сравнивая ее с ангелом, и пишу ей еще сто шестьдесят знаков собственных чувств. И меня распирает от нежности и романтики ситуации, и мне хорошо, как в детстве, когда мама укрывала меня, спящего, одеялом. И мне кажется, что весы качнулись. И та их чаша, наполненная кусочками хорошего, осколками, покоящимися где-то в глубине меня, пошла вниз, перевесив все мои гадости, казавшиеся до сегодняшней ночи доминантами. Или все это мне только кажется?

В десять утра следующего дня я сижу в баре «Невского Паласа», пью шампанское, верчу в руках телефон и перечитываю нашу с Юлией ночную переписку. И по радио звучит голос Dido из песни Eminem — «Stan»:

My tea's gone cold, I'm wondering why I got out of bed at all
The morning rain clouds up my window and I can't see at all
And even if I could it'd all be grey, but your picture on my wall
It reminds me that it's not so bad
It's not so bad

И я думаю о том, что совершенно запросто сегодня утром она получает мое эсэмэс, просыпаясь на груди другого мужчины, и так же нежно она целует его в подбородок, а он щурится с утра и гладит ее по волосам, и они улыбаются, сладко потягиваясь, и готовятся войти в этот день, искупавшись друг в друге.

И возможно, вчера она говорила со мной, выйдя на кухню, а за стеной была веселая компания и ее подруги периодически выходили из комнаты, чтобы позвать ее с собой, а он смотрел на нее, опершись на дверной косяк, а она делала ему знаки рукой, в смысле «я скоро приду, пять секунд», и махала ему пальцами, а сама успокаивала по телефону чертового психопата — меня то есть.

У меня стоит комок в горле и слезы в глазах, хотя я совершенно отчетливо понимаю, что ревность весьма деструктивна. Более того, в нашем случае она попросту необоснованна. Но паранойя уже всосалась в мою кровь, подобно пузырькам шампанского. И мне хочется убежать, спрятаться от всех. Я никому не верю, я всех боюсь, и мне безумно обидно и жалко себя до слез.

Выпив четвертый бокал шампанского в десятом часу утра, я вывожу еще одну формулу нашего жития. Я всех обманываю, меня все обманывают. Никто никому не верит. Никто никому не говорит правду. Мы все — заложники собственной лжи. И мы живем под девизом «Ложь во благо» — и наше благо действительно во лжи. Мы стараемся никого не поранить правдой, раня только себя бутылочными осколками нашего вранья. И все это делается для того, чтобы всем было комфортно и приятно думать, что они кому-то нужны. И все утешают друг друга и признаются в любви из чувства «человечности». А потом гордо несут себя, преисполненные чувства «помощи нуждающимся».

И мы говорим по телефону с нашими женами, принимая в это самое время минет от своих любовниц. И наши любовницы, сделав нам минет, бегут в ванную послать эсэмэс своим изнывающим от тоски нежным друзьям. А друзья ломают себе пальцы в ожидании этого сообщения. А приняв его, едут домой к нашим женам, чтобы предаться блуду, в то время как мы блудим с нашими любовницами, которые оказываются подругами любовников наших жен. И уже непонятно, кто здесь кого любит, и кажется, страдают все одновременно. И каждый старается утешить другого, параллельно сделав еще больнее, ревнуя друг друга при этом до слез и белеющих костяшек сжатых кулаков.

И всем нам настолько хорошо, что мы смеемся над нашими женами в компании своих любовниц, в то время как наши любовницы показывают наши трогательные эсэмэсы своим друзьям, которые ужасаются пошлости и цинизму своих подруг, понимая, что почти такие же эсэмэсы они отправляют нашим женам. А потом спектакли входят в увертюру, где наши нежные чувства оказываются смешанными с грязью. Где самые любящие подруги оказываются самыми развратными шлюхами, а самые циничные подлецы оказываются ранимыми принцами с оленьими глазами. А наши лучшие друзья оказываются злейшими врагами. И когда все становится явным, мы все дружно выпиваем коктейль из страсти, похоти, нежности, ревности, крови и обмана. Мы понимаем, что обмануты тут все по кругу, и остается один выход — просто повеситься.

Но мы выбираем жизнь, потому что это проще. И отчаянно пытаемся верить, что, может быть, как раз нас-то и не обманули. У нас-то все по-настоящему. (Стоит ли говорить, что мы и оказываемся в итоге самыми обманутыми из всех?..)

И каждый чувствует себя победителем на коротком отрезке времени, не понимая, что можно выиграть бой, но проиграть целую войну.

В итоге мы все остаемся одни, засыпая в обнимку с нашими страданиями и слезами, как с плюшевым мишкой.

Накрутив себя таким образом, я понимаю, что напился в хлам. Я встаю из-за стола, иду к выходу, строя рожи окружающим и дразня языком хостесс. Персонал и немногочисленные гости косятся на меня исподлобья. Выходя из бара, я беру со столика при входе пустое ведерко для шампанского и надеваю себе на голову.

Затем я поворачиваюсь к залу и громко говорю: «НИКОМУ НЕ ВЕРЬТЕ, ЛЮДИ! БУДЬТЕ БДИТЕЛЬНЫ, НЕ ИСКЛЮЧЕНО, ЧТО ВАС ОБМАНЫВАЮТ!»

И со стороны я похож на магистра Ливонского ордена из фильма «Александр Невский», который вызывает на поединок главного героя голосом из-под шлема — консервной банки. И я сам ощущаю себя консервированным лососем в соусе из собственных сентиментальных соплей. Я снимаю с головы ведро и выхожу из бара. Где-то в его глубине раздаются аплодисменты такого же пораженного в сердце циника. Господи, ну почему же мы не допускаем для себя факта существования НОРМАЛЬНЫХ людей? Отчего нам так тяжело кому-то поверить?

Я иду по коридору к лифтам — пьяный, сонный и совершенно разбитый. И везде снова играет эминемовский «Stan», и я не знаю, чего мне больше хочется: упасть в кровать или упасть в Неву?

В двенадцать часов дня в дверь кто-то стучит. Я открываю и вижу стоящую на пороге горничную.

— Убираться нужно? — тихим голосом спрашивает она.

— Нет... — отвечаю я, оборачиваясь. Сзади меня разгромленный номер, куча смятых вещей в углу, перевернутое кресло, пара пустых бутылок и чья-то безжизненно свесившаяся с кровати рука с красным маникюром. — Нет... не нужно, здесь все уже и так убрались...

Домой

I'm back in the U.S.S.R.
You don't know how lucky you are boys
Back in the U.S.S.R.

The Beatles. Back in USSR

I'm a human and I need to be loved,
just, like everybody else, does.

The Smiths. «How soon is now?»

Через два часа после описанных событий я уже сижу этаким живчиком в ресторане «Москва», из окон которого можно наблюдать один из самых потрясающих видов на Питер. Расположен он на шестом этаже какого-то бизнес-центра, что по московским меркам безусловный моветон, но в Питере такой ресторан можно было бы открыть даже на минус шестом этаже подземной парковки — все равно он был бы успешным. Ресторан действительно очень московский, как с точки зрения прелестного минималистского дизайна, так и с точки зрения музыки, сервиса и кухни. Я намеренно сделал такую критериальную расстановку, ибо «Москва» — ресторан очень модный, а в модные рестораны ходят за чем угодно. Ходят есть — в последнюю очередь.

Я сижу, пялюсь сквозь панорамные окна на стоящий вдалеке крейсер «Аврора» и пью уже второй кофе. Оставшиеся до поезда два часа я коротал в компании своего дальнего питерского родственника Андрея и его девушки. По последнему определению у меня большие вопросы, но проще его принять, чем уточнять что-то.

Андрей, молодой человек двадцати двух лет, учащийся исторического факультета Санкт-Петербургского университета, в свободное от учебы время праздношатающийся.

272

Его деловые/тусовочные интересы лежат в различных сферах деятельности: от клубного промоутерства до торговли дорогим алкоголем, от создания интернет-сайта факультета до журналистики. В целом у молодого, образованного парня с креативным мышлением блестящие перспективы. Он одинаково успешно может стать самым востребованным промоутером города или сторчаться от кокаина. Уехать к маме в Америку, потакая собственной лени, или запустить какой-то сногсшибательный проект в издательском бизнесе. Одним словом, молодым — везде у нас дорога. В хорошем смысле слова.

Мы видимся несколько раз в год, то в Москве, то в Питере, и я — в основном с раздражением, реже с удовольствием — слушаю про его жизнь, похождения и увлечения. С раздражением, потому что вспоминаю себя в двадцать два года, свою восторженность пустыми проектами, свои увлечения неправильными девочками, знакомство с наркотиками и клубной жизнью. С удовольствием, потому что между нами разница в восемь лет, и те моменты, которые он понял уже сейчас, мне открылись много позднее. Следовательно, есть гарантия, что он успеет сделать больше, лучше и раньше, чем я. И еще я раздражаюсь, потому что чувствую за него непонятную, несвойственную мне и совершенно беспричинную ответственность, как за младшего брата. Возможно, потому что я всегда хотел иметь брата, возможно, в силу потребности размещать свою добродетель на неблагодарной юношеской почве. Упиваться своими менторскими наставлениями, зная наперед, что ими никто не воспользуется, и испытывать стариковский маразматический кайф от этого.

Девушка Андрея — очень смешная особа. «Ты не подумай, это она только с виду такая пустая, а на самом деле очень духовная, — представлял он ее, когда та отходила в туалет. — Она учится на моем факультете, закончила театральное училище, и у нее свой танцевальный номер в одном из ночных клубов. А еще за ней ухаживает один местный олигарх. Вот».

— Как это соотносится с духовностью? Типа, жизнь — театр и все такое? — спрашиваю я. — У нее танцевальный номер топлесс, надеюсь?

— Нет, а что?

— Запомни, Дрон, самое главное в жизни — это большие буфера телок, как говорил Бивис, круче этого ничего не бывает.

— Да ну тебя. Она правда хорошая, чего ты глумишься? — обижается он, хотя сам стебает ее все время, пока мы в «Москве».

И вот она возвращается. В силу возраста и интересов к клубной тусовке она, безусловно, желает казаться взрослее. Этакой роковой женщиной-вамп в кривом исполнении Ренаты Литвиновой.

— Андрюша, ты заказал мне десерт? — говорит она нарочито капризным голосом.

— Ты салат доешь сначала.

— Я не хочу, я уже наелась.

— Ты кушай, кушай капусту, — смеется он, — москвичами уплочено — значит, ешь.

— И что будет, если я доем?

— Сиськи вырастут. Или в Москву переедешь, — гогочет Андрей.

— Идиот. — Она деланно обижается. — Я и так в «Москве».

— Это ошибочное заблуждение, — резюмирую я.

Мы заказываем десерт, курим, говорим друг другу ничего не значащие фразы. Я досадую про себя оттого, что Дрон взял с собой эту телку, но, в принципе, мне все равно.

— Как десерт? — спрашиваю я, чтобы поддержать разговор.

— Это было потрясающе! — Она выворачивает ладони, показывая всю степень «потрясности» десерта.

274

— Ты еще более потрясающая, — отвечает ей Андрей, как истинный тусовщик и джентльмен. Она обнимает его и картинно целует, стреляя в меня глазами и не вынимая языка из его рта.

В целом все выглядит достаточно комично. Они играют передо мной в любовь двух пресыщенных джетсеттеров. Притом она очень манерно разговаривает, растягивая слова и вставляя разные фразочки типа «полный отстой», «потрясно» и «гламурно». Есть такие телеведущие, которые в своих юмористических передачах смешно копируют речь известных светских персонажей, типа Ксении Собчак или Филиппа Киркорова, их повадки, жесты и фразочки. Так вот, у меня создается впечатление, что, стараясь выглядеть как можно более гламурно, она копирует тех самых телеведущих, которые копируют тусовщиков. И, повторюсь, выглядит это очень комично, хотя ей кажется совсем наоборот.

Она смотрит на мой спортивный красный адидасовский костюм и говорит:

— Какой у тебя костюмчик прикольный.

— Ага. Родом из восьмидесятых.

— Слушай, Андрей, — продолжает она, — а здорово там было в восьмидесятых. Жаль, что мы не застали, правда? Такая мода прикольная, гламур, все эти вечеринки. Синти-поп, электроника, диско, «Модерн токинг». Ой, мне все это ужаааасно нравится.

— Да, да. Портвейн, комсомол, КГБ, статья за доллары в кармане. Весело мы жили.

— Ну, зато есть чего вспомнить, — встревает Андрей, — а сейчас все просто и понятно. И такого угара и праздника каждый день уже, конечно, не будет.

— Ой, не зарекайся. Можем угореть похлеще, чем в 1982-м, — мрачно говорю я.

— Ну и зря, — возражает девушка, — мне кажется, это так здорово. Прикинь, Андрей, я бы носила синюю юбку, белую блузку с комсомольским значком и колготки в сетку. По-моему, это так сексуально. Тебе бы понравилось, милый? — И она снова картинно целуется с ним.

Я прошу счет и опять уставляюсь в окно, убивая оставшиеся до отъезда на вокзал минуты. Они продолжают что-то щебетать про ушедшую коммунистическую эпоху. До меня доносятся слова «Олимпиада», «гламур», «Симачев», снова «гламур» и «диджеи, играющие диско». Крейсер «Аврора» в сочетании с нашим разговором уже не кажется мне слишком архаичным.

Официант сообщает мне, что подъехало такси. Мы собираемся, спускаемся на лифте вниз, в лифте они продолжают целоваться, я, выходя, задеваю девушку своей сумкой, она взвизгивает. Мы садимся в такси.

В такси играет нуднейший из всех нудных музыкантов — Крис Ри. Мне всегда кажется, что, какая бы его песня ни играла по радио, это просто ремикс. Все его говнотворчество похоже друг на друга, как инкубаторские яйца. Хотя есть люди, которым он нравится. Допускаю, что есть его фанаты. Хотя представить их не могу. Я еду на переднем сиденье и думаю о том, что очень удачно я уезжаю дневным четырехчасовым поездом. Еще день в Питере я бы не осилил.

На перроне я, уже окончательно напряженный городом, невыспавшийся и усталый, мечтаю о том, чтобы поскорее плюхнуться в кресло и отрубиться.

— Ну, давай, брат, — говорит мне Андрей, — не забывай блокадников и все такое.

—Ага, давай, Андрюх. Веди себя хорошо. Не расстраивай маму, она волнуется за тебя.

Я оборачиваюсь к девушке и говорю ей: «Счастливо». Потом я торможу, пытаюсь назвать ее по имени, но не могу его вспомнить, поэтому просто говорю:

— Было очень приятно познакомиться, спасибо за компанию, увидимся, — и запрыгиваю в вагон.

276

Поезд тронулся, и вот я сижу в кресле бизнес-класса, как это тут называется, пью коньяк и смотрю телевизор. Только что я поговорил по телефону с Юлией, предлагая ей вечером поужинать, она некоторое время ссылалась на занятость и какие-то дела, чем привела меня в раздражение, затем согласилась встретиться в десять вечера в «Шатре» на Чистых прудах. Коньяк приятно клонит меня в сон, я думаю о предстоящей встрече и смотрю телевизор. По нему крутят отечественное кино «Кавказская пленница». Я не могу сказать, что меня тошнит от подобных фильмов, но поклонником их я уж точно не являюсь. Пересмотрены все они по сотне раз, разорваны на истасканные цитаты, и их юмор, этих картин, совковая эстетика и трогательность меня совсем не трогают. Я оглядываюсь по сторонам и вижу, что почти все мои соседи, с наушниками на голове, втыкают в телевизор и синхронно смеются в одних и тех же моментах.

Еще я понимаю, что все эти люди бизнеса (а другие не поедут в этом вагоне) — мои сверстники. Или практически мои сверстники. И все они сидят, пьют советский коньяк, почти все заказали на горячее котлету по-киевски и теперь наслаждаются магией советского кинематографа. И я ловлю себя на мысли, что если отбросить лежащие у некоторых на коленях ноутбуки, мобильные телефоны, сделать вагон чуть более обшарпанным, а людей слегка переодеть (хотя половина из них и так в серых костюмах отвратительного кроя), то невозможно будет определить текущий год. То ли 2005-й, то ли 1985-й. Все очень похоже. Об этом ли я мечтал, смотря первые американские боевики на видео? О таких ли попутчиках я думал, принимая первые доллары у иностранцев на Арбате в 1989 году? Мог ли я представить, что вся эта серая масса, ходившая тогда по улицам, вернется обратно в один прекрасный момент, причем по собственной воле? Думал ли я, что так

277

оно все повернется? Думали ли они? Неужели ничего не изменилось? Или нет, не так. Неужели мы так ничего и не изменили?

Бедные мальчики и девочки, рожденные в 1970—1976 годах. Сколько надежд на вас возлагали! Родители, умиляясь, глядели в коляски, где мы лежали, спеленатые, как личинки бабочек, перевязанные одинаковыми голубыми или розовыми бантами (утверждены «Положением» Министерства легкой промышленности). Вот они-то, наши милые дети, спят и даже не представляют, как им повезло. Все то, чего недобрали мы, они получат с лихвой. Сытые и пьяные 70-е, где все было так рутинно и предопределенно. И тогда было совершенно ясно, что не мытьем, так катаньем мы, скрипя, влезем в будущее победившего социализма. Ибо даже такие напасти, как пожирающий все монстр военного бюджета, глупая и аморфная экономическая политика, всеобщее распиздяйство, — НИЧТО по сравнению с гигантскими ресурсами в виде нефти, угля и газа. Которые, как спасательные круги, позволят нам не только продержаться на плаву еще добрую сотню лет, но и выплыть на широкие просторы океана под названием «всеобщее благоденствие». И вот эти безмятежно сопящие дети будут первым счастливым поколением. Поколением, которое пожнет все самые лучшие плоды, взошедшие на компосте лишений, войн, голода и прочих ужасов заканчивающегося двадцатого века. Конечно, после них будут еще их дети, и дети детей, и внуки и правнуки, чья жизнь будет еще прекраснее. Сытой, благополучной и слегка западной. Как в Югославии. Нет, даже еще лучше.

Но эти, рожденные в 70-е, настоящие пионеры. Люди, которые первые познают счастье жить в России. Родители качали нас в колясках, радовались нашему будущему счастью и по-хорошему завидовали нам. Первому поколению, чье будущее было так по-настоящему здорово предопределено.

Прошла еще пара десятков лет, за которые мы успели вырасти, получить добротное советское образование (понемногу обо всем и ни о чем, вместо того чтобы стать профессионалами в отдельно взятой области), прочитать массу полезных и бесполезных книг, научиться пить водку, запивать ее портвейном, научиться курить марихуану, страдать свинцовым похмельем, дискутировать (с похмелья в том числе) о духовных истоках и пути нации в России. Много еще чего (как выяснилось позже, абсолютно ненужного) мы успели узнать и выучить.

И вот в наши обитые дерматином двери в «хрущовках», «кооперативках» и «домах улучшенной планировки» постучались лихие девяностые. Начались все эти движухи в виде «депутатских групп», «прав наций на самоопределение», «парада суверенитетов» и прочего. В воздухе реально, как никогда ранее, запахло СВОБОДОЙ. Наши уже несколько постаревшие родители еще раз очень сильно нам позавидовали. Теперь мы не только будем жить в счастливом, но и в по-настоящему свободном обществе. Где такие весомые прежде социальные бонусы в виде холодильника «Rosenlew», финского сервелата и югославской мебели поникнут перед правом говорить не шепча, слушать и читать не то, что рекомендовано, а то, что нравится, спать с кем заблагорассудится и наконец сбросить этот жуткий пресс под названием «Общественная Позиция».

Надежды родителей становились реальностью. Вот оно, свершилось, доселе невозможное в России словосочетание — СВОБОДА и БЛАГОДЕНСТВИЕ.

И вот мы вступаем в новую для России ЭРУ. Мы идем, такие молодые, красивые, полные устремлений и перспектив. Новые хозяева этой страны. Старые идолы прошлых поколений валяются на земле и крошатся под нашими ногами, а новых мы еще не успели придумать. Мы оплевываем прежние идеалы, высмеиваем моральные устои и жизненные позиции наших родителей, рубим топорами иконы, перформанс заменяет нам религию, а порок заменяет мораль. Мы разрушаем все прежние храмы, расчищая место для новых святилищ, где мы будем поклоняться СВОИМ богам. Наши родители, с трудом сдерживая слезы, смотрят, как мы разносим по кирпичикам все то, что было им так дорого. С ужасом и благоговением они замирают у окон комнат, в которых мы появились на свет, смотря на то, что мы вытворяем на улице. «Как же жаль, — думают они, — как жаль, что из всех возможных путей они выбрали путь разрушения. Дай Бог, чтобы они построили что-то свое. Новое по форме и безупречно правильное по содержанию. Мы не будем к ним слишком строги. Ведь это наши дети. Первое поколение с золотым будущим».

Тем временем мы бьемся в кровь друг с другом, отстаивая собственные взгляды на переустройство страны. Многие из нас падают, захлебываясь в крови и собственной желчи, и тогда наши несчастные родители подбегают к нам, чтобы помочь подняться. А мы отпихиваем их и плюем им в лицо со словами: «Будьте вы прокляты! Самое глупое, что вы могли сделать, — это родить нас! Теперь уж не взыщите!» Поколение Франкенштейнов, пожирающее своих создателей.

Мы были образованны, мы были высокодуховны, мы проводили все эти годы в спорах о судьбах нации, уроках истории и построении будущего страны. Мы спорили на кухнях, в ресторанах, офисах, кафе, гостиницах, клубах. В постелях, спортзалах, салонах самолетов и вагонах поездов TGV. Мы спорили по отдельности, в Москве, Питере, Париже, Лондоне, Нью-Йорке, а с повсеместным распространением Интернета стали спорить все одновременно, будто бы не разделенные расстоянием. Каким-то фоном шло построение карьеры, семейной жизни и прочих материальных ценностей. Но, Бог мой, каким второстепенным казалось все это по сравнению с ощущением всеобщей свободы и анархии, внезапно обрушившихся на нас пятнадцать лет назад.

Да, чувачок, да! Пока ты наслаждался потоками хлынувшей к нам Европы, пока ты отжигал по клубам и кабакам, пил водку и жрал МДМА, погрязал в случайных связях, заставлял своих подруг делать аборты и ратовал за легалайз, прошло уже пятнадцать лет. И такой недавний еще 1990 год стал историей, которую не вышедшие за тебя замуж вчерашние подруги и нынешние бабушки рассказывают своим внукам.

Прошло пятнадцать лет, и настало время, когда природа человеческой особи заставляет ее встать и спокойно оглядеться по сторонам. Оценить все то, что сделано для себя, и все то, что останется твоим потомкам. Интересно, что нам практически нечего оценивать. Пока мы двигались от пепелища к пепелищу, страна успела измениться. Да-да, за время наших метаний у страны появились новые хозяева, которые написали новые законы. Как-то странно и немного обидно, что в нарисованной ими схеме государственного устройства и распределения благ для нас не оказалось места. Прикинь, что пока ты растрачивал себя между алкогольными истериками и наркотическими отходняками, кто-то успел изменить все настройки на первоначальные. Да притом так хитро, что сам оказался главным настройщиком. Сказка успела закончиться, и твое время что-то изменить безвозвратно ушло.

Разлепив глаза после пятнадцатилетнего анархического запоя, ты включаешь телевизор, чтобы понять, что, собственно, изменилось в стране за то время, что мы так бесцельно растранжирили? Ты щелкаешь пультом и видишь на первом канале трехчасовую юмореску с Петросяном, перемежающуюся выпусками новостей, рапортующих об успехах отечественных хлеборобов, а по второму — концерт, посвященный празднику какой-то федеральной службы. По третьему идет какая-то военно-патриотическая передача, по шестому — спорт, а по пятому вообще «Лебединое озеро». Все как в славном, добром 1985 году. И так продолжается уже десятые выходные, дружище. Да и мы похожи на лебедей, которым так и не суждено взлететь. Поколение «Wasted»...

И не исключено, что вся эта продвигаемая Семачевым символика Олимпиады-80, гербов СССР и олимпийских мишек, все эти навязшие в зубах «Дискотеки 80-х», радио «Ретро», кабак «Жигули» и прочая псевдокитчуха есть детально продуманная политологами пиар-кампания проекта «Back in USSR». Ну что, тебе по-прежнему прикольно подпрыгивать от радости под зажигательные мелодии и ритмы зарубежной эстрады в исполнении Сандры и Си Си Кэтч? Хочешь снова почувствовать свою комсомольскую молодость? Ну тогда не удивляйся, если завтра тебя попросят заплатить партвзносы (причем за прошлые 15 лет в том числе). Как это здорово — снова вернуться в страну, где прошло твое детство, не правда ли? Старичок, просто нас банально развели на ностальгию, как лохов. Счастье быть молодым... Lucky Лохи... Если наше поколение и будет удостоено какой-то надписи на братской могиле, то скорее всего там будет написано следующее:

«Поколению 1970—1976 годов рождения, такому многообещающему и такому перспективному. Чей старт был столь ярок и чья жизнь была столь бездарно растрачена. Да упокоятся с миром наши мечты о счастливом будущем, где все должно было быть иначе... R.I.P.».

И когда все мое сознание заполняется образом надгробной доски, я наконец засыпаю, чтобы проснуться в другом городе и другом настроении...

Я сижу в «Шатре», летнем кафе, находящемся на воде Чистых прудов, и пью виски «Jameson», уже вторую двухсотграммовую порцию. Телевизоры, подвешенные под потолком, показывают нарезку клипов восьмидесятых годов. По экранам скачут негры в белых кроссовках «Адидас», всякие чувихи в лосинах кислотных расцветок, парни с подведенными глазами и накрашенными губами, на которых надеты жилетки с прицепленными двумя рядами значков. Артисты, чьи имена помнят только видеоархивы. Кадры клипов выхватывают бледно-меловые лица, нелепые прически с тоннами лака для волос, цепочки, сережки, огромные клипсы, неоновые надписи и шикарные в своей чрезмерности открытые авто розового цвета. И не хватает только слов, пущенных неоном вразбивку между кадрами: «шик», «гламур», «кокаин», «беспорядочные половые связи», «гомосексуализм», «социальная нетерпимость» и «рейганомика». Я опять вспоминаю питерский диалог с Андреем и ловлю себя на мысли, что мне так же прикольно ностальгировать сейчас, глядя на куски жизни, которой мы не видели.

Юля опаздывает уже на двадцать минут, что, безусловно, не способствует подъему настроения. Более того, я чувствую нарастающее раздражение, злость и желание сорваться. Я решаю для себя ждать еще десять минут, расплачиваться и уезжать.

Когда я уже собираюсь поднять руку и позвать официанта, в кафе входит Юлия, с совершенно спокойным лицом садится напротив меня и говорит:

— Привет.

— Привет. У тебя часы солнечные, да? Как стемнело, они стали отставать, да?

— Нет, я просто к подруге заезжала. А ты давно меня ждешь?

— С того момента, как в нашем часовом поясе наступило десять часов вечера.

— Доехал хорошо?

— Отлично. Котлеты по-киевски, коньяк «Московский», «Кавказская пленница» по телевизору. Не жизнь, а какой-то сплошной ресторан «Прага» образца 1988 года.

— У тебя все хорошо прошло в Питере?

— Лучше не бывает. А у тебя? У тебя вчера ночью, в Москве, все хорошо прошло?

— Что именно?

— Ну, там день рождения подруги и все такое? — говорю я как можно более издевательским тоном.

— Послушай, ты опять параноишь? Расскажи мне, пожалуйста, что ты делал в Питере?

— Стремился разнообразить досуг. Обжирался алкоголем и наркотиками, имел беспорядочные половые связи, отвратительно спал и еще хуже питался. В целом отдохнул неплохо.

— Ты не замечаешь, что тебя уносит?

— Смотри, у телки сумка прикольная. «Гуччи». Стоит полторы. Интересно, кто платит за ее истинные ценности?

— Полторы сотни?

— Тысячи, душа моя, тысячи. Ты удивительно неиспорченна. Так что ты там говорила про «уносит»?

— Ничего особенного. Все-таки зачем ты все это делаешь? Ты думаешь долго протянуть в таком состоянии? Ты не понимаешь, что в один прекрасный момент все может закончиться совсем не весело? Ты всегда был таким или просто пытаешься сейчас показать всем, что это так?

— Не знаю... Был ли я другим? Дай подумать.

И пока я думаю про себя в возрасте десяти лет назад, на меня накатывает первая волна агрессии. И я уже практически ненавижу ее за попытки участия в собственной судьбе, все эти ее правильные вопросы и ровный, абсолютно спокойный голос. И жидкокристаллические экраны транслируют давно забытый мной клип Лайзы Минелли «I'm losing my mind». Я вспоминаю, что музыку этой песни написали «Pet Shop Boys». Удивительно, зачем память хранит всю эту ненужную информацию? Я качаю ногой и пытаюсь подпевать Лайзе, в то время как Юля сидит и напряженно курит сигарету, и официант уже второй раз предлагает мне плед, и девятнадцатилетние девушки за столом в центре пьют шампанское и курят сигареты, просаживая родительские деньги, врученные им на покупку пирожных, и суп кажется мне кисловатым из-за сметаны, и я еще какое-то время размышляю, что мне говорить дальше, будто бы следя за тем, в какую сторону склонится чаша весов настроения внутри меня. Я тянусь за зажигалкой, лежащей на Юлиной половине стола, и задеваю локтем свой бокал с виски, который опрокидывается хитрым образом, так что абсолютно все его содержимое проливается на стол и, следуя по желобку на скатерти, попадает мне на брюки. И Юля подает мне бумажные салфетки, стараясь оставаться как можно более спокойной. А я смотрю в ее зеленые глаза и понимаю, что уже не смогу удержаться. Я действительно losing my mind...

— Слушай, зачем ты мне звонишь? — начинаю я свой нетрезвый монолог. — А? Зачем спрашиваешь, как я себя чувствую после всего этого? Сильно ли я переживаю? Зачем тебе все это нужно? Нет, реально, зачем? Ты вытаскивала меня из всего того морального отстойника, почти плакала в телефон, когда я обожрался ЛСД, часами говорила со мной о какой-то моей хуйне по телефону. Для чего?

Для чего ты ходишь со мной по всем этим кабакам? Слушаешь мои однообразные диалоги по поводу того, какие все вокруг пидарасы и какой я, весь из себя высокодуховный, Д'Артаньян? Тебе ведь не нужны деньги, всякие пошловатые по форме, но так точно отражающие суть подарки, эти самые нескончаемые cartier-tiffany-alainsilberschtain? Не нужны? Тебе не нужен статус моей официальной любовницы, ты не в тусовке, и никто не проводит тебя при встрече завистливым взглядом.

Тогда зачем? Может, ты больная? Та самая девочка-переросток, которая не наигралась в дочки-матери-терезы? У тебя чувство вселенской жалости? Ты тут всем помочь хочешь? Этакая заботливая сестра милосердия, выбравшая для себя в этом приюте для психов под названием МОСКВА объект для сострадания. Тебя не хватит на всех здешних обитателей, душа моя, тебя даже на меня не хватит, ты так и сгинешь, пытаясь вырвать меня из геенны огненной, из ада кромешного, именуемого моей жизнью. Это не ты меня вырвешь, это я вырву из твоих слабеющих рук ложку с успокоительным, разбодяжу его собственной ядовитой слюной, двинусь им по вене и пойду дальше. А ты так и будешь чахнуть от невозможности спасти город.

Не угадал? Ты не новоявленная мать Тереза? Тогда кто? Может, ты со мной общаешься из-за желания ебаться? Ты — вавилонская блудница? Рабыня страсти?

У тебя проблемы с простыми колхозными мальчиками? Ты хочешь манерного эстета? Нашла себе такого героя-любовника? Принца, вылезшего из телевизора, отягощенного интеллектуальным багажом и увесистыми яйцами в придачу? Ты думаешь, бывают такие? Гиперсексуальные, как актеры шведского порно, и романтичные, как лорд Байрон? Так не бывает, девочка. В тридцать лет люди умеют либо одно, либо другое. А если они с одинаковым успехом демонстрируют физику и интеллект, значит, они либо нахватались верхушек для совращения глуповатых простушек (прикольная рифма, тебе не кажется?), либо нахватались стимуляторов. Ха-ха-ха. Ты реально думаешь, что я такой весь из себя прикольный и успешный? Высоколобый эстет с манерами недоучившегося аристократа и вечно торчащим членом? Ну что? Поедем в гостиницу? Купим цветов, шампанского? Ты достанешь томик Цветаевой? Я готов, я даже уже чувствую, как меня распаляет страсть и все такое!

Я же постоянно встречаюсь с тобой либо в хлам пьяный, либо подкуренный, либо обдолбанный. А частенько и то и другое (и третье) вместе. Я в таком состоянии могу легко трахнуть лошадь, а не то что длинноногую любительницу разговоров о современной прозе и публицистике. А как ты думаешь, легко ли быть героем рок-н-ролла в тридцать-то лет?

Я давно оставил на полях сражений все свое здоровье, все свои нервы, чувства и мечты. Вон они, посмотри, лежат между стульев и столиков, на пустых тарелках и в перевернутых бокалах. Да и сами поля сражений уже заросли травой. Сколько их ушло за это время? Джаз-кафе, Циркус, Джусто, не выдержал даже старик Цеппелин. Это Наполеону потребовалось четыре года, чтобы пройти путь от Маренго, через Пирамиды и Москву к Ватерлоо. Здесь людям хватит и года за глаза, никаких вышеперечисленных мест не нужно посещать, хватит и одной Москвы, все зависит от того, хороший ли у тебя дилер.

Ты не чувствуешь? Я же лузер. Конченый мудак с позами провинциального актеришки. Я шут гороховый, готовый стебаться над всеми, в том числе над собой. Я с детства быстро устаю от игрушек, мне тут же что-нибудь новенькое подавай. Я и жизнь свою проматываю этой ежедневной погоней за развлечениями. Я же бегу сам от себя, мне самому с собой скучно, тошно и мерзко. Даже в редкие моменты веселья я жду не дождусь, когда же наконец вернется ко мне моя единственная любовь — ДЕПРЕССИЯ. Я очень нервничаю, когда она задерживается, и с радостью падаю в ее объятия, когда она возвращается, чтобы тотчас же начать с ней бороться. Я себя когда-нибудь раскачаю на этих качелях до смерти. Голова уже кругом идет, скоро совсем отвинтится к чертовой матери. Я уже разучиваюсь понимать, когда мне весело, а когда грустно. Не жизнь, а муть какая-то.

Ты тоже сюда хочешь? Тебе это нужно? Я иначе не могу объяснить твоей тяги ко мне. Какого черта ты время тратишь? Тебя мама в детстве поймала на мастурбации пластмассовым «голышом», и теперь тебя тянет к этим порочным целлулоидным мальчикам вроде меня?

Ты пытаешься наверстать время, потерянное на житие-бытие с правильными людьми? Не поздновато ли становиться на такую дорожку? Хотя о чем я, ты и дорожек-то не пробовала. Самая ужасная сцена твоей молодости — это наверняка литр водки и «я та-а-акое там вытворяла» с дружками-студентами.

Да, воистину, дорожки — это моя прерогатива. Я сейчас сижу, и у меня зудит все в носу, а до кучи еще и в мочеиспускательном канале, как при приближении молочницы. Ты так морщишься, как будто не знаешь, что такое молочница. Хотя, может, ты и правда не знаешь, ты же богиня, а у богинь не бывает молочницы, это pleasure развратных девиц. Не так ли? А если ты богиня, тогда чего ты тут делаешь? Чего ты сидишь с таким лицом, как будто боишься запачкаться? Ангелам не место в грязи. Взмахни крыльями (крылышками, хе-хе-хе) и улетай.

Тебе стоит возвратиться обратно. Ты не видишь, как я тебя затягиваю во все это уебанство? Во весь этот мир, отксеренный с полотен Гойи? Ты хочешь стать таким же уродом, как и я? Не хочешь? Ну, тогда иди, вставай и иди, смотри, чтобы ноготок не увяз в десерте, как у той птички.

И вот она встает из-за стола, комкает своими длинными пальцами салфетку и действительно уходит. Вы понимаете, о чем я? Она НА САМОМ ДЕЛЕ УХОДИТ. Не фиглярствует, как все эти куклы, которые оборвут тебе мобильник через пять минут после расставания, наплачут целое Мертвое море слез, чтобы потом выклянчить у тебя новый подарок. Нет, она на самом деле идет к выходу и, перед тем как окончательно скрыться из виду, оборачивается на меня. И, посмотрев в ее глаза, я понимаю, что она никогда больше мне не позвонит, не напишет по е-мейлу и не пришлет эсэмэс. Ничего такого. Она просто приняла решение. А я, вместо того чтобы бежать за ней следом, чтобы хватать ее за руки, целовать ей пальцы, рыдать в ее плечо, в общем, спасать эту мерзкую ситуацию, сижу и натянуто улыбаюсь. Я себе кажусь таким крутым в этот момент. Непонятно почему только. Чувак, упустивший единственный шанс быть вытащенным за уши из всей этой помойки, сидит по самую макушку в дерьме, пускает пузыри и давит лыбу. Нет, вы видели?

Проходит минут десять, и я, кажется, начинаю понимать весь ужас произошедшего. Я закрываю лицо руками, и меня начинает трясти от осознания собственного положения. Зачем я исполнил всю эту клоунаду? Наврал ей про секс под наркотиками, издевался над ней, говорил все эти гадости? Во имя чего я тут давал этакого измученного, отстраненного мальчика-андрогина? Зачем говорить плохо про то, что хорошо? Переворачивать все с ног на голову, чтобы еще раз сыграть на публику роль Печорина с растрескавшимися сосудами в носу? Господи, какая же я скотина...

Мне бы хотелось, чтобы весь «Шатер» погрузился под воду, и я вместе с ним, естественно. Вот придурок. До какой же степени надо бояться собственных чувств? Ты готов обстебать самого себя, нанести рану человеку, который пытался ВЫСЛУШАТЬ ТЕБЯ и был виновен лишь в том, что неосторожно всколыхнул в тебе что-то такое, что до поры лежало под слоем накопленной тобой за годы грязи. О да, ты привык смеяться вслух над дурачками, напоминающими героев «мыльных опер», подкалывать своих никчемных дружков, которые обнимают ресторанных шлюх, фразочками типа «Ну что вы, как влюбленные студенты на Патриарших, вам бы сюда водку и пластиковые стаканчики». Так какого же рожна ты останавливаешь машину и часами пялишься на влюбленные парочки вокруг прудов? Это же излюбленные персонажи твоих подколок! Тебе этого хочется, да? Ты только боишься себе в этом признаться и бежишь, забиваешься в клубную толпу, чтобы нырнуть в эти столь привычные тебе волны фальшивой страсти и похоти. Там ты себя чувствуешь как рыба. Это твоя стихия. Пучина, отравленная алкоголем и химией. А когда ты попадаешь в непривычно чистую воду, ты и там пытаешься найти отравляющие вещества, коряги и подвохи. А не найдя, очень сильно волнуешься и рвешься обратно. Смотри, когда-то тебя так выбросит на берег, что ни одна волна прилива не сможет затянуть обратно. А твои дружки-подружки, конечно, не дельфины и не затащат тебя носами обратно в воду. Носы у них, как тебе известно, созданы для другого. Так и погибнешь, задыхаясь собственными высокотоксичными испарениями.

— У вас все нормально? — вырывает меня из моих мыслей официант.

— Да, спасибо, — распрямляюсь я, как черт из табакерки, — посчитайте мне, пожалуйста.

Я оплачиваю счет и выхожу из «Шатра». На улице идет дождь. Я, как страус, втягиваю голову в плечи и неуклюже переступаю через лужи. У меня нет сигарет, и я мучительно ищу решение: вернуться в ресторан и купить их там или идти к метро? Подумав о том, что лучше проветрить голову, хоть и под дождем, я иду вниз по Чистопрудному бульвару, к пересечению с Лубянкой. Мне настолько стыдно, я так себе противен и мерзок из-за этой истерики, что готов утопиться в этом пруду, да, боюсь, тина не даст утонуть.

Осмотрев шеренгу светящихся коробок ларьков, я останавливаю свой выбор на одном из них. Войдя в ларек, я прошу пачку «первого» «Кента» и, чуть подумав, бутылку водки «Гжелка». Продавщица несколько раз переспрашивает, потом предлагает «Русский Стандарт», видимо, обалдев от диссонанса между моим внешним видом и просьбой о дешевой водке. Я же настаиваю на «Гжелке».

Получив водку и сигареты, я выхожу. Закурив, я как-то неуверенно смотрю на бутылку водки, не понимая, собственно, зачем я ее купил, но тем не менее убираю ее во внутренний карман куртки.

290

Закурив на улице сигарету, я открываю водку и отпиваю из горла. С непривычки (водки я не пил лет пять) я морщусь, кашляю и испытываю горловой спазм. В желудке становится тепло и как-то нарядно. Именно это слово почему-то приходит мне в голову.

Я продолжаю свой путь по Бульварному кольцу, дорогой пью водку и постепенно обретаю какое-то шальное настроение. Вместе со мной по Бульварному кольцу следует хорошее московское утро. И мне хочется свежести, душа, чистой рубашки и одеколона. И еще мне очень хочется сделать какое-нибудь необязательное доброе дело. Возможно, даже незнакомому мне человеку. Я ощущаю такой душевный подъем, от которого хочется строить заводы и фабрики.

Вдруг на одной из лавочек я вижу пару бомжей лет пятидесяти. Они сидят, разложив на газете закуску, и ковыряются в ней. Один из них курит. Я подхожу ближе, встаю рядом с ними и совершенно неожиданно для себя выпаливаю:

— Мужики, водки выпьем?

— А ты чё, мужик, што ли, казел? — отвечает мне тот, который курит, поднимает на меня глаза и вдруг резко бьет меня под дых.

Я сгибаюсь пополам и тут же получаю мощнейший удар коленом по голове. В этот раз я уже падаю навзничь, раскинув руки. Последнее, что я помню, — это рабочий ботинок одного из бомжей и фразу:

— Колян, водка у него прольется, возьми бутылку...

Я прихожу в сознание в непривычном интерьере ментовской «шестерки». Я лежу, запрокинув голову на спинку переднего сиденья, рядом со мной сидит водитель в форме, а справа от меня, около машины, стоят еще два мента и о чем-то разговаривают.

— О, очнулся клиент, кажется, — говорит один из них, а я, уже довольно четко соображающий, пытаюсь вспомнить, где именно и с чем в этот раз меня приняли.

Перебирая события прошедших часов, я четко вспоминаю, что покинул «Шатер» и дошел до Чистопрудного бульвара совершенно пустой. Но спина, вспомнившая экспириенс недельной давности, у меня уже мокрая. Я пытаюсь пошевелить руками и обнаруживаю, что никаких наручников на меня в этот раз не надели. Затем я верчу головой и вижу на заднем сиденье тех двух бомжей. Память возвращается. Спина постепенно высыхает.

— Нормально все? — спрашивает тот же мент. — Из машины выйти сможешь?

— Смогу, — отвечаю я и с облегчением вылезаю из машины. Воистину, битой собаке только плеть покажи. Это обо мне.

— Так, значит, тут такое дело, — продолжает он, — заявление писать будете?

— А надо? — вопрошаю я.

— Ну, вы посмотрите, чего пропало, какие повреждения имеете. Внешних я особо не наблюдаю. В общем, проверяйте карманы.

Я первым делом ощупываю часы. Убедившись, что «Breitling for Bentley» у меня на запястье, я, понимая, что все остальное мелочи, лезу в кошелек, нахожу на месте кредитные карточки и деньги, около двух сотен долларов рублями (их точное количество я, естественно, не помню), говорю, что у меня ничего не пропало. Затем трогаю себя за лицо, провожу под носом и смотрю на ладонь. Крови тоже нет.

— Ну, тогда как? Может, без заявления? — с надеждой в голосе спрашивает мент.

— Ребят, а у меня еще водка была, — зачем-то говорю я.

— Ну, ты даешь, командир, — подключается к разговору второй мент, до того не вступавший в беседу.

292

— Да нет, я без претензий, так просто. Выпить чего-то хочется.

Второй мент закуривает, и в тот момент, как он освещает свое лицо зажигалкой, я опознаю в нем того самого Пашу. Одного из троих принимавших меня на прошлой неделе с кокосом.

— Оп-па, — вырывается у меня, — а тебя уже перевести на новую работу успели? В ГНК больше не служишь?

— Ты, по ходу, обознался, мужик! — говорит он мне довольно злобно. — Мы знакомы?

Но ошибки быть не может. Слишком уж у меня хорошая память на лица. Да и он, видимо, вспомнил меня. Образумившись, я говорю:

— Да я, по ходу, обознался. Извините меня.

— Ну так что, инцидент исчерпан? — спрашивает меня первый мент. — Расстаемся?

— Да, все о'кей. Я бы только вот тому дятлу пизданул обратно, — говорю я, чувствуя подступающую агрессию.

— А вот это уже самосуд. И хулиганка, — назидательно говорит он.

— Да? Жалко. Ребят, а вы меня до дому не подбросите? — окончательно хамею я.

— Ты нас с такси не перепутал? — спрашивает Паша.

— А чего такого? Тут рядом, до конца проспекта Мира, я вам денег заплачу.

— Гражданин, ты края-то видишь, а? — продолжает он.

— Ну ладно, — покорно соглашаюсь я, — пойду я тогда, да?

— Да, можете быть свободны, — говорит первый мент.

Я разворачиваюсь и иду прочь. Потом что-то говорит мне, что я поступаю не совсем верно. Я достаю кошелек, беру оттуда пятьсот рублей на такси, вынимаю остальное и иду обратно к ментам.

— Что случилось? — спрашивает меня через открытое стекло водитель, который уже собирается трогаться.

— Мне бы вашего старшего, — говорю я.

Из машины выходит первый мент. Я подхожу к нему и протягиваю деньги. Он непонимающе смотрит то на меня, то на деньги.

— Берите, это вам, — говорю я.

Он с какой-то особенной осторожностью берет деньги и поспешно прячет их в карман.

— Спасибо, мужики, — говорю я.

И наверное, первый раз в своей жизни не вижу в определении «мужик» ничего пошлого.

Клуб

It makes no difference if you're black or white
If you're a boy or a girl
If the music's pumping it will give you new life
You're a superstar
Yes that's what you are you know it

Come on Vogue
Let your body groove to the music
Hey hey hey
Come on Vogue
Let your body go with the flow
You know you can do it

Madonna. «Vogue»

Проснувшись в половине девятого утра, с раскалывающейся головой и тошнотворным привкусом в носоглотке, я первым делом звоню на работу и сказываюсь больным. Я заваливаюсь обратно в постель и пытаюсь уснуть, но мобильный периодически выдергивает меня в реальность голосами девушек, сослуживцев и даже каких-то клиентов.

В таком режиме я провожу два часа, то засыпая, то просыпаясь. Без десяти одиннадцать звонит Вадим:

— Привет, партнер!

— Здорово.

— Ты спишь, что ли?

— Пытаюсь, но никто не дает.

— Спи, брат, спи. Тебе нужно хорошо выспаться перед открытием.

— Ага, я постараюсь. Ты прилетел?

— Да. Только что. К двум часам поедем в клуб? Я вчера днем звонил Мише, договорились в обед там встретится.

— О'кей. Поедем, конечно.

— Ну ты скажи, ты волнуешься?

— Ну так... я спать хочу. У меня был трудный вечер.

— Какой у меня был вечер, я тебе расскажу при встрече. Ладно, спи, увидимся в два часа. Я поехал домой переодеваться.

— Давай, пока.

И по его голосу можно понять, как он горит и как он жаждет побыстрее попасть в СВОЙ клуб. Клуб, который сегодня откроется и сделает нас знаменитыми в одночасье и который, честно говоря, мне отчего-то трудно назвать своим. Я валяюсь еще минут сорок, но уже с отключенным телефоном, затем иду в ванную, тщательно осматриваю свое лицо в зеркале, пытаясь найти следы вчерашнего столкновения с бомжами, но не нахожу их. У меня на удивление крепкое лицо. Вот бы такое здоровье, что ли?

В половине первого я сижу на своей кухне, пью кофе, курю сигарету и почему-то совершенно не хочу никуда ехать. Я испытываю полнейшую апатию к происходящему. И еще мне очень хочется спать. Тем не менее я допиваю кофе и заставляю себя идти одеваться.

***

На Мясницкую мы приезжаем практически одновременно. Вадим выходит из машины с серым лицом, на ходу жмет мне руку и показывает куда-то вверх, над моей головой.

— Чего случилось, старик?

— Вывеска. Где вывеска? Они не повесили вывеску. Ты знаешь, я им звонил с утра четыре раза, они недоступны. Там принимают мобильные телефоны? Не помнишь? По-моему, там проблемы со связью. Да, да, я помню, что не мог набрать номер, там же подвал. — Вадим нервничает, и я, подчиняясь общему порыву, также начинаю нервничать.

— Послушай, — говорю я, — чего гадать? Мы сейчас зайдем и все выясним. Они, наверное, там все полируют, смотрят детали. Все в запарке. Или телефоны сели, или действительно связь там плохая.

— Да, да. Связь плохая, — сомнамбулически повторяет Вадим, продвигаясь к клубу. — Ты знаешь, — он резко останавливается, — а ведь это нехорошо для бизнеса. Когда плохая связь. Гости будут нервничать. Надо там дополнительный ретранслятор поставить, наверное, как думаешь?

— Да, я уверен, что надо. Когда связи нет, это полный отстой.

— Почему же они вывеску не повесили? До вечера не так много времени осталось. О чем они думают?

— Да в последний момент все сделают. Ты чего, не знаешь, как эти промоутеры все делают? Клуб открыт, только стаканов не завезли. Пейте из блюдец. И все еще скажут, что это круто, поверь. Может, они вообще хотят сделать клуб без вывески? Типа «кто знает, тот найдет» и все такое?

— Да... очень может быть, — как-то неуверенно улыбается Вадим.

296

Мы подходим к двери, которая до сих пор затянута полиэтиленом, дергаем за ручку и убеждаемся в том, что дверь закрыта.

— Фак... — говорит Вадим, — что за хуйня? И не слышно шума работ чего-то... Тихо, понимаешь? — говорит Вадим, прислоняя ухо к двери.

— Там глубина приличная. Миша же говорил, что музыка соседям не будет слышна из-за глубины.

— Каким соседям? Это административное здание, ты о чем говоришь? — раздражается Вадим.

— Ну, значит, не будет слышна административному зданию, — пожимаю плечами я.

— Послушай, а тут есть черный ход? Или запасной какой-нибудь?

— Должен быть. Наверняка есть. Пойдем под арку, во двор. Там посмотрим.

Мы идем к арке, Вадим постоянно тыкает клавиши мобильного, прикладывает его к уху и говорит вполголоса:

— Не понимаю. Ничего не понимаю. Я же звонил им из Питера. Говорил про размещение рекламных материалов.

Он постоянно плюет себе под ноги, и видно, что он здорово нервничает, и я тоже начинаю здорово нервничать. И мы оба идем, надеясь, что сейчас найдем эту чертову заднюю дверь, раскроем ее и услышим звук «болгарок» или стук молотков или настройки диджейского пульта. И мы встретим Сашу и Мишу и скажем им: «Эй, придурки, почему у вас до сих пор нет чертовой вывески и вы не берете мобильные? Вы уверены, что МЫ сегодня откроемся?» И Саша и Миша опять посмотрят на нас, как на больных детей, и скажут что-то вроде «не мешайте, работать, блядь». Или окажется, что они оба сменили номера мобильных. А нам забыли сказать эти гребаные промоутеры. Которые не от мира сего. И которых мы так за это любим. Но чем ближе мы подходим к арке, тем осязаемее у меня чувство того, что ничего такого, о чем я думаю, не произойдет. И все гораздо хуже, чем мы думаем. Хотя куда уж хуже?

Мы выходим из-под арки во двор и видим три двери в стене. Одна из них подъездная. Вторая, железная, явно указывает на то, что за ней покоится электричество, «не влезай, убьет», а третья несет на себе следы недавнего открытия. Вадим дергает ее за ручку. Сначала одной, потом двумя руками. Потом колотит в нее рукой и ногой, снова дергает и наконец отходит. Во дворе двое рабочих в оранжевых жилетах возятся с катушкой провода. Вадим подбегает к ним и говорит:

— Здравствуйте! Вы давно тут работаете? А не скажете, вот в этом подвале, в который вход с улицы, какие-то работы ведутся? Ну, рабочие, там, или машины со стройматериалами? Ничего не замечали?

Рабочие переглядываются, потом один из них, растягивая слова, тихо говорит:

— Не видели мы ничего.

— Не видели, — шепотом повторяет Вадим, — колхоз, блядь, слепой.

В тот же момент из-под арки появляется тетка с хозяйственной сумкой, которая слышала вопрос Вадима и теперь обращается к нему:

— Молодой человек, вы про подвал спрашиваете?

Вадим с шальными глазами бросается к тетке:

— Да, да, про подвал.

— Они вчера всю ночь грохотали, весь дом не спал. Листы фанерные швыряли, мебель какую-то. А сегодня все стихло. Наверное, съехали или в понедельник опять придут. Но вчера были точно.

— Спасибо... — растерянным голосом говорит Вадим и идет обратно под арку.

Я еще раз дергаю за дверную ручку, убеждаюсь, что дверь закрыта наглухо, и, достав из кармана банку колы, открываю ее, делаю пару глотков и закуриваю. У меня по клубному бизнесу больше вопросов нет. Не влезай, убьет.

На улице Вадим начинает колотить в дверь руками и ногами, периодически отвлекаясь, чтобы дозвониться до Саши и Миши по мобильнику, потом еще какое-то время не оставляет попыток «достучаться до небес», затем опускает руки, закуривает и садится на корточки рядом с дверью. Что-то хлопает. Я замечаю «Газель» с символикой какой-то пивной компании, стоящую недалеко от входа. Хлопнув дверью, к нам идет ее водитель, мужик лет сорока, крутящий в руках незажженную сигарету. Подойдя ближе, он здоровается и вежливо осведомляется:

— Ребят, а вы в клуб?

— Ага.

— Ребят, а вы не в курсе, когда они откроются?

— Самим очень интересно.

— А-а-а-а... А то я тут рекламные материалы привез, аппарат для розлива пива. Стою тут уже час, и непонятно, чего делать-то? Сегодня же пятница, еще на дачу ехать, а тут такое. Если до вечера ждать, потом в такую пробку на Ярославке влечу — до утра ехать буду.

— Чувак, езжай на дачу, по ходу, они сегодня не приедут.

— Ты думаешь?

— Я уверен, чувак, я просто уверен.

— Ну, как скажешь. То есть спасибо, что предупредили.

Водила бережливым движением кладет сигарету обратно в пачку, разворачивается и достает мобильный телефон, наверное, чтобы связаться с офисом. До меня долетает обрывок его фразы: «Пидары, блядь, никогда в офисе не могут сделать так, чтобы все по плану получилось». «Именно, чувак, именн`, — думаю я, — если бы ты еще знал, какие там у них в офисе были планы...»

Вадим пребывает в полнейшей прострации. Он встал, прислонился к стене и смотрит куда-то сквозь нас. Сигарета в его опущенной вниз левой руке истлела почти до самого фильтра и грозит обжечь ему пальцы. Когда водила отходит от нас, Вадим на секунду оживляется и тихо спрашивает:

— Кто это был?

— Представитель других миноритарных акционеров.

— Кто-кто?

— Ну, водила каких-то пивняков. Они, я так понимаю, не только нас «взяли в долю». В общем, забей.

— Суки... — Вадим опять приседает на корточки и упирает подбородок в сведенные локти. Сигарета падает на асфальт.

—Прекрати, старик. Сейчас надо понять, когда они исчезли, кто их видел в последний раз. Может быть, они еще в городе и мы сумеем как-то решить проблему. Возможно, у них действительно что-то сорвалось из-за лицензии, или чиновников, или еще чего-то. Хотя последний вариант маловероятен. Уверен, что они нас просто кинули.

— Я не знаю, что делать...

— Старичок, ну не падай в дипер, а? Жизнь же на этом не кончается, правда? Мы сейчас с тобой попробуем позвонить общим знакомым, зацепить любую информацию, возможно, что-то прояснится. Я что-нибудь придумаю, старичок, я обязательно что-нибудь придумаю. Ну а если ничего не получится, то поедем и просто напьемся. Или девок снимем. Как в Питере, давай, а? Или нет. Давай лучше закажем проституток. Реально, купим таких дорогих шлюх, будем пить с ними шампанское, заниматься всякими развратными делами, а? Пир во время чумы и все такое. Ты когда последний раз покупал проституток?

300

Я приседаю рядом, обнимаю его за плечи и пытаюсь каким-то образом вернуть его в реальность, говоря ему веселым голосом всю эту откровенную ерунду, хотя мне ни капли не смешно, более того, в горле стоит комок и хочется плакать от обиды. Но я понимаю, что один из нас двоих должен излучать позитив, чтобы окончательно не свалиться в депрессию. Кто-то же должен включить голову и включить обоих обратно в Сеть?

— Да ничего ты не придумаешь, — говорит Вадим, скидывает мою руку и встает. — НИЧЕГО ТЫ НЕ ПРИДУМАЕШЬ, ПОНЯЛ?

— Это почему же я не придумаю? — Я стараюсь говорить как можно более спокойно и жизнерадостно. — Мы сейчас с тобой сядем и ВМЕСТЕ что-то придумаем.

— Мы с тобой сейчас не сядем, — Вадим начинает орать на меня, — не сядем мы с тобой никуда, понял?! Потому что нас подставили, кинули, развели как лохов, так тебе понятнее?! И никто ничего не придумает. Они уже все за нас придумали, эти твои знакомые. Всю схему, когда путали нас на это фуфло, эти твои пиздатые знакомые.

— Они такие же мои, как и твои, Вадим. Или ты с Мишей тут не ходил по стройке? Или тебе не показывали дизайн? Или ты вообще тут не был, а?

— Был. Был. К сожалению. К очень большому, блядь, сожалению. Вместе с тобой был. И тогда мы все это вместе придумали, а теперь мы в полном говне. И мы ничего не можем сделать.

— Почему ты так уверен в этом, Вадим? Попробовать не хочешь? Сесть, успокоиться, попить минеральной водички, скушать печенье и подумать головой вместе со мной?

— Не хочу я ничего пробовать. Я все уже наперед знаю. Ты такой спокойный, да? Тебе по хую, да? Я знаю, мы сей-

301

час сядем, ты очень быстро напьешься, через час забудешь о случившемся и пойдешь снимать каких-нибудь телок. Потому что тебе по хую, да? Тебе все и всегда до лампочки. У тебя же не жизнь, а сплошная дискотека, да? Тебе же все еще семнадцать лет, ты думаешь, что ты молодой, перспективный студент. У тебя же нет чувства ответственности. Тебе же все равно деньги нужны только для... Как ты там все время говоришь? «Для получения качественных удовольствий», да? Тебе же все равно, сколько просрать — пятьдесят долларов или пятьдесят тысяч долларов. И наплевать на то, что будет завтра. У тебя же нет семьи, ребенка. Тебе вообще знакомо чувство ответственности, а? Мне знакомо, например. И мне не по хую, что будет завтра со мной и с ними.

— А ты хотел жену, что ли, сюда устроить? — Я с невинным лицом отхлебываю из банки и делаю последнюю попытку отшутиться. — Или ребенка?

— Чего? — Вадим стискивает зубы. — Чего ты сказал? Да пошел ты на хуй, идиот! Ты же придурок полный, ты понимаешь?! Даун, блядь!!! Мне не смешно ни одного раза, ты, лузер ебаный!!! — Вадим орет так, что, наверное, слышно даже на Лубянке.

В конце концов мои нервы не выдерживают. Мои бедные, измотанные стимуляторами, бессонницей и общением с мудаками нервы наконец не выдерживают. Хотя еще вчера я готов был поставить на них клеймо «железные». И у меня конкретно сносит башню, сносит до такой степени, что я готов двинуть ему сейчас в голову. Но видимо, какая-то программа-блокиратор в последний момент дает мне справку, что это мой друг, и я сдерживаюсь. Я подхожу к нему вплотную, практически лицо в лицо, как это делают негры в гангстерских боевиках — так, что расстояние между нашими губами составляет не более десяти сантиметров, и ору ему в лицо:

— Не смешно?! Да не смейся! Пошел ты сам на хуй, тварь!!! Нельзя до такой степени любить бабло, понимаешь?! Раскрой глаза, мудила! Что произошло? Это всего лишь деньги, понимаешь, всего-навсего ЧЕРТОВЫ ДЕНЬГИ, врубаешься?! Читай по губам: ЭТО ВСЕГО ЛИШЬ ДЕНЬ-ГИ! Давай! Давай упадем на землю, будем биться в истери-ке, давай вскроем себе вены и кровью напишем на двери этого ебаного клуба: «Господи, почему же ты нас так нака-зываешь?» И тогда ОН нас реально накажет. Тебя, я вижу, он уже наказал, отняв разум. Ты сам лузер. Ты жадный лох, а лохов разводят, знаешь? Вместо того чтобы что-то делать, чтобы попытаться хотя бы улыбнуться, ты включаешь па-раноика. Ты ведешь себя как последняя тварь, рвешь воло-сы на голове, вместо того чтобы включить ее. А мне смешно, да! Реально смешно! Я лучше пойду напьюсь и постебаюсь над собой и другими, чем буду сидеть тут рядом с тобой и слушать твое бабское нытье. Я смеюсь, понимаешь, я ре-ально смеюсь вот так вот: ХА-ХА-ХА! Круто, да? Скажи, круто?

Я продолжаю орать ему в лицо, капли моей слюны по-падают ему на подбородок, Вадим вытирает их рукавом, отталкивает меня в грудь двумя руками и бегом направля-ется к своей машине. Он садится, заводит двигатель, дает задний ход и, поравнявшись со мной, опускает стекло, для того чтобы крикнуть мне:

— Ты ненормальный урод! — Вадим крутит пальцем у виска. — Ты полный идиот, тебе лечиться необходимо скорее. Езжай к врачу, понял?

Он поднимает стекло и срывается с места.

— Ты уже поехал, да? Подожди, я за тобой, куда же ты так быстро? — кричу я ему и запускаю вслед недопи-той банкой кока-колы.

Банка попадает в заднее стекло, и часть жидкости с шумом выливается, пенясь на нем. Машина Вадима чуть виляет в сторону и исчезает из моего поля зрения. А я еще какое-то время стою на дороге, как персонаж итальянской мелодрамы периода Феллини, и ору ему в спину, сложив руки рупором:

— Передавай привет жене и ребенку, дурачок! Расскажи им, как ты проебал по жадности все семейные сбережения! Скажи ей, что та юбка «Missoni», что была на ней в твой день рождения, просто охуительная! Целую!

Затем я подхожу к двери клуба и со всей силы жахаю по ней ногой. Потом еще раз. Что-то трещит. То ли дверь, то ли мой ботинок. Я чуть успокаиваюсь и закуриваю. Вдалеке появляется наряд милиции и что-то подсказывает мне: «Лучше бы тебе скрыться, чувачок. Лучше бы тебе скрыться...»

Около двенадцати часов ночи я приезжаю в «Fabrique». Осматриваю толпу, состоящую из молоденьких девочек, стремящихся как можно быстрее стать старушками, и молоденьких мальчиков, половина из которых совсем не против стать девочками. И девочки пытаются разговорить фейсконтрольщика, называют его по имени, хохочут и всячески с ним заигрывают. А мальчики, наоборот, стоят со смурными лицами, деловито переговариваются по мобильным и периодически подходят к нему, бросая чьи-то значимые, на их взгляд, имена. А он стоит, как кремлевский караульный, с отсутствующим лицом и блуждающей улыбкой. Такой неприступный и от этого еще более притягательный для них. Иногда он отвечает мальчикам что-то вроде «Позвоните тому-то» или «У вас есть клубная карта?». И когда очередной истеричный мальчик взрывается визгом: «Мы друзья такого-то, ты чего, не понял?» — он говорит им «спокойной ночи» и разворачивается улыбаться девушкам. И кажется, что от его головы исходит сияние, хотя понятно, что этот эффект создается вывеской над входом.

Иногда он запускает в клуб понравившихся девочек, отчего прочие страждущие издают некое подобие стона и концентрируют на фейсконтрольщике еще более признательные и заискивающие взгляды. Одна девушка выходит из толпы и начинает что-то визгливо излагать в трубку сотового. Похоже на то, что ее подруга каким-то образом проникла внутрь, а ее не пустили. И вот она верещит ей по телефону:

— Да? И что, я тут буду одна стоять как дура? А когда он приедет? А у него точно есть карточка? А если он вообще не приедет? Оксан, ты дура, что ли? Как не знаешь? Ну поговори там с кем-нибудь, а? Ну неужели нет знакомых мужиков, которые могут провести? Когда ты перезвонишь? Я еще двадцать минут стою и уезжаю, поняла? Да... Да, я не знаю его телефона, он мне не оставил. Все, пока.

Затем она разражается словом «бля-а», достает тонкую сигарету и закуривает. На вид ей не больше двадцати двух. Похоже, сегодняшнее затруднение грозит стать для нее самой крупной катастрофой этого лета.

Я некоторое время наблюдаю эту душевную монодраму, потом прохожу мимо нее, зачем-то разворачиваюсь и говорю:

— Привет, есть проблемы?

Она резко вертит головой в мою сторону и рисует на лице презрительную гримасу, думая, что это очередной сверстник, пытающийся играть в ночного ковбоя. Увидев, что ошиблась, она быстро-быстро хлопает ресницами, делает лицо робкой дебютантки порноиндустрии и говорит:

— Вот... с подругой разминулись. Она уже там, а у нее моя карточка.

И это ее привычное вранье вгоняет меня в еще большую тоску, но, понимая, что я, собственно, сам нарвался, я просто говорю ей:

— Пойдем, подруга. Этому клубу тебя явно не хватает для полного комплекта.

Она пребывает в нерешительности пару секунд, затем довольно цепко хватает меня под руку, и мы движемся ко входу. Протиснувшись через толпу, я здороваюсь с фейсконтрольщиком, и он открывает дверь, спрашивая:

— А девушка с вами?

— Ага. Сестра моя.

— Хорошенькая! — ржет фейсконтрольщик.

— Ага. Есть девушки в русских селеньях, — усмехаюсь я, и мы заходим внутрь.

— А у вас... у тебя столик забронированный, наверное? — спрашивает девушка, проникновенно заглядывая мне в лицо.

— Тебя как зовут?

— Аня, а что?

— Охамела ты, Аня, вконец. И это правильно. По-другому в твоем возрасте нельзя. Иди ищи свою подругу и больше не раздавай карточки, — отвечаю я усталым голосом.

— А что я такого спросила? — делает Аня круглые глаза.

— Ничего, Аня. Ровным счетом ничего такого. Иди развлекайся и не вздумай долго зависать в туалетах, от этого вянет кожа.

— А что, там чего-то насыпают, да? — хохочет она.

— Анна, — говорю я, стараясь выглядеть деканом ее факультета или бывшим классным руководителем, — ты что, куришь? Может быть, ты еще и наркотики употребляешь?

Она хохочет, говорит:

— Откуда вы знаете? — и всячески кривляется.

Я шутливо грожу ей пальцем и говорю одними губами:

— Пока.

Она отвечает:

— Увидимся! — И, немного подумав: — Спасибо, что провели.

И мы расстаемся, чтобы не увидиться никогда больше. Во всяком случае, мне бы этого не хотелось.

Я прохожу в зал, где находится танцпол, и при входе в него сталкиваюсь со своим знакомым Женей, который работает креативным директором какого-то крупного рекламного агентства. Мы обнимаемся, он говорит что-то про «давно не виделись», хотя виделись мы с ним пару недель назад или того меньше, и когда я было собираюсь ему ответить, он спрашивает:

— Слушай, старик, а что там с этим новым клубом? Ну, который Саша и Миша делают? Я слышал, ты там в доле. Вроде сегодня должны были открываться?

И этот его вопрос окончательно меня вырубает, и мне хочется ответить какой-нибудь подколкой, но я сдерживаюсь и отвечаю:

— Да перенесли на неделю.

— Ясно. Ну, буду к тебе ходить.

— Ага. Я тебе карточку пришлю на следующей неделе.

— Слушай, ты так замотанно выглядишь! Работы много? Тяжело открытие идет?

— Угу, — согласно киваю я. — Слушай, мне надо первого взять. Тут есть кто?

— Да вон у бара компания моя, американцы приехали. Там кокса, как у дурака махорки. Подсаживайся к нам, а?

— Жень, прости, я чего-то не в силах. Я хочу купить и уехать. Прости, старик, спасибо.

— Слушай, — Женя чешет затылок, — ну подожди, я сейчас схожу к столу и вернусь.

— Спасибо, Жень, сколько я тебе должен?

— Ты что, старик, прекрати. Сейчас вернусь, пять минут.

Я жду его некоторое время, он возвращается, мы спускаемся по лестнице к туалетным комнатам и вдвоем заходим в одну из них, подобно распаленным от страсти гомикам.

Я вообще противник смешения наркотиков и алкоголя, но в данной ситуации отчего-то такой микст кажется мне необходимым.

Пока он достает из кармана конверт, я провожу пальцем по стеклянной полке рядом с унитазом и говорю ему, что здесь остатками еще могут четыре малолетних тусовщика нехило разнюхаться. Он смеется, обнажая ровные белые зубы, и кладет на полочку конверт. Я замечаю, что он уже изрядно заряжен. На конверте стоит штамп Министерства здравоохранения, что приводит нас в неописуемый восторг. Я дроблю кредиткой комки, разравниваю дороги и ищу в кошельке сотку грин. Там только рубли. Я спрашиваю его, смеясь, будет ли он через пятисотрублевку, он ржет и отвечает, что в нашем с ним положении и через десять рублей не западло. Мы разнюхиваемся. Женя собирается убрать конверт в карман, но я его останавливаю и прошу повторения процедуры.

— Старик, ты чего-то увлекся, может, паузу возьмем и потом еще?

— Все о'кей, приятель, все о'кей. Мне просто необходимо выгрузиться. Я так дико еще не уставал. Давай еще по одной?

— Нет, ты держи, конечно, твое дело, но я больше не хочу пока.

Тогда я раскатываю еще две тонкие линии, убирая их поочередно левой и правой ноздрями. Ощущение такое, будто по мозгам аккуратно провели пальцем, смахнув лежащую на них пыль. Женя выходит из кабинки, вслед за ним выхожу я. Я останавливаюсь у зеркала, смотрю на свое отражение и вижу, что у меня дрожат губы. Неужели я стал настолько сентиментален? Или просто пора окончательно завязывать с наркотиками? Я выхожу из туалета и чувствую, как постепенно немеет носоглотка. Возвратившись на танцпол, я стою, рассматриваю окружающих и хлюпаю носом. Да, видок у меня что надо. «Главное сейчас — ни с кем не разговаривать, — думаю я. — Чего доброго решат, что еще у одного старого тусовщика наконец-то снесло крышу. Не хватало только попасть в дурку. Хотя сильно ли она отличается от моего мира?»

У меня такое ощущение, что я стою на сквозняке и чувствую, как дует мне в шею. Ощущение дискомфорта таково, что хочется поднять воротник пиджака, чтобы прикрыть шею. Но на самом деле в клубе реально жарко и сквозняку здесь взяться просто неоткуда. Я это очень хорошо понимаю, но чувство дискомфорта все усиливается. Причем усиливается от того, что я не могу ясно определить его источник.

В зале играет этот долбаный музон Benny Benassi. Очень сексуально двигаясь под музыку, какая-то девчонка подпевает и, показывая на меня рукой, начинает плыть в моем направлении. Она подходит ко мне и принимается практически тереться об меня. Похоже, она тоже обдолбана.

— Are you gonna hit my heart? — продолжает напевать она мне на ухо. — Are you gonna leave me once again?

— Кто, я? — ору я ей. — Разбить твое сердце?

И тут в моем сознании начинаются необратимые химические реакции. Я отстраняюсь от этой телки, и меня начинает буквально сплющивать от ужаса, отвращения и безысходности. Да разве можно тут что-то разбить, кроме бокала или бутылки шампанского о чью-то голову? Разве у кого-то тут есть сердце?

— Люди, мне плохо. Мне ужасно. Вы не видите? Я сейчас сдохну здесь. Сдохну от вашего равнодушия и пустоты. Эй, кто-нибудь, поговорите со мной! Вы слышите? — ору я в зал, подняв вверх обе руки.

Музыка играет так громко, что ни черта не слышно, если не говорить собеседнику прямо в ухо. Тем не менее весь мой внешний вид, растрепанные волосы и стеклянные глаза должны показать, что у человека действительно неприятности.

Но это мне только кажется.

— Да, мы поняли, здесь прикольно! Ты такой клевый! Часто сюда ходишь? — визжат мне какие-то две чувихи напротив.

Услышав это, я задыхаюсь от ярости и подхожу к ним вплотную. Одна из них обнимает меня за пояс и начинает поглаживать по заднице, приговаривая при этом:

— О, какая у тебя задница. Сладкий мальчик, да? — спрашивает она подругу.

— Да вы не врубаетесь, что ли? — продолжаю я орать. — Неужели всем здесь настолько наплевать на всех?

— Не-а, — ржут они, — врубu нас, ха-ха-ха! Есть чего?

— Пиздец, это какой-то пиздец! — Я уже практически вою и сотрясаю воздух руками. — Это просто ад!

Чувихи опять визжат и тоже воздевают вверх свои загорелые ручонки. Меня уже колотит от злости. Я бью их по рукам, стараясь больнее, чтобы они наконец опустили их вниз и перестали идиотничать.

— Эй, ты чего, придурок? — вопит одна из них. — Оль, да он, по ходу, обдолбался в хлам.

При этом обе не перестают смеяться своим истеричным смехом. Я продолжаю пытаться опустить их колышущиеся руки вниз и говорю им:

— Да послушайте, послушайте же меня. Мне реально очень плохо. Я разбит, я раздавлен всем этим дерьмом, которое сам же и воспроизвожу денно и нощно. Поговорите со мной, послушайте, посмотрите вокруг, вы не понимаете, что здесь творится? Мы все с ума съехали, нам всем лечиться надо. Еще пара шагов — и мы здесь все провалимся в тартарары.

По нашим телам, рукам, то поднимающимся, то опускающимся, скользит луч стробоскопа. При попадании на тело он визуализирует такой особенный скользящий эффект. Даже если ты стоишь на месте, кажется, что ты очень, очень быстро двигаешься. А про нас и говорить нечего. Со стороны мы кажемся древним божеством, с тремя головами и шестью руками, быстро скользящим в пространстве. То ли кокс, то ли стробоскоп способствуют тому, что я начинаю осознавать, как сливаюсь с двумя этими девками. Я начинаю чувствовать шесть собственных рук. Этакий накокаиненный Шива. Головы этих телок, с выпученными глазами и огромными, растянутыми в улыбках губами, будто бы двигаются вокруг меня, как спутники

310

вокруг планеты. Их лица то озаряются, то снова пропадают в тень под вспышками софитов.

В какой-то момент я начинаю понимать, почему мне все время хочется прикрыть шею. Я понимаю, что, черт побери, это за стремное ощущение тараканами бегает по моей спине. Я кожей чувствую на себе чей-то взгляд. Я оборачиваюсь и, подобно перископу, начинаю медленно обводить глазами зал. Наконец в дальнем правом углу, там, где располагается диванная зона, мой взгляд выхватывает из полутьмы человека. Положив ногу на ногу, в кресле развалился какой-то чувак, одетый в кипенно-белую рубашку, расстегнутую чуть ли не до пояса, и голубой костюм. В одной руке он держит бокал с коричневой жидкостью, которым покачивает в такт музыке, а второй постоянно приглаживает волосы. Из-за особого дискотечного освещения весь его наряд светится очень ярким, почти неоновым светом, если вы понимаете, о чем я. Короче говоря, выглядит он реально очень круто. И все бы ничего, и таких скучающих персонажей, сканирующих зал в поисках телочки, много в любом ночном клубе. Но проблема-то в том, что пялится он совсем не на телок. Этот чувак разглядывает меня, причем очень внимательно. И мне это совсем не нравится, более того, этот взгляд меня раздражает. И его обладатель кажется мне на секунду источником всех моих сегодняшних неприятностей и всего моего депресняка. Я очень быстро подхожу к нему, практически подбегаю, сажусь в кресло напротив и почти кричу ему в лицо:

— ЧУВАК, ТЫ ЧЕГО, В ЦИРКЕ?! — намекая на то, что я совсем не клоун на арене, и все такое. И не стоит так вот пристально на меня смотреть.

А он между тем спокойно отпивает из своего долбаного бокала и очень ровно так отвечает мне.

— А ТЫ ЧЕГО? РАЗВЕ НЕТ? Кстати, виски будешь?

И от этого его ровного тона вся моя внезапно нахлынувшая агрессия спадает. И мне становится как-то по-особенному спокойно и безразлично-устало. Будто бы я бежал к остановке, пытаясь успеть вскочить в отходящий троллейбус, и он уехал, хлопнув дверьми перед самым моим носом. И я так вымотался за время бега, что мне уже все равно, что я всюду опоздал. Я поднимаю руку, сигнализируя официанту, но этот парень опускает ее, поднимает со столика, стоящего рядом с его креслом, второй бокал и протягивает его мне. Мы чокаемся, я делаю большой глоток и чувствую, как алкоголь теплой волной орошает мой мозг, смешиваясь с наркотиком. И мы мило улыбаемся друг другу, как старые друзья, и почти одновременно поправляем волосы. И я тихо произношу:

— Господи, когда же сгорит весь этот ебаный цирк?

— Когда его покинет последний грустный клоун, типа нас с тобой. Этот город работает, как хороший ресторан. До последнего посетителя, — грустно улыбаясь, отвечает мне мой новый приятель.

— Зачем нам это, чувак?

— А разве есть что-либо отличное от этого? В принципе, какая разница, чем вгонять себя в постоянную депрессию? Работой, семейной жизнью, любовью, водкой, наркотиками? В конечном счете в один прекрасный день нам не доставят флаера на новую вечеринку и мы спрыгнем отсюда в полных непонятках: были ли мы здесь когда-то или нам это все приснилось?

— Послушай, — говорю я, пытаясь придать беседе полемичный характер, оставаясь на самом деле внутренне согласным с каждым его словом, — послушай, ты реально уверен, что мы ничего другого не можем приобрести? Неужто все настолько загнаны в рутину и у всех все так же пусто? Неужели мы все живем ради того, чтобы попытаться спрыгнуть отсюда каждым пятничным вечером?

— Именно так. Пойми, мы никуда не двигаемся и ничего не приобретаем. Все человечество в целом. Ничего не меняется вот уже три сотни лет. И нет никаких целей.

312

Просто большинство придумывает себе разные враки, которые называются «целями» или «смыслом жизни». Не бойся ничего потерять. — С этими словами он кладет мне руку на бедро, а я, понимая, что его просто понесло в беседе с родственной душой, смотрю на него, и он убирает руку, чтобы достать сигарету.

— Тогда зачем все это? — Я обвожу зал руками, представляя планету, и меня накрывает второй волной. — Понимаешь, не клуб, не город, а все. В глобальном смысле. Зачем тогда жить, если все, по ходу, очень понятно?

— Ради самой жизни. Ради самого каждодневного существования. Процесс ради процесса. Ежедневные чувства или отсутствие таковых, беспричинная радость или постоянная депрессия. Процесс ради процесса. Хотя вряд ли тут есть что-либо, что можно было бы назвать процессом в глобальном, как ты выразился, смысле. Я думаю, что просто планете Земля необходима та отрицательная или положительная энергетика, выделяемая ее населением. Вероятно, она обеспечивает движение и существование планеты. Иначе она бы не потерпела миллионы живущих на ней ублюдков. Слушай, давай лучше выпьем, а?

— Постой, постой. А любовь? Это тоже фейк?

— Традиционные формы человеческой привязанности, все эти херовые на вкус и неряшливо выглядящие впоследствии отношения между бабой и мужиком давно уже на хер никому не нужны. Это здесь, в России, в силу патриархальности, необразованности и узколобости населения за них еще держатся. И поэтому людям довольно космополитичным, в особенности космополитичным духом, довольно тяжело бывает...

И он снова кладет мне руку на бедро, и я, уже маловменяемый, все-таки где-то там, в трезвом чулане своего сознания, понимаю, что он это делает не от прилива братских чувств, а с какой-то иной целью. И в этот раз он не убирает ее после того, как я поднимаю на него глаза. Нет, этот крендель продолжает держать руку на моем бедре.

Нормальный ход? Тут я уже не выдерживаю, скидываю ее и говорю ему громко, прямо в его ухо с серебряной сережкой:

— СЛЫШИШЬ, ЧУВАК? Я ТЕБЯ УМОЛЯЮ, УБЕРИ НА ХЕР РУКУ С МОЕЙ НОГИ!

А он, будто не слыша, что я ему кричу, кладет ее обратно, начинает меня поглаживать и мило так смотрит этаким блядским взглядом, приговаривая полушепотом:

— Послушай, дружище, сейчас та самая ситуация, поверь мне, та самая. Ситуация не шлюха, ее не купишь за триста долларов. Она либо возникает, либо нет. Это то, что тебе сегодня необходимо. Есть ты и твои эмоции, все остальное не важно, правда. Поверь мне, дружище.

И его шепот кажется мне слишком горячим и каким-то липким. Он продолжает вещать что-то по поводу ситуации, моей готовности к ней и ожиданий, в воплощении которых везет не каждому. И я выпадаю из реальности на какие-то секунды, во время которых он продолжает меня наглаживать и шептать про то, что он знает то, чего не знаю я, спрашивать, насколько я готов к обновлению эмоций и свежей струе, и все в таком духе. И на его фразе: «Поверь, завтра это уже не будет казаться тебе чем-то особенным» — меня будто током бьет. Я встаю, фокусирую взгляд на этом чуваке, смотрю на его ухо с серьгой, в которое я пять минут назад кричал, и понимаю, что ухо правое. Вы понимаете? Он носит эту чертову серьгу в правом ухе! И я врубаюсь, что никакой он не добрый попутчик, вынесенный волной обстоятельств на мой остров. И мы с ним совсем не коллеги по борьбе с пустотой. И все наше так вовремя для меня возникшее взаимопонимание есть полный фальшак. И этот урод — просто обыкновенный педик, снимающий по клубам и кабакам мальчиков. И только такой пьяный и уколбашенный идиот, как я, не смог этого сразу заметить. Вместо этого я повелся на все его базары про то, что судьба часто сталкивает духовно близких людей, незнакомых друг другу, в те моменты, когда они особенно в этом нуждаются, и про одиночество в большом городе, и про нашу любовь, которая никому не нужна, и так далее. И я просто раскаляюсь добела от этой неожиданно открывшейся мне правды, а еще более от того, что этот педик просто использовал мое разбитое состояние и необходимость поговорить по душам с кем угодно, кому не все равно.

И вот я прокручиваю все это в своей голове, стоя над ним, а он все время пытается схватить меня за руку и усадить обратно в кресло. И это его хватание меня еще больше бесит, и я довольно четко для своего состояния бью ему с правой руки в челюсть. Чувак откидывается в кресле, а я еще раз бью ему в лицо, попадая в нос. Бью с такой силой одержимого человека, что он опрокидывается назад вместе с креслом. Я забегаю за кресло, в полной уверенности, что он уже лежит навзничь, и нахожу его стоящим на коленях, с разбитым носом и смеющимся. У меня просто голову сносит от ярости, а этот — стоит на коленях, смеется мне в лицо и кричит:

— Ты не меня лупишь, придурок. Ты себя лупишь, понял? Ну, давай, ковбой, врежь еще раз этому педриле. Бей зеркало, брат, и не бойся порезать вены. У тебя все равно, кроме него, ничего нет. Твоя жизнь уже не нужна никому, даже тебе. Ты все просрал, хоть это ты понимаешь, идиот?

И я, уже не разбирая, куда я наношу удары, луплю его туда, куда достаю. В корпус, по голове, по рукам. А он катается по полу, ржет во всю глотку и кричит:

- Мало, мало. Еще давай. За каждый год, за каждую просранную минуту. Давай, чувачок. Когда устанешь, я оставлю тебе свой телефончик.

И в этой эйфории ярости я постепенно теряю силы. С каждым своим ударом, с каждым порывом его хохота,

315

с каждой его фразой я понимаю, что мои удары не причиняют ему никакого вреда. Напротив, мне кажется, что он просто питается от этого остатками моей энергетики. И я начинаю слабеть, пока не получаю несколько быстрых ударов в корпус и нокаутирующий удар в лицо. Затем я падаю в руки подбежавшей охраны клуба...

Кто-то плеснул мне водой в лицо. Кто-то, кажется, местный промоутер Слава, вытирает мне нос платком. Я стою в коридоре перед выходом. Меня крепко держат за руки двое охранников. В начале коридора, перед выходом в зал, стоит этот педик, его успокаивает и отряхивает кто-то из администрации клуба, постоянно поправляя его пиджак и что-то объясняя ему. Судя по всему, этот чувак — достаточно ценный клиент, иначе с ним бы так не носились. А он стоит, снова приглаживает свои волосы и снова пялится на меня. Слава подталкивает меня к выходу, в то время как педик отстраняется от своего собеседника, подходит ко мне, на ходу вытирает двумя пальцами кровь, сочащуюся из носа, и проводит ими поочередно под глазами. Так, как это делали индейцы, нанося боевую раскраску на свое лицо. Я цепенею на месте, не в силах оторвать взгляд от его лица. И мне кажется, что я смотрю фильм, в котором столкнулись современные, образованные и не верящие в магию люди XXI века с темными силами культа вуду, который не подвластен никаким веяниям прогресса и со времен сотворения мира живет по своим собственным законам. И мне становится реально страшно, а этот чувак опять улыбается и говорит мне:

— Ну что, малыш? Теперь это твоя собственная война, да?

Охрана выталкивает меня из клуба, и до меня долетают лишь обрывки его последующей речи. Кажется, он говорит что-то про потерянных союзников, или мне это только слышится? Точно я не уверен. Хотя мне бы очень хотелось услышать это поточнее.

Я иду прочь от клуба, постепенно трезвею и обдумываю произошедшее. Меня все еще трясет от былой агрессивности ситуации, а в особенности от мысли, что я так и не понял, что именно хотел мне сказать тот гомик. Почему-то мне кажется, что он имел в виду что-то очень важное для меня лично. Теперь и не узнать. И мне обидно за то, что все так обернулось, с другой стороны, я полностью себя оправдываю, но на душе все же очень неуютно и несколько страшновато. Все это слишком похоже на какие-то херовые пророчества волхвов. Хотя никакой он не волхв, конечно, а просто гомик с разбитым носом. И, подумав это, я веселею, продолжаю свой путь гораздо более уверенной походкой и через какое-то время снова попадаю на Чистопрудный бульвар с той стороны, где находится метро «Чистые пруды».

Overture

> Take me out tonight,
> Because I want to see people
> And I want to see light
>
> *The Smiths.*
> *«There is a light that never goes out»*

Я просыпаюсь уже четвертый раз за ночь. Снится мне какая-то бессмыслица. Простыня и одеяло влажные до такой степени, как будто моя кровать находится в субтропиках. Я потею, ворочаюсь, комкаю подушки, пытаюсь считать до ста. В общем, предпринимаю все усилия для того, чтобы наконец уснуть сном праведника. В пятый раз мне это уже не удается. Я встаю и иду на кухню за сигаретой. Закурив, подхожу к окну и начинаю думать о том, что и прошлая ночь была такой же. Вдруг до меня доходит, что за три прошедших дня я спал в общей сложности не больше девяти часов. Если эти часы еще бы можно было назвать сном. Я очень устал. Устал до такой степени, что начинаю ощущать апатию ко всему уже с утра, только-только продрав глаза. Я успокаиваю себя тем, что все образуется, что это просто такой отвратительный период, что мне лишь необходимо уехать отдыхать и потом все снова будет хорошо. Уйдет усталость, раздраженность, неприятие окружающих и прочие признаки душевного нездоровья.

На часах семь утра, и мне нужно себя чем-то занять. Хотя бы до десяти. Там можно будет уехать из дома, с кем-то встретиться, позавтракать наконец. Голова у меня очень мутная от бессонницы, глаза болят, ломит виски, и я решаю пойти в душ, чтобы хоть как-то улучшить свое самочувствие. Я очень долго стою под струями горячей воды. Ловлю их ртом, подставляю под душ шею, имитирую массаж шейных позвонков. Все время под душем я мысленно прокручиваю прошедшие события. «Vogue Cafe», совещание в офисе, поездка в Питер, история с деньгами. А между всем этим — тусовки, вечеринки и вечериночки, клубы и рестораны, какие-то девочки и мальчики и т.д. И я себя ловлю на мысли, что посмотрел какое-то очень херовое кино. С ужасным сценарием и абсолютно лишенное смысла. Единственное мое желание — это сдать диск обратно в прокат и рассказать всем своим знакомым, чтобы они никогда его не смотрели. Остается только одна проблема: главный герой всей этой говносаги — Я. Это противно, омерзительно, жутко до дрожи в коленях. Но так оно и есть.

Я бреюсь, причесываюсь, смотрю на себя в зеркало. Вид у меня в самом деле очень замотанный. Добавить чуть-чуть темного грима — и получится этакий утомленный героином рок-герой. На самом деле мне даже немного смешно. Я стою на грани переутомления и переселения в психиатрическую лечебницу и при этом думаю о том, как я буду смотреться, когда меня заберут санитары. Воистину, нет конца этому моему фиглярству.

Тем не менее день делает попытку начаться. Снаружи светлеет, на улице появляются первые люди-жаворонки, ведущие выгуливать своих собак. Где-то урчит двигатель машины. Я включаю кофеварку и ухожу в комнату одеться. Я долго смотрю на содержимое платяного шкафа. Хочется чего-то теплого. Я надеваю коричневые брюки, рубашку и коричневый твидовый пиджак. Я еще раз смотрюсь в зеркало и стараюсь внушить себе, что я абсолютно спокоен. Я начинаю ходить кругами по комнате. Постепенно на меня накатывает какой-то мандраж. Я чувствую смутное ощущение тревоги. На первый взгляд все осталось на своих местах, но, с другой стороны, изменения произошли не с окружающими предметами, а в самой атмосфере. Я сажусь на диван и чувствую резкий звон в ушах. Зажимаю голову руками, сижу в таком положении минут пять, затем медленно опускаю руки и будто бы жду чего-то ужасного. Я оглядываюсь по сторонам. Кажется, что ничего не произошло, но ощущение перемены делается особенно гнетущим. И тут я понимаю, что я не слышу никаких посторонних звуков. Абсолютная, вязкая тишина. Как в пустыне. Я возвращаюсь на кухню и смотрю в окно. Улица вымерла. Исчезли даже люди с собаками (или собаки с людьми, как вам будет угодно). Тишина оглушает меня. Она обступает меня со всех сторон. Обволакивает и вжимает в угол кухни. Я прислоняюсь к стене и бочком, бочком возвращаюсь в комнату. Мне очень сильно не по себе. Я нахожу пульт и включаю телевизор. Я переключаю канал за каналом, и... ничего не происходит. В правом верхнем углу экрана меняются логотипы, а на самом экране — белая пустота. Я выключаю телевизор и снова включаю его. По-прежнему ничего не происходит. Ящик упорно демонстрирует мне ту же пусто-ту. Молочно-белый экран.

Я, не выключая телевизор, осторожно, как будто бы от этого что-то зависит, кладу пульт на журнальный сто-лик. Я иду в другую комнату, открываю бар и вижу там бутылку «Jameson». Я наливаю себе стакан виски. Сажусь в кресло и начинаю себя успокаивать: «Ничего не про-исходит. Это просто сбой на линии. Что-то случилось с телефонной антенной. Пройдет некоторое время, и все наладится».

Я беру с полки несколько глянцевых журналов, закури-ваю сигарету и собираюсь пролистнуть их для самоуспоко-ения. Я открываю первый журнал, смотрю на страницы и вижу, что они абсолютно белые. Пустые. Вы понимаете? На этих чертовых страницах вообще ничего не напечатано. Я беру другой журнал. Та же картина. Третий — все то же самое. Двести белых страниц. Двести страниц пустоты.

Я откладываю журналы. Я реально очень сильно нерв-ничаю. Мне необходимо чем-то себя занять. Мне необхо-димо за что-то зацепиться. В какой-то момент мой взгляд цепляет альбом с фотографиями. Знаете, такие слюнявые альбомы, которые есть в каждом доме. У кого-то там фото со свадьбы, с дней рождения супруги, матери или сво-его собственного. Такие трогательные моменты жиз-ни, схваченные пытливым объективом. У меня тоже есть такой альбом. Фото с различных вечеринок, сес-сии с модными фотографами, копии съемок, которые потом были опубликованы в модных журналах. All that jazz, одним словом.

Я открываю альбом, чтобы успокоиться. Пролистнуть все эти фотокуски собственной жизни. Предаться вос-поминаниям, одним словом. И вы знаете, что я там вижу? Правильно. Ничего я там не вижу. Каждая страница аль-бома состоит из трех листков плотной бумаги, которые абсолютно ничего не содержат. Я вынимаю некоторые листы в надежде на то, что я просто засунул фотографии задом наперед. Ничего похожего. Листы абсолютно пустые. Мне даже смешно становится. Как это точно. Трудно ждать чего-то осязаемого, фотографируя пустоту.

Я иду обратно на кухню. Тишина уже не так критична. Я понимаю, что пустота вокруг меня достигла своего апогея. Пустота стала абсолютной. Я даже нахожу это свое состояние не лишенным комфорта.

Я наливаю себе чашку кофе, выдвигаю стул на середину кухни, сажусь на него, лицом к спинке. Опускаю на спинку стула подбородок и начинаю смотреть в окно.

Я прикидываю, куда бы мне поехать завтракать. Кому бы позвонить, чтобы составить себе компанию. Но проблема в том, что все мои знакомые видели раннее воскресное утро только по телевизору и еще спят, предусмотрительно выключив мобильные, чтобы избежать звонков таких вот, как я, обыкновенных городских сумасшедших. Еще я думаю о том, что хорошо бы встретить случайно своего любого школьного или институтского знакомого, чтобы сидеть и трепаться часа два, без бессмысленных понтов и последующих обязательств. И тут в комнате звонит мобильный. Неужели кто-то, кроме меня, уже не спит в этом городе? Я отщелкиваю крышку телефона и слышу голос Юли:

— Привет.

— Привет. У меня дома есть видеокамеры?

— С чего ты взял?

— В таком случае откуда тебе знать, что я не сплю?

— Я не знаю. Просто решила позвонить. Как ты?

— Херово, если честно. Пусто.

— Ты трезвый?

— Абсолютно. Поедем завтракать? Я вот уже часа два думаю о том, чтобы поехать завтракать.

— Я не могу. Меня нет в городе.

— Да... Жаль... Вообще нет или... ну... собираешься вернуться?

— Я приезжаю во вторник с утра на поезде. Встретишь меня?

— Наверное. Ну, то есть я очень хочу тебя встретить. Ты мне скажешь номер поезда, вокзал и все такое?

— Конечно. Я тебе пришлю сейчас эсэмэс.

— Здорово. Слушай...

— Да?

— Я хотел сказать... то есть я хочу сказать, что мне очень жаль, что мы не позавтракаем сегодня вместе и все такое. И вообще я тебе сказал тогда такую чушь. Слушай, я на самом деле думал совсем о другом и...

— Я знаю. Давай потом все обсудим. Все будет хорошо.

— Ну ладно... Ну тогда пока, да?

— Пока. Я тебе сейчас пришлю эсэмэс.

— Хорошо. Юлечка, я хотел тебе еще сказать, что я...

— Что?

— Ну, при встрече, в общем.

— Ну хорошо.

И перед тем как положить трубку, она смеется, а я так тупо чувствую себя из-за того, что так и не смог выдавить из себя ничего серьезного. И в моем теперешнем состоянии это кажется мне особенно важным. И я получаю от нее эсэмэс и аккуратно переписываю дату, время и номер поезда на желтенькую бумажку, которую наклеиваю на зеркало. Вообще-то я ненавижу желтенькие бумажки post-it, никогда ими не пользуюсь и считаю, что на них пишут друг другу всякие глупости первокурсники, думающие, что они влюблены. При этом они клеят это дерьмо повсюду, и вся квартира покрывается этими желтенькими прямоугольничками, на которых маркером нарисованы сердца, улыбчивые рожицы и амурные словечки. Таким образом, все жилище становится похожим на одну большую доску для информации на ресепшн. Одним словом, я считаю это полной лажей, но сам дер жу такие листочки дома и сейчас хочу переписывать и переписывать это эсэмэс и заклеить этими бумажками все зеркало...

Я смотрюсь в зеркало. В нем отражается часть комнаты и прихожая. Я рассматриваю свою квартиру и в который раз отмечаю, что телевизор в комнате надо бы переставить, а на кухню купить новые жалюзи. При этом почему-то у меня ощущение как перед длительной поездкой. Не перед отпуском, а именно перед длительной поездкой. Куда-нибудь в Кемерово или Иркутск (хотя я не был ни в одном из этих городов). Я чувствую легкую грусть, нежелание уезжать и медный привкус во рту. Я трясу головой и внушаю себе, что это глупости, потому что я никуда на самом деле не собираюсь и все такое. Я улыбаюсь самому себе в зеркало и выхожу из квартиры.

На улице довольно тепло и как-то по-особенному меланхолично. Я иду по улице, и мне кажется, что я двигаюсь в гелиевой массе. С каждым шагом я преодолеваю сопротивление окружающего меня воздуха. Плотного и застоявшегося. Дойдя до шоссе, я понимаю, что очень устал. Мне уже не хочется никуда ехать, ни с кем встречаться, единственное, что удерживает меня от возвращения домой, — это то, что дома слишком уж ПУСТО.

Я нехотя поднимаю руку, и, как по волшебству, почти сразу же останавливаются две машины. Я сажусь в первую, называю адрес «Vogue Cafe», которое должно быть открыто для ранних завтраков, и закуриваю. Болтать с водителем не хочется по двум причинам: во-первых, потому что он слишком громко смеется всей этой фоменковской пошлоте по «Русскому радио», во-вторых, потому что у него на заднем стекле наклейка «Макдоналдс» и еще одна, с надписью «Сзади не пристраивайся» и фигурками совокупляющихся в doggy-style людей. Совершенно понятно, что у него еще и в мобильник зашита мелодия из кинофильма «Бумер» или «Бригада». Собеседника, наделенного столь классическим набором атрибутики агрессивного пролетариата, мне сейчас не потянуть.

Чтобы занять себя, я начинаю изучать содержимое внутренних карманов пиджака. Я достаю из левого кармана кошелек и паспорт, а из правого стопку каких-то глянцевых, прямоугольной формы, листков. Я верчу их в руках и не врубаюсь, что это такое. На листках нет никаких пометок или надписей. Они совершенно пустые.

— Книжку бы давно себе завели записную. Или, еще лучше, электронную. У моего друга вот... — начинает разговор водила.

— В смысле? — не понимаю я.

— В прямом. Чем таскать с собой кучу бумаги для записей, лучше книжку завести. А то эти листки все равно потеряешь.

— А... ну да... — отвечаю я в полнейшей растерянности.

— Чё, с похмелья подколбашивает? — смеется водила. — Не похмелился еще?

— Ага. Пиздец какой-то, — соглашаюсь я, понимая, что похмелье — единственное состояние, способное вызвать сострадание незнакомцу у русского человека. Я очень надеюсь, что водила заткнется, вспомнив свое утро с бодуна, и не станет докучать мне разговорами.

— С похмелья хорошо на природу выехать, — тем не менее продолжает он, — птички поют, молочка попьешь — и порядок. В обед граммов двести — и спать лечь. И часам к четырем как огурец. Можно опять за стол садиться. Вечером хорошо. Спокойно сразу станет. В голове пустота такая приятная. Пить — это ж тоже с умом надо, а ты как думал? Как в этом фильме, ну... про особенности рыбалки... там еще Булдаков играет... Пить надо с головой, мужики, — заканчивает он тираду и заливисто хохочет.

Водила относится к той категории мужичков-балагуров, которые являются душой компании. Такие чуваки есть в каждом дворе за доминошным столом, еще их много попадается среди завхозов в офисах. Они всегда очень заметны на коллективных пьянках. Все время слышатся их навязшие в зубах шуточки-прибауточки в виде тостов: «Ну, за дам» или «Ну, за историю». Когда кто-то уходит с пьянки раньше других и прощается, ты точно знаешь, что такой мужичок отпустит ему вслед что-то вроде «Будете у нас на Колыме, заезжайте». В общем, это какое-то ходячее собрание цитат из самых пошлейших отечественных кинофильмов и лучших выпусков программы «Аншлаг».

Водила, этот местный Евгений Петросян, продолжает свой парад-алле трехгрошовых телевизионных шуток, а у меня нарастает желание взять пульт и отключить у него звук. В этот момент звонит мой мобильный. Я реально тычу им в лобовое стекло, как пультом от ТВ, потом спохватываюсь, подношу к уху и отвечаю на звонок:

— Привет.
— Привет.
— Узнал?
— Да, Вадим, конечно.
— Ты не спишь?
— Нет. Не спится чего-то.
— Нам нужно встретиться.
— Без проблем. Я еду завтракать в «Vogue». Подъезжай.
— Я буду там через двадцать минут.
— О'кей. Увидимся.

Мы подъезжаем к «Vogue», я расплачиваюсь с водителем, он напутственно говорит мне:

— Не переусердствуй только. С умом, понимаешь? С умом надо. Ну, давай, счастливо.
— Ага. Счастливо.

Я захожу в ресторан, беру со стойки у входа «Спорт Экспресс», иду в первый зал, в котором заняты только

325

пара столов такими же жаворонками, сажусь у окна, заказываю себе кофе и начинаю читать газету. Не особенно въезжая в суть напечатанного, я скольжу по абзацам и натыкаюсь на статью о возможном завершении карьеры Михаэля Шумахера. Я думаю о том, что неплохо бы съездить хоть раз в жизни на «Формулу-1». Как только я отрываюсь от газеты, чтобы заказать себе еще кофе, в ресторан заходит Вадим.

Выглядит он так, будто не спал последние трое суток. Волосы сильно взъерошены, синяки под глазами, лицо вообще сливается со светло-серым интерьером ресторана. Судя по тому, что его костюм и рубашка сильно измяты, он еще и дома не ночевал вчера. Он постоянно приглаживает волосы и оправляет лацканы пиджака. Кажется, Вадим настолько испуган, что не замечает меня, сидящего за столом практически напротив входа. Он затравленно стреляет глазами по окружающим, его взгляд блуждает по залу, пока наконец не упирается в меня. Он быстро подходит к моему столу и нервно закуривает.

— Привет. А чего это ты в свой законный выходной день в офисном костюме? Берешь работу на дом? — усмехаюсь я, стараясь настроить Вадима на расслабленную волну. — Ты выглядишь так, будто занимаешь вторую позицию в списке ФБР most wanted, после Усамы бен Ладена, и тебя преследует весь мир. Ты отошел после вчерашнего? Извини, старик, я вчера вспылил, то есть мы оба вчера вспылили. Давай забудем и посмеемся над тем, какими мы были идиотами, а?

— Мне не смешно, мне совсем не смешно. Ты знаешь, что нам дальше делать? — тараторит Вадим.

— Ничего не делать. Нас развели по пятаку, воспользовавшись нашим тщеславием и тягой к светской жизни, — резюмирую я. — Всякое бывает, жизнь же на этом не заканчивается.

326

— И что? И мы вот так все это и оставим? Должен же быть какой-то выход, какие-то рычаги давления на них? — Он прикуривает вторую сигарету.

— Вадим, рычаги давления у тебя есть только на собственных дистрибьюторов, да и то не всегда, я подозреваю. А тут чистое кидалово. Они уехали из города и из страны, я подозреваю. Можно, конечно, в милицию заявить или в товарищеский суд обратиться.

— В товарищеский? Это как?

— Ну, к бандитам каким-нибудь. Знаешь, как в «Антикиллере», такие ребята в модных кожаных куртках «Cavalli», с угрюмыми лицами. Мы приедем в затонированном наглухо твоем «BMW» и скажем: «Послушай, Иса, нас тут с брателлой по беспределу швырнули. Надо разрулить бодягу. Не по понятиям это, своих пацанов кидать». Ну, что-то в этом роде.

— Да? Может, правда к бандитам? Нет, реально, у меня был телефон одного человека, можно связаться.

— Можно попробовать, только, боюсь, никто не станет связываться, по итогу еще нас с тобой разведут на «производственные расходы», так сказать.

Вадим закрывает лицо руками. Весь его прежний лоск, светский шарм и сексуальность завзятого тусовщика тают как дым над пепельницей. Мне его даже жалко. Сам я чувствую себя очень херово. У меня такое чувство, как в детстве, когда меня обули люберецкие пацаны в широких клетчатых штанах в парке Горького. С одной стороны, обидно до слез за снятые вещи, а с другой — страшно подумать, что было бы, если б еще и изуродовали. И главное, некому жаловаться и вещей не вернешь. Чувствуешь себя последним, забитым чмом. Но на дворе нынче начало XXI века, и в глубине души я понимаю, что виноват в ситуации я сам. На сто процентов. Вадим же выглядит как первокурсник, который спутался с девкой из общежития, переспал с ней, напился и проспал экзамен. И теперь боится, что его выгонят из института, да еще и девка, чего доброго, наградила триппером. Он боится родителей, врачей, ему стыдно и страшно. Я, как могу, пытаюсь шутить и утешать его, понимая, что он переживает настоящую драму. Потому что друзья всегда так поступают. Или нет, потому что ДРУЗЬЯ должны так поступать?

Я заказываю два апельсиновых фреша со льдом и воду без газа. Вадим молчит, уставившись в окно, и кусает ногти. Ситуация грозит обернуться истерикой. Я придвигаю к нему фреш и говорю:

— На, выпей, дружище, освежись слегка.

— Не хочу я ничего, понимаешь, не хочу. — Он неловко двигает локтем и опрокидывает стакан, разливая весь сок по столу.

Это слегка вытаскивает его из состояния полного дауна. Вадим кидает несколько салфеток в лужу на столе и командным голосом зовет официантку. Мне кажется, что это хороший момент для перевода беседы в ироничное русло. Для превращения ситуации в юмореску «лузер лузера видит издалека».

— Вадим, скажи честно, почему ты не ночевал дома? У тебя же жена, ребенок. Они волнуются за тебя, — хихикая, начинаю я, — ты из-за какой-то новой телочки нервничаешь?

— У тебя все в порядке, да? Охуительно как все! Нас кинули на сто пятьдесят тысяч долларов, а у тебя все в порядке. — Вадим начинает заводиться. — Я всю ночь не сплю, понял, да? У меня глаза скоро лопнут от давления, мне совсем не весело. Мне пиздец как грустно.

— Вадим, ты употребляешь наркотики? — Я делаю скорбно-серьезное лицо.

— Да! Да! Я вчера обхуярился кокаином, сегодня уже напился, и вообще я дома не появляюсь, жду каждую минvту, что меня наша эсбэ накроет. А ты сидишь и клоунишь передо мной. Ты, может, в доле с ними? А? Ты меня специально в это втянул, развел, а теперь сидишь тут и даже не пытаешься разыграть партнера по несчастью.

— Ты совсем с ума съехал? Тебе разве не известны слова Курта Кобейна — «никогда не мешайте алкоголь и наркотики»? Опять бодяжил кокаин с виски-колой? И потом, при чем тут твоя служба безопасности?

— А при том, блядь! — Вадим наклоняется ко мне вплотную. — Еще как при том.

— Не понял? Ты мне говорил, что хочешь бóльшую долю, но у тебя есть только полтинник. Ты чего, у кого-то на работе занял? И теперь боишься, что он на тебя в эсбэ настучит?

— Нет, нет. — Вадим переходит на шепот. — Я все, понимаешь, ВСЕ деньги взял на работе.

— Какой же идиот дал тебе сотку взаймы?

— Мне никто ничего не давал, я всю сумму провел как брэнд-бюджет на листинг, в этом долбаном клубе, на позиционирование на открытии и вечеринках, понимаешь? ВСЕ ЭТИ ЕБАНЫЕ СТО ТЫСЯЧ ДОЛЛАРОВ!

— Да... — вырывается у меня.

Я всегда подозревал, что в придачу к тщеславию Вадим обременен потрясающей жадностью к деньгам. В особенности к чужим. Ну, ограничился бы хоть полтинником, так нет. Он хотел поиметь бóльшую, чем у меня, долю. Идиот... вот так просто взять и отжулить сто тысяч компанейских денег под свое участие в проекте. Воистину, на хитрую жопу есть член с винтом...

— Вадим, скажи, пожалуйста, а принципиально было тебе иметь бóльшую, чем у меня, долю? Зачем тебе все эти выкрутасы с бюджетом вообще были нужны?

— Я не знаю, я не знаю... ну, ребята же эти были известные. Их все знают, возможность идеальная, я всегда мечтал иметь что-то в этом духе. Клуб или бар. Ну, я же не знал, что ТАК ОНО ПОВЕРНЕТСЯ! Потом, это же ты мне предложил, а? Ведь это ты все устроил. — Он мечет глазами молнии в мою сторону, и мне кажется, что я начинаю понимать, зачем он меня сюда вытащил.

— А отмандить корпоративный бюджет тоже я тебе предложил, Вадимчик? Может, и обоснование проекта я за тебя написал, или как это у вас называется?

— Послушай, ну я не это имею в виду. Я запутался, я не понимаю, что мне дальше делать. В понедельник эсбэ начнет все раскручивать — и все. Понимаешь? Все. Хорошо, если просто уволят, а скорее всего закончится статьей за хищение. Пиздец, полный пиздец. Ты не понимаешь, ты же никогда этим не дорожил. Я шел к этому посту три года. Три fuckin' года. Я терпел всех этих лажовых ублюдков, америкосов. Я прогибался, я зубами вгрызался в пост брэнд-менеджера. Я же ВСЕ, все сейчас теряю. Я не знаю, что мне делать. Я просто попал в тупик.

Я вижу, что Вадим начинает всхлипывать. Еще минута — и он разрыдается. Я закуриваю, тупо смотрю в зал и понимаю, как я его ненавижу. Он продолжает нести всю эту ахинею про становление своей карьеры, про лишения и муки совести, про сделку с самим собой. Мне до того омерзительно, что я не чаю, как бы слинять отсюда. Оставив его в одиночестве размазывать сопли по тарелке собственной жадности. Господи Боже, кто вообще придумал деньги? А главное, кто придумал подпускать подобных идиотов к денежным потокам? Тут Вадим хватает меня за локоть, заглядывает в глаза и проникновенно говорит:

— Послушай. Послушай, а может быть, ты скажешь моему шефу или эсбэшникам, что ты тоже учредитель? Что открытие клуба просто откладывается из-за пожарных или там еще кого? Мы сейчас быстренько эту схемку придумаем, они на нее поведутся, будь уверен. Я им еще мозги за клубный бизнес запудрю. А там мы вместе замнем это на пару месяцев, я перекручусь где-нибудь, верну эти деньги, скажу, что у ребят ничего не вышло. А? Точно. Давай так сделаем, это идеальная схема. У них на тебя ничего нет, понимаешь? Им к тебе никак не придраться. А нам главное тут — выиграть время. Может, и этих козлов найдем. Даже если не найдем, я достану деньги по-любому. Тебе же ничего не стоит? В конце концов, ты же не брал эти деньги, ты сам попал, как и я? Ты же не с ними, мы на одной стороне, понимаешь? А мои эсбэшники съедят как миленькие. Им главное — отчет написать, что ситуация под контролем, а там хоть потоп. Нравится? Я был уверен, что мы обязательно выкрутимся. Мы же с тобой умные ребята. Классная схема, да?

— Нет, дорогой мой, не классная.

Мне очень хочется ударить его по лицу наотмашь. Но я уверен, что он тут же побежит в милицию и скажет, что я избил его и отобрал сто тысяч долларов. Вместо этого я просто тушу в пепельнице сигарету и прошу счет.

— Постой, тебе не нравится наша схема? Или что, я не понимаю, ты не можешь сделать ЭТО ДЛЯ НАС?

— Схема — полное говно. Это раз. И прекрати, please, говорить «мы» и «нас». Ты не на переговорах с клиентом. Это два. И к твоему аферизму я не хочу иметь ни малейшего отношения. Это три.

Вадим цепенеет. Он сжимает подлокотники так, что белеют костяшки пальцев. Кажется, кресло просто засосало его.

— Постой, постой, — говорит он сдавленным голосом, — я, кажется, начинаю понимать. Я все понял. Ты, сука, специально все это подстроил. Вы меня заманили в этот блудняк, ты сделал вид, что тоже вкладываешь деньги. Я тебе поверил, я думал, мы друзья, я тебе поверил, понимаешь? А теперь я один в дерьме, а вы на конях. Нет, ты думаешь, все так просто закончится? О-о-о, ты даже не знаешь, куда ты попал. Это не табачный ларек, это мультинациональная компания. От тебя даже пыли не останется. Ты будешь иметь дело с моей службой безопасности. Понял, урод? Тебя отвезут в ментовку и будут пиздить по почкам, пока ты не вернешь все деньги компании. Тебя и твоих ублюдских дружков. Ты что, не врубаешься? Я не лох, меня нельзя так вот запросто кинуть, как шлюху с Ленинградки. Я тебе таких проблем нарисую!.. — Его голос окончательно срывается и переходит на бабий визг.

Я встаю из-за стола. Весь этот дешевый балаган меня слишком сильно утомил. Очень обидно потерять деньги, но еще обиднее потерять человека, некогда считавшегося твоим другом и распадающегося сейчас на твоих глазах в гнилое мясо.

— Нет, ты постой, — продолжает истерить Вадим, — ты стой, я тебе сказал, я сейчас наберу своим эсбэшникам, мы по-другому поговорим.

Он достает из кармана мобильный и судорожно начинает тыкать в кнопки. Я поднимаю со стола стакан с остатками своей воды и выливаю ему на голову.

— Лучше позвони своему доктору, брат.

Я иду к выходу, и мне даже не хочется оборачиваться. Ситуация настолько пошлая, что кажется малореальной. У самого выхода несет не совсем свежей рыбой, вероятно, с кухни. Но мне хочется верить, что это начал гнить Вадим. И еще мне кажется, что он сидит и плачет. И это повышает мою самооценку. Вероятно, я еще не совсем конченый.

Я выхожу из «Vogue», ловлю такси и называю домашний адрес. Дорогой я туплю в окно и напеваю «Friends will be friends», «Queen». Мне как-то отчаянно херово. Мы тем временем подъезжаем к Ленинградскому вокзалу. На его фасаде загорается и гаснет табло «Железнодорожные кассы». Я прошу остановить машину.

— Так не доехали же еще? — удивленно вопрошает таксист.

— Не важно, я тут сойду. Сколько с меня?

Я протягиваю ему деньги и выхожу из машины. Я иду к центральному входу, у самого входа оборачиваюсь, машина, которая привезла меня, все еще стоит. Водила открыл окно и смотрит в мою сторону. Я зачем-то поднимаю руку и машу ему. Он в тот же момент заводит мотор и уезжает прочь.

У входа на ступеньках сидят человек десять молодых клабберов. Вероятно, ждут свою электричку, которая увезет их в Подмосковье отсыпаться. Чтобы сегодня или завтра ночью снова броситься в холодное неоновое пламя огней Москвы. Они похожи на волнистых попугайчиков, сидящих на жердочке. Все такие разноцветные, в ярких куртках и кроссовках. Только очень смурные. Знаете, такие попугайчики на отходняках?

Я подхожу к ним. Вынимаю из кармана стопку этих пустых листов и спрашиваю:

— Ребят, я чего-то с похмелья не воткну никак, это на сегодня? Или на завтра? Возьмите, посмотрите.

Все как я и думал. Так оно и должно было быть...

— Ага, на сегодня, — оживляется один из них, — в девять начало.

— Ух ты, это на презентацию диска Листа, что ли? — берет у него глянцевый листок бумаги другой чувак. — А у вас, случайно, нет еще проходочки?

— А она тебе нужна? То есть ты уверен, что она тебе нужна?

— Ага. Я бы сходил с удовольствием.

— Ну, тогда берите все. Берите, берите, пока я не передумал, — улыбаюсь я.

— Круто! Спасибо большое. Увидимся, — жмет мне руку этот парень.

— Наверное.

Я иду к кассам, оборачиваюсь на ходу и вижу, что эти клабберы собрали вещи и линяют на улицу. Наверное, боятся, что передумаю и заберу у них пустые листочки обратно.

У касс странно мало народу. Я подхожу к окошку кассира и протягиваю туда тысячерублевую купюру, говоря: «На ближайший поезд».

Кассирша задает мне какой-то уточняющий вопрос. Я не слышу, что она отвечает, но на всякий случай киваю. Она протягивает мне сдачу и билет со словами:

— Шестой путь. Через десять минут.

Я отхожу от кассы, выхожу на улицу покупаю в палатке пачку сигарет и иду искать свой путь...

В электричке напротив меня сидит дед. Он неспешно и очень вкусно пьет пиво из полуторалитровой пластиковой бутылки. Делает паузы, завинчивает пробку, смотрит в окно. Потом опять отвинчивает пробку, делает большой глоток и смотрит сквозь меня. Кажется, что он изучает карту на стене вагона и мое тело ему совершенно не мешает. Закончив смотреть сквозь меня, он произносит фразу:

— Долго еще.

Я пялюсь в окно. По проходу идет продавец газет. Я думаю о том, чтобы купить что-то почитать, но не вижу у него в коробке ни одного знакомого заголовка. Я от нечего делать начинаю разглядывать окружающих пассажиров. Разные дачники, молодежь, возвращающаяся из Москвы, пара клерков в деловых костюмах и галстуках, с опухшими от вчерашней вечеринки глазами. Девушка, сидящая у окна напротив, перелистывает пустые листы с непонимающим лицом.

Поезд останавливается на станции. В вагон входят новые люди. Мне кажется, что все они внимательно рассматривают меня и ждут, что я им скажу какую-то основополагающую истину, способную перевернуть их жизнь. Ну или просто пошлю на хуй. Из палаток на платформе доносится известный блатной шлягер — «Голуби летят над нашей зоной». Я быстро-быстро хлопаю веками. Я где-то слышал, что эта первая стадия сна называется профессионалами «Rapid Eyes Movement». Я вспоминаю, что именно так расшифровывается название известной американской группы R.E.M. Еще я думаю о том, что было бы очень смешно, если бы их вокалист, этот гомик Майкл Стайп, спел звучащую в данный момент песню. На словах «что тюрьма заслушалась вокруг» я окончательно проваливаюсь в сон...

Мне снится, будто я нахожусь на станции метро «Театральная», где собрались все женщины, с кем у меня были более-менее серьезные отношения, вплоть до совместной жизни. Все те, к кому я питал некое подобие любовных чувств. Причем собрались они тут одновременно, потому что я так прикольно договорился о встрече здесь с каждой в отдельности. И вот теперь я сам этому не рад и вижу, что замечен всеми сразу, и у меня уже нет совершенно никакого фана, и единственное, что мне хочется — так это заскочить в любой пришедший поезд и уехать отсюда побыстрее. Но на мою беду, отчего-то все поезда проезжают «Театральную» без остановки, причем с обеих сторон. И так проходит минут пять или десять, и все мои женщины постепенно подходят ко мне, улыбаясь, и я наконец разворачиваюсь и уезжаю вверх на единственном работающем эскалаторе. Затем прохожу каким-то переходом, снова попадаю на эскалатор, спускаюсь и снова оказываюсь на «Театральной», где опять вижу их. И я проделываю свой путь по эскалатору еще пару раз и вновь оказываюсь на платформе станции «Театральная». И все мои женщины стоят на тех же местах с лицами, выражающими неоправдавшиеся ожидания чего-то большего. А по эскалатору спускаются два милиционера и пристально смотрят на меня. И тут у меня создается полнейшее ощущение замкнутого круга и какого-то глупого, но вместе с тем ужасного проступка, который я совершил. И даже во сне я понимаю, что все это глюк, и ужасаюсь тому, как может сниться подобная ахинея. А тем временем милиционеры приближаются, и один из них протягивает мне мороженое, но я понимаю, что брать его нельзя ни в коем случае. Но также я понимаю, что бежать мне в принципе некуда и мороженое они все равно всунут мне в руку или в карман. И у меня полное чувство безысходности, и я не очень врубаюсь, каким образом я пропустил тот факт, что мороженое стало чем-то запретным. И мне страшно оттого, что я не в теме, и оттого, что я не знаю, что следует делать и как следует отвечать этим ментам, и стрем достигает своего апогея, и в этот момент я просыпаюсь. По проходу идет торговка и предлагает всем пассажирам пломбир, мороженое в вафельном стаканчике и эскимо. Я дожидаюсь, пока она покинет вагон, и снова закрываю глаза. В этот раз я сплю уже без всяких сновидений. В полнейшей темноте.

Я окончательно просыпаюсь. Поезд снова стоит. Я даже ловлю себя на ощущении, что поезд так никуда и не уезжал с того момента, как я отключился. Смотрю на часы соседа — девять часов вечера. Я проспал девять часов. Я встаю и выхожу из вагона. Моим глазам предстает довольно типичный полустанок или маленькая станция. Море зелени, приземистый прямоугольник вокзала. Я пытаюсь узнать название станции, но мне не попадается ни одной таблички с надписью. Впрочем, какая разница?

Электричка, доставившая меня, тем временем отъезжает. Я прохаживаюсь по перрону и начинаю осматриваться по сторонам. Прямо передо мной здание вокзала и автобусная станция с двумя остановками и несколькими припозднившимися пассажирами. Еще я вижу несколько палаток, павильон «Продукты» и кафе. Над кафе висит дым от мангала. Парень и девчонка, сидя на пластиковых стульях, едят шашлык и запивают его вином. Я раздумываю над тем, хочу ли я есть или нет. Парень поворачивает голову в мою сторону. У него довольно раскрасневшееся лицо. То ли от страсти к алкоголю, то ли от страсти к девушке. В любом случае я понимаю, что на площадь мне совершенно не нужно.

С другой стороны перрона тянется проселочная дорога с редкими кустами. Туда я, пожалуй, и направлюсь. Я перехожу пути и выхожу на дорогу. Она идет вдоль железнодорожного полотна, то удаляясь, то приближаясь к нему. Изредка мне попадаются домишки, затем начинается лесополоса. У самых рельсов растут маленькие желтые цветы. Они похожи на те, которые мы как-то раз собирали вместе с мамой, в детстве. Хотя точно я не уверен. Я иду вдоль рельсов и зачем-то рву цветы. Через какое-то время у меня в руках оказывается довольно большой букет. Я вспоминаю, что если найти среди цветов тот, у которого семь или шесть лепестков, то можно загадать желание, которое обязательно исполнится.

Погруженный в эти размышления, я усматриваю чуть в глубине леса поляну с тремя поваленными деревьями. Сворачиваю от дорожного полотна и, волоча за собой желтый букет цветов, выхожу на середину поляны. Вид у меня, должно быть, совершенно дурацкий. Я сажусь на одно из деревьев, закуриваю и начинаю разглядывать окружающий меня пейзаж. Поляна имеет все приметы той особенно трепетной любви русского человека к Родному Краю — пустые пивные бутылки, окурки, пару консервных банок и проплешину от костра, — все то, что все мы так любим в дикой природе. Венчает этот технонатюрморт труп крысы, лежащий под кустом. Вероятно, недалеко от леса имеются какие-то продуктовые склады, или же крыса прибежала сюда с места своего постоянного проживания — кафе возле станции, по своей крысиной необходимости. Крыса лежала в какой-то странной, неестественной позе. Подобно тигру, готовящемуся к прыжку вверх, с земли. С полуприкрытыми глазами и открытой пастью. Лежит она здесь недавно, судя по тому, что труп был целый и его еще не успели объесть бродячие собаки или лесные звери. А может быть, они просто брезгуют есть падаль такого рода?

Как-то я смотрел передачу «Дикая природа», или «Животные на Би-би-си», или, может быть, нашу отечественную программу «В мире животных». Знаете, такие часовые программы, идущие в эфире по субботам и воскресеньям, когда твой организм утомлен вчерашними возлияниями и хочется чего-то, что могло бы успокоить твою психику. Их ведут иностранные чуваки с елейными голосами, копии нашего Дроздова, которые вещают о жизни животных, их размножении и охоте и всяком таком, что можно слушать и смотреть часами, не особенно вникая в суть происходящего на экране. Своеобразная теплая ванна для психики. Еще в убитом состоянии хорошо катят старые советские фильмы-сказки с Катиным-Ярцевым в роли Бабы Яги. Но суть не в этом.

Так вот, в одной из этих передач рассказывалось о жизни крыс, спутников человека, которые живут в подземных инфраструктурах или в близости от источников питания. Еще крысы ходили там зачем-то в ближайшие зеленые массивы. То ли рожать, то ли умирать — сейчас мне не вспомнить, к сожалению, а то я бы непременно объяснил вам, откуда взялась в лесу эта крыса.

Вообще крысы — существа очень агрессивные, движимые постоянным чувством голода, которое не имеет никаких барьеров. Крыса способна пожрать себе подобного без вопросов. Именно этим пользуются борцы с грызунами, которые рассыпают яды в подвалах, рассчитывая на то, что пожравшая этот яд крыса уйдет еще глубже,

338

туда, где живет ее стая. Чтобы, умирая, попасть под острые резцы своих соплеменников и тем самым уничтожить ядом всю стаю. Во время просмотра этой передачи мне подумалось, что все мы — молодые и агрессивные представители московского социума — похожи на крыс, пожирающих друг друга. Поскольку все мы уже давно отравлены ядами цинизма, пошлости и человеконенавистничества, накопившимися в нашем организме за столь недолгую жизнь, то, пожирая друг друга, мы все вымрем в конце концов. И дай Бог, чтобы на смену нам пришли более здоровые люди. Хотя все это, конечно, полный бред и я не очень понимаю, почему такие размышления лезут мне сейчас в голову.

Еще какое-то время я сижу на бревне, курю и тщетно пытаюсь найти тот самый волшебный цветок с семью лепестками. Кажется, что я перерыл уже весь букет, но все без толку. В самом деле, какого черта мне дался этот цветок? Я бросаю сигарету, тщательно затаптываю ее ногой, пока она не погаснет (я легко мог бы получить первый приз в номинации «Нет лесным пожарам»), и отправляюсь дальше. Когда я возвращаюсь к железнодорожным путям, из надвигающихся сумерек на поляну выходят две собаки. «Приятного аппетита», — желаю им я.

Тем временем на улице здорово темнеет. Я продолжаю свой путь вдоль полотна. Окружающий лес делает пространство еще более темным, но в данном случае эта темнота выглядит очень аутентичной моему состоянию. Более того, она меня успокаивает и настраивает на меланхолично-философский лад. Внезапно лес заканчивается, и я выхожу на берег реки. Перед моими глазами простирается огромный железнодорожный мост, который вызывает у меня ассоциацию с фильмами про войну. Именно такие мосты — с мощными быками и длинными железными дугами сверху (я даже не знаю, как они называются) — взрывали в фильмах моего детства храбрые партизаны. Вагоны, падающие в реку с переломленного моста, всегда казались мне игрушечными, и я очень переживал за такое херовое качество съемки спецэффектов. В любую другую ночь этот мост вызвал бы у меня чувство страха своей давящей монументальностью и огромными размерами. Но сегодня он отчего-то притягивает меня. Я сначала робкими, а потом уверенными шагами захожу на мост и быстро достигаю его середины. Сооружение в самом деле великолепно. Я поднимаю голову вверх и сразу ощущаю себя очень маленьким в сравнении с его огромными дугами. Мне хочется узнать, который сейчас час. Поскольку часов я не надел, то судорожно роюсь по карманам и не обнаруживаю телефона. Вероятно, я оставил его во время своего перекура на поляне.

Я думаю о том, что он лежит сейчас в траве и эти две собаки ходят вокруг него кругами и обнюхивают. Периодически он пищит, и тогда собаки в испуге отпрыгивают и наблюдают за ним издалека. Наверное, из-за черного цвета и писка им кажется, что это еще одна больная крыса, которая пищит, окусывается, но убежать уже не сможет. Собаки очень рады тому, что сегодня им несказанно повезло и собачий бог послал им на пропитание сразу двух мертвых крыс. К утру, думают собаки, она окончательно ослабнет и ее можно будет сожрать. Потом самая смелая собака подбежит к телефону и хватит зубами, ломая их о титановый корпус...

Вид собачьего оскала со сломанными зубами, столь живо нарисовавшийся в голове, немедленно наводит меня на одну картину из детства. Картину, с которой у меня до сих пор ассоциируется смерть.

Не секрет, что все дети, растущие на сказках со счастливым концом, на добрых книгах и согретые теплом окружающих, совершенно не задумываются о смерти. Более того, они даже не подозревают о самом факте ее существования. Когда я был маленький, у меня жили два волнистых попугайчика. И вот пару раз случалось так, что один из них пропадал. То есть вечером, когда я ложился спать, их было двое, а с утра был уже один. Безусловно, в конце дня появлялся и второй, чуть другой по цвету оперения, но все-таки появлялся. Мама объясняла мне, что утром один из попугайчиков заболел и она носила его в больницу, где его очень быстро вылечили и вернули обратно. Естественно, что, выздоровев, он слегка поменял оперение, как и подобает всем выздоровевшим. В другой раз я увидел, что один из попугайчиков лежит в клетке на спине, подняв вверх окостеневшие лапы, и уже было собирался расплакаться, но опять же мне объяснили, что попугайчик заболел и заснул, а вечером он снова оказался живой и невредимый на своем месте. Опять же чуть другой по цвету...

В то время мне было невдомек, что заботящаяся о моей ранимой детской психике мама просто покупала мне нового попугайчика каждый раз, когда он умирал. А я, привыкший, что сказочные герои в самом худшем случае засыпают мертвым сном, но уж никак не умирают, верил во все истории с болезнями, быстрыми излечениями и прочим. А что мне оставалось делать? Тогда для меня еще не существовало смерти.

И вот однажды я шел по улице с бабушкой и увидел труп собаки. Судя по всему, ее сбила машина. Тело собаки было словно переломлено пополам, пасть перекошена в жутком оскале, некоторые зубы выбиты. И в этот момент я понял, что ТАК НЕ СПЯТ. Что в книгах принцы и принцессы, даже заколдованные самыми страшными ведьмами, спят с безмятежно красивыми лицами, пока не найдется кто-то, кто поцелует их или окропит живой водой. И что у них не бывает перекошенных лиц и переломленных тел. Я вспоминаю, с каким ужасом я спросил у бабушки, что случилось с бедной собачкой, отчетливо осознавая то, что с собакой случилось самое страшное. Бабушка очень грустно посмотрела на меня и ответила, что собачка умерла. Я, обливаясь слезами, всю дорогу домой задавал бабушке вопросы: неужели собачка больше не проснется? А что, неужели ей никто-никто не сможет помочь?

И на все свои вопросы я получил ответ: НЕТ. Это самое НЕТ породило в моем детском уме целый ряд еще более страшных вопросов. Так, значит, все мы когда-то умрем? И попугайчики, и ты, и мама, и Я, наконец? Я не очень помню, под каким именно соусом моя бабуля ответила мне утвердительно, зато я очень хорошо помню, что мне в первый раз в жизни стало по-настоящему страшно. То был ни с чем не сравнимый страх близкой потери дорогих мне людей. Причем все доводы о том, что это случится не скоро, вызывали во мне только больший ужас. Ужас непреодолимости и осознания того, что все эти веселые денечки, все это солнце, зима, весна, лето, осень, дождь, снег и прочее — есть только небольшая отсрочка перед неминуемым финалом.

После той сцены с собакой я еще какое-то время жил с этим ужасным чувством человека, познакомившегося со смертью, но потом, как и положено ребенку, более светлые моменты вытеснили смерть из моего сознания. Но вид посмертного оскала той собаки я помню до сих пор очень отчетливо. Безусловно, потом в моей жизни было еще много смертей. Школьных товарищей, просто знакомых, просто очень хороших знакомых, родных, матери, но это первое, детское ощущение смерти явилось для меня тем откровением, которое вспоминаешь всю свою жизнь. Позже к нему примешалась ностальгия по детству, такие саднящие воспоминания о том времени, когда многого плохого еще не случилось ни с тобой, ни с твоими близкими. Когда все еще воспринималось в будущем времени. Когда сегодняшний день был катастрофически далек и многие события, приведшие меня в него, могли бы просто не случиться. Или случились бы, но не со мной...

Тут я думаю о том, что было бы, найди я все-таки тот цветок, исполняющий желание. Что бы я попросил у него? Знаете, такое состояние, когда ты сидишь, делаешь самое нудное и выматывающее дело и думаешь: а вот оказаться бы сейчас на море! С девками, выпивкой и т.д. Где бы я сейчас хотел оказаться?

Я мысленно перебираю варианты и понимаю, что объективно нет такого места и таких людей, с которыми я бы хотел сейчас увидеться. Потому что сценарий всех возможных встреч с моими знакомыми в любых точках земного шара известен мне с точностью до ста процентов. Более того, все эти сценарии так или иначе уже воплощались в жизнь (некоторые не по одному разу), и никакой новизны они мне не принесут. Никакого душевного успокоения я не получу. Все места и все люди, коих я могу вообразить, мне неинтересны, как и я им, впрочем.

Интересно, да? Я, вероятно, единственный человек на земле, который, получив возможность реализации любого желания, готов отдать магический «цветик-семицветик» другому. Безграничная щедрость, порожденная безграничной же пустотой и полной атрофией воображения... Богатый возможностями и бедный духом...

Хотя нет, одна мысль у меня все-таки есть. Я попросился бы у цветка обратно в детство, да, боюсь, услышал бы — СЕРВИС НЕ ДОСТУПЕН...

Я смотрю с моста. До уровня воды метров сорок. Интересно, присутствует ли во время падения чувство полета? Наверное, присутствует. Иначе не объяснить то огромное количество самоубийц, которые среди прочих способов выбирают прыжки с мостов или крыш. Чувство свободного полета, которое многие из нас ищут по жизни.

Я поднимаю голову и разглядываю потрясающую перспективу, лежащую за рекой. Ночь уже почти кончилась, а день еще не начался. Это то самое время между днями, которому нет аналогов в русском языке, но есть емкое английское — in between days. Я стою на пороге между днями. Вдали мерцают немногочисленные светящиеся окна домов, редкие огни уходят все дальше и дальше, смешиваясь у линии горизонта с предутренними звездами. Воздух начинает свежеть. Я вынимаю из кармана пачку сигарет, достаю последнюю и, размахнувшись, подкидываю пачку в воздух. Яркое белое пятно описывает зигзаг на фоне неба и летит к воде. В какой-то момент она переворачивается в воздухе, попадает под луч дорожного фонаря, так что я разглядываю последние буквы ее названия — ENT, и падает в воду. Я смотрю за плывущей пачкой, пока она совсем не пропадает из виду.

Я ложусь на мост, снимаю пиджак, кладу его под голову и прикуриваю сигарету. Я поднимаю руку с горящей зажигалкой, смотрю на пламя, затем закрываю глаза. Весьма прикольно, как цветные стеклышки в детском калейдоскопе, передо мной начинают проноситься всякие люди и события. Все начинается с момента, когда мы с моим другом Тимуром, десятилетние пареньки, одетые в желтые футболки с надписью «Ринг», играем в футбол на школьном дворе, воображая себя бразильцами. Мы играем очень технично и самозабвенно, как и полагается настоящим кудесникам мяча. Потом я стою на Старом Арбате, за лотком, уставленным матрешками и деталями советской военной формы. Я ощущаю в своем кулаке смятые долларовые банкноты, которые хочу засунуть в спинку стула, но почему-то не нахожу в ней привычной полости. Потом я пью из горла «Советское шампанское» на выпускном вечере в концертном зале «Россия», куда свезли выпускников из различных московских школ на «последний праздник детства», хотя в воздухе никаким таким детством не пахнет, а пахнет алкоголем, гормонами и надвигающимся временем всеобщего разврата. А вот опять я, в чужой квартире на Юго-Западе Москвы. И в комнате лежат полуодетые мужские и женские тела вперемешку с окурками и пустыми бутылками, и я встаю, очень худой и измождённый, наматываю вокруг бедер полотенце и подхожу к висящему в комнате большому зеркалу. Зеркало отражает мое лицо пепельного цвета и кровать с двумя девчонками из параллельной группы, из которой я только что встал. И все мы учимся на втором курсе, и все мы вдруг стали очень взрослыми.

А вот я надеваю пиджак, беру в руку чемодан и готовлюсь отбыть в свою первую командировку в Париж. И моя мама, прощаясь со мной в дверях, говорит мне, чтобы я обязательно позвонил, как только приземлюсь. И я киваю, уверяя ее, что так и сделаю, хотя наверняка забываю об этом тотчас по прибытии. С этого момента лица людей, окружающие меня панорамы и диалоги всё убыстряются, меняясь с астрономической скоростью. Я — спящий в пустом вагоне метро, я — сидящий на корточках и прикладывающий снег к разбитому носу, я — пьяно развалившийся на заднем сиденье «мерседеса», смотрящий в неоновые огни ночного города, я — покупающий анашу у негров в Париже, я — стоящий перед зеркалом в ванной и рассматривающий ссадины на своем правом плече. Я вижу рыжую Ленку, которая, плача, называет меня свиньей, потом похороны своего сокурсника, плавно переходящие в свадьбу лучшего друга, потом я вижу Галину Григорьевну, маму девочки Маши, с которой прожил три года, говорящую мне, что в моем возрасте можно было бы быть и посерьезнее. Потом появляется открытие клуба «Zeppelin» и множество знакомых лиц, потом я сижу на футбольных полях в районе метро «Речной вокзал» и рву банковские упаковки, пересчитывая доллары, потом я нюхаю кокаин в туалете какого-то ресторана, потом я обнимаюсь с промоутером Сашей, чье лицо резко превращается в лицо татарки Эльвиры, которую я, опять же в туалете, трахаю, придерживая левой ногой входную дверь, в которую перманентно кто-то ломится, и мне так это надоело, и у меня ужасно затекла нога и начинают уставать руки, хотя я понимаю, что не могу отпустить ни ее, ни дверь. Декорации туалета плавно переходят в бутик «Gucci» в Третьяковском проезде, где я разговариваю по мобильному телефону с Юлей, отчаянно жестикулируя и пытаясь ей что-то доказать. Я выхожу из бутика и оказываюсь на Невском проспекте у Гостиного Двора. На противоположной стороне улицы, у кафе «СССР», стоит Вадим, который машет мне рукой. А потом появляются все одновременно. Моя бабушка, которая спрашивает меня, заплатил ли я за телефон, и маленький мент, поймавший меня в туалете того кафе, который принимает у меня из рук квитки оплаты за телефон, и Юля, сидящая в «Шатре» с грустными глазами вместе с Кондратовым, который удивленно рассматривает плакат с Джеймсом Бондом, стреляющим из пистолета с длинным дулом кукурузными зернами, и питерский Мишка, одетый официантом, снимающий серебряный колпак с тарелки, на которой лежит томик Достоевского, и промоутеры Саша и Миша, считающие деньги (оба они сидят ко мне спиной, так что их лица скрыты от меня, но я точно знаю, что это они). И толстая семейная пара в гипермаркете «Ашан», и смешной мужик, пьющий кофе, весом в 120 килограмм, одетый в красную майку с надписью «HURGADA DIVERS», хотя любому ясно что никакой он не «дайвер», а просто жирный мудак, который каждый свой отпуск проводит в Турции по «горящей» путевке, и снова я, встречающий Юлю на каком-то железнодорожном вокзале. Я нервно курю и смотрю на нее слезящимися от ветра глазами, а она идет мне навстречу в чем-то красном и улыбается. Тут же появляется аэропорт Шереметьево-2 и я, сидящий на красном чемодане, двенадцать лет назад. Как будто бы я опоздал и не еду первый раз в своей жизни ни в какой Париж, а просто собираюсь позвонить домой...

346

И все это смешивается в конце концов в одно большое красное пятно, постепенно начинающее таять, пока не превращается в серую зернистую рябь наподобие той, которая мельтешит на экране включенного телевизора, не показывающего ни одной программы.

Через некоторое время по моим векам начинают бегать оранжевые тени, подобные тем, которые возникают, когда поднимаешь закрытые глаза к солнцу.

Может быть, это зажигалка, а может быть, это действительно солнце начинает вставать где-то там, далеко, за лесом. В любом случае мне почему-то очень хочется верить, что этот огонь никогда не погаснет...

Содержание

Литературно-художественное издание

Минаев Сергей
ДУХLESS
Повесть о ненастоящем человеке

Ответственный редактор Ю.М. Раутборт
Художественный редактор О.Н. Адаскина
Компьютерная верстка: Н.Г. Суворова
Технический редактор Т.В. Сафаришвили
Младший редактор Е.В. Демидова

Подписано в печать с готовых диапозитивов заказчика 17.03.07.
Формат 84×108^1/$_{32}$. Бумага газетная. Печать высокая с ФПФ.
Усл. печ. л. 18,48. С.: Совр. проза(У)(бел.обл.).
Доп. тираж 20 000 экз. Заказ 801.

Общероссийский классификатор продукции
ОК-005-93, том 2; 953000 — книги, брошюры

Санитарно-эпидемиологическое заключение
№ 77.99.02.953.Д.003857.05.06 от 05.05.06 г.

ООО «Издательство АСТ»
170002, Россия, г. Тверь, пр. Чайковского, 27/32
Наши электронные адреса:
WWW.AST.RU E-mail: astpub@aha.ru

ООО Издательство «АСТ МОСКВА»
129085, г. Москва, Звездный б-р, д. 21, стр. 1

ООО «ХРАНИТЕЛЬ»
129085, г. Москва, пр. Ольминского, д. 3а, стр. 3

Издано при участии ООО «Харвест».
Лицензия № 02330/0056935 от 30.04.04.
Республика Беларусь, 220013, Минск, ул. Кульман,
д. 1, корп. 3, эт. 4, к. 42.

Открытое акционерное общество
«Полиграфкомбинат им. Я. Коласа».
Республика Беларусь, 220600, Минск, ул. Красная, 23.